ケンブリッジ大学・人気哲学者の

「不死」の講義

「永遠の命」への本能的欲求が、
人類をどう進化させたのか?

Immortality
The quest to live forever and how it drives civilization
by Stephen Cave

スティーヴン・ケイヴ
柴田裕之／訳

日経BP

フリーデリケに捧げる

序

これは、生と死、そして文明と人類の進歩についての本だ。

本書の目的は、以下の事実を示すことにある。私たち人間は、他のあらゆる生き物同様、果てしなく生を追求するよう駆り立てられているが、生き物のうちで唯一、私たちだけが、その追求の過程で目覚ましい文化を創出して瞠目《どうもく》すべき芸術品を生み出し、豊かな宗教伝統を育《はぐく》み、科学の物質的業績と知的業績を積み上げてきた。

そのすべては、「不死」を手に入れるための四つの道をたどることを通して成し遂げられてきた、というのが私の主張だ。本書の最終的な目的は、これらの道のいずれかによって不死が実現しうるのかを問い、その答えが私たちの生き方に与える影響や意味合いについて考えることにある。

「歴史は実例によって教授する哲学である」と、古代ギリシアの歴史家トゥキュディデスは書いた。私の専門は哲学だが、本書では歴史の実例も幅広く引き合いに出したし、人類学から動物学に至る多くの学問分野や、その間にあるもの（大学は教科や学部にきれいに分かれているが、実生活はそうはいかない）の見識も利用した。専門外の領域へと分け入るときには、そこでの統一見解におおむね従うよう心掛けた上で、必要に応じて自分独自の主張を打ち出すこととした。

「不死」という壮大なテーマに対して包括的な主張を重ねるのが不謹慎であることは承知している。また、大昔から込み入った議論が続いているこのテーマについて、端的に、そして簡潔に記すという本書の目論見《もくろみ》自体、受け容れられないという方もいるかもしれない。それでも、本書に刺激を受けて、さまざまな知識の細道をさらにたどってくださる読者が一人でもいることを願っている。

目次／Contents

第1部 「生き残り」シナリオ

第2章 「万里の長城」の究極目標 ——文明と不老不死の霊薬

第3章 科学vs死神
――ノーベル賞学者を虜《とりこ》にした不老不死のビタミン療法

Resurrection

第2部 「蘇り」シナリオ

第4章 イエス・キリストの復活と食人
――蘇りの台頭

第5章 フランケンシュタイン――現代の蘇生者

Soul

第3部 「霊魂」シナリオ

第6章 ベアトリーチェの微笑み
——天国・楽園をめぐる問題点

第7章 「生まれ変わり」と「科学」——霊魂の消失

第4部 「遺産(レガシー)」シナリオ

Legacy

第8章 不朽の名声
――「心の中で生き続ける」の不死性と欺瞞《ぎまん》

第9章 遺伝という不滅
――DNA、都市、生態系、ガイア、そして宇宙へ

Conclusion

不死探求――四つの道が導く結論

第10章 生命の「深淵」を覗いた男――死の必然性と知恵

第1章

美女、来《きた》る
——「不死」に向かって伸びる四つの道

彼らはその偉大なる王妃を抹殺しようとした。槌《つち》が振り下ろされ、上品な鼻が砕け、長く優美な首が折れた。王国全土で立像や胸像が打ち砕かれて粉々になった。その名は記念碑から削り取られ、口にすることも禁じられた。この堂々たる女性を具現化するものが人目に触れることも、話題にされることも二度とないように。

これは未来永劫《えいごう》続くべく下された罰——墳墓を守り、香と供物《くもつ》で王妃の霊魂を生かし続ける崇拝者がいないように、王妃が来世で君臨できるような尊厳ある姿でとどめられることもないように、という罰だった。彼女の短い王朝は消し去られた。新しいファラオ（王）は、王妃を歴史から徹底的に拭《ぬぐ》い去ることで、エジプトからその思想と影響を排除していただけではない。冷酷な久遠《くおん》の忘却へと故意に追いやってもいたのだ。いや、そうしているつもりだった。

それから三二三〇年後、ドイツ帝国のエジプト学者ルートヴィヒ・ボルヒャルトは、凹凸だらけの埃《ほこり》っぽい平原を大慌てで突っ切っていった。発掘用の多くの穴の一つでは、若い助手が入口でじりじりしながら待っていた。埋もれた家の遺構を発見したのだという。かつては立派な邸宅だったが、盗難に遭い、また、時を経るうちに、貴重なものはほとんど失われてしまったようだった。ところが、地元の作業員が、三〇〇〇年分の土砂や瓦礫《がれき》を取り除いているときに、急いで煉瓦《れんが》を積み上げたと思《おぼ》しき壁の一画を見つけた。作業員の鑿《のみ》が当たると、大昔の煉瓦は向こう側の闇の中へと、あっけなく崩れた。

ボルヒャルトは遺構に降り立ち、埃だらけの薄暗がりをせかせかと抜けて、その秘密の小部屋に歩み寄った。作業員たちが拡げておいた壁の穴の所まで来ると、崩れた煉瓦を用心深くまたぎ越えた。明かりを前にかざし、小部屋の中を覗き込み――そして凍りついた。石でできた頭部が何列も、亡霊のように見詰め返してくる。ゆらめく光を受けて並ぶ顔は、一つひとつ違い、それぞれの人生の年輪が刻まれ、あるいは眉を寄せ、あるいは皺《しわ》だらけの笑みを浮かべていた。この古代の人群れは、まるであの世からのメッセージを伝えるために寄り集まっていたかのようだった。

それから、彼女が目に留まった。崩れた壁の棚状の部分に半ば隠れ、床に転がっていた。ボルヒャルトは壁の残骸を素手で掻《か》き分け、彼女を引っ張り出した。そして持ち上げ、明かりで照らした。生身の人間がネフェルティティ（編集部注　「やってきた美しい女性」の意味を持つ、古代エジプトの王妃）の美貌を余すところなく目にしたのは、じつに三〇〇〇余年ぶりのことだった。

その一九一二年一二月六日の晩、執務室に戻ったボルヒャルトは、「傑出の極み。記述は無益。実物を見るにしかず」と日誌に走り書きした。それから、どうすればこの偉大なる王妃を皇帝《カイゼル》のもとに持ち帰ることができるかと、策を巡らし始めた。

「不死」に向かって伸びる四つの道

あらゆる生き物が先々まで生き延びようとするが、人間は永遠の生を求める。この探求、この不死への意志こそが、人類の業績の基盤であり、宗教の源泉、哲学の着想の起源、都市の創造者、芸術の背後にある衝動だ。

それは私たちの本性そのものに埋め込まれており、その成果が、文明として知られているものにほかならない。

永遠の生に対する古代エジプトの執着は、その表現の規模と洗練性こそ無類であるものの、それを除けば、古今東西を問わず、あらゆる社会に見られる永遠の生への執着と、何ら変わりはない。終わりなき生という夢は、形こそ違え、人間の経験における普遍的な特色であり、時代や場所を超えてすべての文化に共通する。今日もなお、ピラミッドをも凌《しの》ぐ新たな偉業へと私たちを駆り立てている。

本書では三つのことを行なう。

第一に、「どのようにして不死を達成するか」という物語は見たところ多様であるものの、その根底には四つの基本形態しかないことを示す。私はそれを四つの「不死のシナリオ」と呼ぶことにする。永続的な生を達成するためにこれまでなされた——そして、これからなされるであろう——試みはすべて、その四つのシナリオをなぞる。エジプトから中国、ニューヨークからニューデリーまで、人々は今日、死から救い出してもらえると信じて、それらのシナリオに従っている。これまで人々が常にやってきたのと、まったく同じように。それら四つを、不老不死の人が住むという伝説の山へと続く四つの道として思い描くことができる。

これらのシナリオは、人間の境遇の根本を成す一定不変のものに呼応している。とはいえ、さまざまな時代のさまざまな文化が、途方もない創意工夫を見せ、これらの基本的な枠組みに入念に手を加えてきた。それは、インスピレーションと革新と創造性の、絶えることのない源なのだ。四つのシナリオは、私たちが自らの最も素朴な衝動、すなわち、生き続けたいという衝動を誘導する道筋でありながら、最も高度な知的偉業や宗教的偉業や芸術的偉業へとつながってきた。

本書の第二の目的は、これらの四つの道を切り拓いて不老不死の山に登る準備をする努力が、文明や文化として知られているもの、すなわち、現在のような人間の存在の仕方を定めている制度や儀礼や信念を、どのようにもたらしたかを示すことだ。

だが、「永続的な生」という頂《いただき》は、これら四つの道が向かう場所ではあるものの、そこまで行き着くかどうかは、まったく別の問題だ。その頂は今なお雲の上にそびえており、到達した者が戻ってきて話を聞かせてくれることはない。

今日私たちは、この山一帯の精密な地図を作って、これらの道のどれかが目的地まで続いているかどうかを判断する上で、祖先の誰と比べても、はるかに有利な立場にある。現代科学は、生命の起源と宇宙の終焉に新たな光を当ててくれている。私たちは、脳を覗き込んで霊魂を探すことができるし、老化に打ち勝つことを約束する新しいテクノロジーを開発してもいる。

したがって、本書が行なうことの第三は、これらの新たな見識を拠り所にして、四つのシナリオのどれが本当に、永遠に生きられるような場所に私たちを導く見込みがあるかを検討することだ。

これら四つの道は、人間の行動にまつわる多くの謎の説明になっているものの、直感的かつ単純でもある。

第一の道は、私たちの本能に直接端を発している。他のあらゆる生き物と同じで、私たちも死を避けようと懸命に努力する。永遠に——物理的に、この世で——死を避けるという夢は、不死のシナリオのうちでも最も基本的なものだ。この最初の道は単に、「生き残りのシナリオ」と呼ぶことにする。人は衰弱して死ぬという基本的事実を前にすると、このシナリオには期待が持てそうになく、論外にさえ思える。ところが、この考えは、じつに広く行き渡っている。ほぼあらゆる文化に、老化と死を打ち負かす秘密を発見した賢者や黄金時代の英雄や辺境の農民の伝説が見られる。

じつはこのシナリオは、若さと健康を保ち、少しばかり長く、一年、二年、あるいは一〇年よけいに生きようとする私たちの試みの延長にすぎない。食糧の供給や都市を囲む城壁といった、身体的欲求を満たして安全を守る文明の側面は、この道筋を行く第一歩であり、医療と衛生がそれに続く。

だが、大半の文明は、単なる長生きをはるかに凌ぐビジョンを見せる。病気や衰弱を永久に打ち負かす「不死の薬」の存在をほのめかすのだ。このビジョンは、道教のようなさまざまな宗教や、聖杯崇拝のような秘教・秘術を支えてきたが、今日ほど広まっている時代はかつてない。「科学の進歩」という概念そのものが、科学は寿命を果てしなく延ばせることを前提としており、定評のある多数の科学者や科学技術者が、寿命は程なく大幅に延びると考えている。

だが、「生き残りのシナリオ」にすべてを賭けるという戦略は危うい。これまでのところ、成功率ははなはだ心もとないからだ。したがって、第二の道が代替策を提供してくれる。それによれば、たとえ死が訪れても、やり直しが利くという。これが「蘇りのシナリオ」で、私たちは物理的に死なねばならないとはいえ、生前に持っていたものと同じ身体で物理的に復活できるという信念だ。

蘇るという希望は、単に生き永らえようとする試みほど基本的なものではないにせよ、やはり自然に根差している。自然界は冬に死を迎えるものの、翌年には勢いも新たに蘇る様子を、私たちは見慣れているからだ。春になると世界中の何十億という人が、この、死に対する生の勝利を、人間も蘇るという見込みとあからさまに結びつけ、復活祭のような祝祭で祝う。

信者の多くは気づいていないが、ユダヤ教、キリスト教、イスラム教という三大一神教もみな、中心的教義として、文字どおりの物理的な蘇りを信じている。これらの宗教が初期に収めた成功は、この信念があればこそだった。

だが、これらの古代からの伝統に加えて、別の形態の蘇りも、神よりテクノロジーを信頼したがる人々の間で人気が高まっている。たとえば、いつの日か治療を施されて生き返ることを期待し、有償で遺体を凍結してもらう人体冷凍保存（クライオニクス）は、テクノロジーによる蘇りの新たな路線だ。テクノロジーが急速に発展するなか、なおいっそうハイテクの蘇りの形態も提案されつつある。自分をコンピューターにアップロードし、それから新しい身体あるいはデジタルアバターにリロードする可能性がその一例だ。

とはいえ、来世では、たとえデジタル形式であってさえも、かつての身体を継承したがらぬ人もいる。物質界はあまりに当てにならず、永遠性を保証できないと思っているからだ。

したがって彼らは、何らかの霊的存在、すなわち「霊魂」として生き延びることを夢見る。これが第三の道だ。現在、地球上の人の大多数が、自分には霊魂があると信じている。じつに、イギリス人の三分の二、アメリカではそれよりもなお多くの割合の人が霊魂の存在を信じているという。この考えは、キリスト教では今や支配的な信念となっているだけでなく、ヒンドゥー教や仏教をはじめ、他の多くの宗教でも中核を成している。

この「霊魂のシナリオ」を信奉する人は「蘇りのシナリオ」の信奉者とは違い、この世に物理的に蘇ることにおおむね見切りをつけ、何かもっと霊的なものから成る未来を信じる。先の二つほどには自然に根差してはいないものの、この信念も直感から生じる。夢や神秘体験の中で、人間は身体を抜け出る感覚を久しく抱いてきた。昔から多くの人には、霊魂や心はそれが宿っている肉体から分離でき、したがって、肉体なしに生き延びられるように思えたのだ。

霊魂の概念は東洋でも西洋でももてはやされてきたものの、この概念にも疑いを抱く人はいた。物質志向の人の場合には、特にそうだ。そのような人でさえ、おそらく最も広く普及しているシナリオ、すなわち第四の道である「遺産（レガシー）のシナリオ」には慰めを見出すことができる。この考えは、物理的な身体の存続も非物質的な霊魂も必要とせず、その代わりに、もっと間接的な形——名声や栄光、あるいは遺伝子といった形——で未来まで存続することを主眼としている。

名声と不死の結びつきは、古代世界では広く見られたし、それ以後も、ギリシア神話の英雄アキレウスがトロイアの戦場で長寿よりも永遠の栄光を選んだ例（271ページ参照）に、多くの人が倣《なら》ってきた。文化には、生きとし生けるものには欠けている永続性と堅牢性が備わっており、したがって、永遠の生は、文化の領域に自らの居場所を確保できる人のものだと、古代ギリシア人は信じていた。今日私たちは、アキレウスが必死に栄光を求めたのに劣らず、名を上げようと躍起になっているように見える。文化の中に位置を占めようとする競争は、相変わらず熾烈《しれつ》だ。

多くの人は、名望だけではなく、より具体的なもの、すなわち子孫まで後に残す。私たちの遺伝子は不滅だと言われてきた。まさに生命の起源にまで、はるか何十億年も遡れるし、運が良ければ、遠い未来にまで続いていくだろうからだ。あるいは、一部の人が主張するように、私たちの遺産は、地球上の生命の一環――個々の人間が死んだ後も末永く生き続ける超個体、いわゆる「ガイア」の一環――であったこと、さらには、発展していく宇宙の一環でさえあったことかもしれない。

これらのシナリオは、古代の神話から政治綱領まで多種多様な形で示されるが、どの文化にも最低一つは見られ、生の道の道標となっている。何千年にもわたってたった一つの道をたどってきた文明もあれば、進む道を替えた文明もある。だが、四つのうちのどれにも支えられずに存続してきた文明は一つとしてない。どの文明にも不死のシナリオがあり、それらはみな、今挙げた四つのどれかに該当する。

今日の先進世界でも、四つのシナリオがすべて健在だ。ただし、単一の物語にまとめ上げられてはいない。むしろ、信念の市場でそれぞれの見方が競い合っている。市場を見て回り、じっくり考えてからどれにするか決める人もいれば、最新の流行を追う人もいるが、大半の人は単に、親が買ったものを買う。だが、承知していようといまいと、私たちの大多数は、山積みになった不死の信条のいずれかを買っている。

アテン神の落日――古代エジプトの「最高神の時代」が終わるとき

本書では、この四つのシナリオを代表する例を数多く見ていくが、その出発点として、ナイル河岸ほどふさわしい場所はない。そこでは、比類ないほど洗練された壮麗な形で不死が追求されたからだ。

古代エジプト文明は、およそ三〇〇〇年にわたって、ほぼ不変のまま存続した。そして、ペルシアに、アレクサンダー大王に、さらにクレオパトラの有名な自害に続いてローマにと、次々に征服された後でさえ、計り知れぬ文化的・宗教的影響を及ぼし続けた。ギリシアやローマの人々の間では、エジプトは「古来の知恵」そのものだった。エジプト人は、他の文化には掴みえない何らかの真理を見出したと、固く信じられていた。

エジプトの神々がついに廃されたのは、この国を征服したローマ人が西暦三八〇年に、新しい強大な不死の体系であるキリスト教に、いっせいに改宗したときのことだった（エジプトでは、そのキリスト教も、数百年後にはその近縁種とも言えるイスラム教に取って代わられることになるのだが）。

エジプトの世界観がおよそ三〇〇〇年にもわたって人々を惹きつけて長続きしたのは、この国の不死のシナリオが内容豊かで満足のいくものだったからだ。そして、このシナリオがじつに見事だったのは、四つの基本形態のすべてを生き生きとした神話の中で一つにまとめ上げていたのが一因だ。先述のとおり、四つのシナリオはみな、今日も存在している——だが、一つに統合された物語としてではなく、それぞれ別個の選択肢として。四つが揃って存在している文化は他にもあった。とはいえ、表舞台に出るのはそのうちの一つか二つにすぎなかった。古代エジプトは、四つのシナリオをすべて撚《よ》り合わせて単一の魅力的な糸に仕上げている点で類を見ない。それは、人間の宗教的な想像力と、永遠性への道におけるリスク分散の、目を見張るような例なのだ。

だから、ネフェルティティを歴史から抹消しにかかった前将軍でファラオのホルエムヘブは、大変な任務を抱え込むことになった。古代エジプト人は、寿命を超えて生きるために、四つの道のどれを使いたがってもおかしくなかったからだ。

彼らは遺骸をミイラとして入念に保存することでとりわけ有名だが、それ以上に、最も基本的な「生き残り」の道を追求することにも、すこぶる熱心だった。そして、老化と病気を防ぐための高度に洗練された医学兼魔術の体系を持っていた。薬草や呪文や魔除《まよ》けを使い、なるべく長く、できれば永遠に生きようとした。現存する無数のパピルス古文書が、延命と若返りに的を絞っている。死んだらどうするのが最善かについて、じつに興味深い説明がたっぷり残されているとはいえ、「生き残り」こそが第一の選択肢だったのだ。

それでも、こうした方策には明確な限界があったので、古代エジプト人は「蘇りのシナリオ」にも望みをかけていた。ミイラは、私たちの遺骸は生き返らせることができるという考え方の最も強固な象徴かもしれない。古代エジプト人は、遺骸を魔法のように蘇生させられると信じて、適切に保存するためには、どんな苦労も厭《いと》わなかった。それは一大産業で、その任を負った神官たちが遺骸から体液を抜き、臓器を取り出して別個に保存し、それからナトロン（天然の炭酸塩鉱物）を使って湿気を吸収する。次に、布あるいは大鋸屑《おがくず》を体内に詰め、何百フィートもの亜麻布でくるみ（訳注　一フィートは約三〇センチメートル）、さらに防水のために樹脂あるいは瀝青《れきせい》（炭化水素からなる化合物）を塗ることもあった（ちなみに、ミイラを意味する英語の「mummy」は、瀝青を意味するペルシア語の「mum」に由来する）。

ミイラ製作の過程は清潔には程遠かった。遺骸をくるんだ亜麻布の間からは、蛆《うじ》や甲虫、さらにはネズミさえもが発見されている。そのうえ、神官たちも常に信頼できるとは、とうてい言えなかった。古代ギリシアの歴史家ヘロドトスの報告によると、若い女性の遺骸は、多少腐敗するまで引き渡されなかったという。不届きな死体防腐処理者に、立場を濫用するのを思いとどまらせるためだ。ミイラ作りは全部で七〇日を要し、「開口の儀式」でクライマックスを迎え、これにより死者は魔法のように生き返るとされた（ただし、当然ながら死者たちの行動領域は、あの世に限られていたが）。

ピラミッド――墓荒らしにとってあまりに魅力的だったので、建設されたのはエジプト史初期の比較的短い期間にすぎない――は、納められた人が生の次の段階に進むのを助けるために、エジプト人が死後の世界があると信じていた場所と一致する形で建造された。

だが、古代エジプト人は身体だけにすべてを託していたわけではない。第三の「霊魂のシナリオ」の一形態も思想として持っていた。古代の他の多くの民族と同様、彼らも複数の霊魂の存在を信じており、そのうち最も重要なのが「カー（生命力）」だった。誕生の瞬間に各自に神々が吹き込んだカーは、その人が子を儲けることを可能にした。性的能力のようなものだ。

カーは、人の死後もミイラの中で生き続けると考えられており、食べ物を欠かさず与えてやる必要があった。したがって、カーが存分に味わえるように、遺族や友人が墓へ食べ物を運んでくることがきわめて重要だった。カーが食べるのは当然ながら、供物の霊的な生命力だけであって、物理的な食べ物は都合良く神官たちに残されるのだった。

すでに見たように、ネフェルティティに対する最終的な罰は、彼女を歴史から抹消する試みという形で下された。古代ローマの、「ダムナティオ・メモリアエ（記憶／記録の断罪）」に相当する罰だ。

これは、古代エジプト人が第4部の「遺産（レガシー）」シナリオも、生き残りに不可欠と見なしていたからだ。彼らは、名前と声望は人にとって根本的な部分であると信じていた。来世で全《まった》き生を送るためには、名前も声望も維持されていなければならなかった。

したがって彼らは、名をとどめておくために心を砕き、現代人が自分の名前やマークを落書きしまくるかのように、墳墓の壁面から壺や櫛《くし》まで、ありとあらゆる所に名前を残した。さらに、これが何よりも重要なのだが、遺族や友人は故人のことを忘れず、故人のカーのもとに食べ物を持っていくときには、その名前を唱えなければいけなかった。名前が口にされ、記念碑がまだ建っていれば、故人の少なくとも一部は依然として生きていると彼らは考えた。

こうした条件がすべて満たされた場合には、古代エジプト人は栄誉ある永遠の第二の生を送ることができるものと信じていた。

裏返せば、記念碑がみな破壊されたり、カーが放置されたり、名前が忘れられたりしたら、死者はまったくの最終的な消滅へと追いやられることになる。それが、あらゆるエジプト人の恐れていた「第二の死」だ。これこそホルエムヘブが、ネフェルティティとその夫のファラオのアクエンアテン（アメンホテプ四世）に科した刑罰だった。彼らの罪は？　エジプト古来の不死の体系を奪い取り、我が物としたことだった。

考古学者ルートヴィヒ・ボルヒャルトが砂漠の地下でネフェルティティを見つけたとき、王妃は全盛期の彩色された実物大の胸像という形を取っていた。詳細に至るまで精巧に彫られた首飾りが囲む付け根からすらりと長く伸びる首。唇はふくよかで、目は大きく、瞼《まぶた》に縁取られて艶《なま》めかしい。頭に戴く独特の青い冠は、頬から顎へのラインと一続きになっている。彼女は威光を放ち、落ち着きを漂わせ、決然としているようであると同時に謎めいてもいる。それは権力と美の偶像であり、今もなお、それが作られた三〇〇〇年以上前に劣らず、見る者を心服させる。

制作されたのは紀元前一三四〇年頃で、当時の彼女はエジプトの長い歴史で空前の地位と影響力を誇っていた。ネフェルティティは偉大なる正妃で、ファラオの六人の娘の母であるばかりか、ファラオと対等の人物でもあり、彼と並んで敵を打ち倒し、二輪戦車に乗り、神を崇拝している姿が描かれている。

一方、ファラオのアクエンアテンは、一風変わった体つきをしており、手足はひょろ長く、太鼓腹で、肩幅の広い戦士という古代エジプト人の理想像とはかけ離れていた。国家と宗教（両者は不可分だった）の長として、彼は不死のシナリオにおいて重要な役割、すなわち宇宙の均衡を保つ儀礼や祭儀を指揮し、民が現世を経て来世へと無事に進んでいかれるようにすることが求められていた。

ところが彼と大胆で美しい妃には、別の考えがあった。二人は当初、単に他の神々を無視し、日輪（太陽）と関連したアテンという、それまであまり顧みられなかった神のために、巨大な神殿をいくつも建てただけだった。だが、在位五年を過ぎた頃、従来のやり方から完全に離れ、由緒ある都テーベを捨て、新しい都に移った。二人はそこを、アケトアテンと名づけた。「アテンの地平」という意味だ。

埃っぽい平地にわずかな年月で出現したこのまばゆい都市では、アクエンアテンとネフェルティティの像が至る所に見られた。像の二人は、自らが崇める神である太陽の光を浴び、幾筋も伸びる光線は、二人にアンク（上が輪になった十字形で、永遠の生の象徴）を差し出しており、下部には、象形文字《ヒエログリフ》で「彼らが永遠《とわ》に生きんことを」と刻まれていた。

だが、これでさえ不十分で、二人は新しい宮殿に腰を落ち着けた後、それまでの宗教が死んだことを告げた。アテン以外に神はなく、二人はこの神の預言者だというのだ。彼らは史上初の一神教を創始し、自らを地上における唯一の使いと定めた。

これはエジプトを芯から揺るがした。善良なエジプト人はみな、ナイル川流域での暮らしのあらゆる面を司る多くの神々を敬うように育てられていたからだ。病気になれば女神イシスにすがる。エジプトの国境を固めてくれている、ハヤブサの頭を持つホルス神に感謝を捧げる。愛する者が来世で無事に過ごせるように、ミイラさながら身体を布でくるまれたオシリス神に祈っていた。すでに長い歴史を持つ保守的なエジプト社会にとって、アクエンアテンとネフェルティティの行ないはキリスト教における宗教改革よりもはるかに劇的な革命だった。今日なら、ローマ教皇が「自分はホルス神の化身である」と宣言し、ヴァチカン宮殿をピラミッドと交換するようなものだ。

一般民衆は、この冒瀆《ぼうとく》行為のせいで天罰への恐怖におののいたに違いなく、それればかりか、神殿が閉ざされて古来の儀式が禁じられたために、来世への道が塞《ふさ》がれてしまったと信じたことだろう。

不死の追求者ネフェルティティの胸像（写真：Philip Pikart／ベルリン新博物館）

だが、エジプト文明の制度や習慣にしっかりと定着していた、古《いにしえ》からの神々のこれほど強力なシナリオを、そう簡単に覆すことなどできるはずがない。アテン神の生ける化身たちは、一四年にわたって権力の座を占めた後、一人、また一人と姿を消し始めた。まず、王女のうち三人が、次々に疫病に倒れた。次に、ネフェルティティその人が、いかにも唐突に記録から消えた。

そして二年後、アクエンアテンも掻き消されたようにいなくなった。

それでも、二人の王朝は完全に途絶えたわけではない。王女の一人が、九歳の異母弟ツタンカーメン（アクエンアテンが別の妃との間に儲けた息子）と結婚した。この二人は、しばらくはエジプトを統治していたが、徐々に神官や将軍らの保守派が、姉弟の親がなしたことを覆していった。都はテーベに戻され、神殿は再び開かれ、アテン神は脇に追いやられた。若きファラオが亡くなると、年老いた側近が一時的に後を継いだが、その後、将軍のホルエムヘブが権力を奪い、異端者アクエンアテンとその王朝の痕跡をそっくり抹消しにかかった。ツタンカーメンは墓が無傷で発見されたおかげで生前よりも今のほうがよほどよく知られているのは皮肉な話だ。


学者たちはネフェルティティとアクエンアテンに何が起こったのか、あれこれ推測するが、ホルエムヘブによる破壊や抹消のせいで、確たる証拠はほとんど残っていない。一説によると、ネフェルティティは名を変え、まず夫の完全な共同統治者になり、続いて（短期間）夫の跡を継いで単独で支配したという。アクエンアテン自身はと言えば、王土を追われ、異郷で自らの一神教の教義を説き続けたと推測する学者も、これまでにいた。その当時、唯一の真の神を信じる者たちを、あるエジプトの王子（モーセ。エジプト語で「〜の子」を意味する）がエジプトから脱出させ、約束の地へと導いたことを聖書が記録しているのは、ジークムント・フロイトが指摘しているとおり、特筆に値する。

アテン神の時代にどのように終止符が打たれたかはわからない。本格的な革命が起こったのか、暗殺者の毒に当事者が倒れたのか、それとも、何かもっと微妙な圧力がかかったのか？　ともかく、アテン神の時代には幕が引かれた。

オシリス神は冥界《めいかい》で王座に返り咲き、ミイラ職人は復職した。アテン神の町は宮殿や神殿もろとも放棄され、砂漠の砂に埋もれるに任され、数千年後、勇猛果敢な考古学者たちに発見されるのを待つこととなった。アクエンアテンとネフェルティティとその子供たちは、「異端者」や「敵」という烙印を押され、記録から抹消され、彼らの名を記すヒエログリフは記念碑から削除され、至る所にあった肖像は消し去られた。彼らは生者の地から切り離され、霊は食べ物を与えられず、名前は唱えられることがなくなった。彼らは、配下の民に秩序と意味と希望を与える不死の体系を強奪し、その体系の復讐を受けたのだった。

エジプトの古来の社会は驚異的な速度で傷を癒し、来世へ備える営みを再開した。その一方で、偉大なる王妃と異端者の夫は、その後の世界からは永遠に締め出される羽目になった。後に続く者たちが徹底的に排除に努めたため、このファラオと王妃が存在したことを、数千年にわたって誰一人知らなかった。

復讐心に燃えた神官たちは、ネフェルティティが永遠に抹殺されたと信じていたに違いない。だが、彼らは間違っていた。なぜなら、彼女は廃墟となった都を覆い移ろう砂の下で、じっと時を待っていたからだ。

「永遠の生」を求めて

「集団は常に一丸となって、不死となる方法、あるいは方法の組み合わせを探し求め、そうした方法を果てしなく褒め称え、それを支持するため、あるいは自分たちの不死の体系を脅かす競争相手を鎮圧するために、闘ったり命を投げ出したりするものだ」

精神科医で歴史家のロバート・ジェイ・リフトンは、そう書いている。アクエンアテンとネフェルティティの場合がこれにあたり、二人はあれほどの王家の権力と富を持っていたのにもかかわらず、エジプトに古くから伝わる不死の体系の流れに呑まれて消し去られた。

だが、私たちはそもそも何に駆り立てられてそのような体系を生み出し、その後それを守るために闘い、命を投げ出しさえするのか？　不死の探求はこれほど普遍的であり、あらゆる文化の中核を成すように見えるという事実を踏まえると、人間の本性そのものに根差していることが窺われる。それどころか、その根は自然界の深部にまで及んでおり、あらゆる生き物が共有している。それは、ひたすら生き続けたいという衝動だ。

だが、少なくとも知られているかぎりでは、この衝動を表現して洗練されたシナリオに変える、宗教と、芸術的な伝統と、名誉を重んじる体系を発達させたのは、動物のなかでも唯一私たちだけだ。これらは、私たちが並外れた頭脳を使った独特の死生観、根本的なパラドックスを孕《はら》んだ死生観の産物なのだ。

不死への意志が文明の根本的な推進力であるという主張を初めて耳にしたら、疑いを抱く人もいるだろう。「そのような意志はあまりに抽象的であり、日々の活動の背後にある本能たりえないであろう。あまりに神秘的なので、サルから進化したヒトという生物の行動は説明できそうにない」というのだ。だが、私たちの永遠への熱望の起源は、神秘的でもなければ抽象的でもない。その正反対で、これほど自然なものはありえないだろう。私たちが未来まで生き延びようと奮闘努力するのは、人類の長い進化の遺産の、直接の結果にすぎない。

あらゆる生命形態に唯一共通するのが、生き永らえ、子孫を残そう、つまり、未来まで存続しようとする傾向だ。どれほど大きな山でも、甘んじて浸食を許す。微細な砂粒が黙って海の波に洗われるのと何ら変わりはない。だが、どれほど小さな生き物でも、風雨や捕食者の攻撃には全力で立ち向かう。生物以外の宇宙の特徴である無秩序に陥るまいとして闘う。生き物はまさにその本質上、はなはだしい不利をものともせずに持ちこたえるための、動的なシステムなのだ。犬であろうと、ミミズであろうと、アメーバであろうと、生き物は単一の目的と思えること、すなわち、ひたすら生き続けることのために間断なく奮闘する。永続するためのこの努力こそが、生の本質だ。進化生物学者リチャード・ドーキンスが言うとおり、「私たちは生き残るためのマシンだが、『私たち』とは人間だけを意味するわけではない。そこには、あらゆる動物、植物、細菌、ウイルスが含まれる」のだ。

これは、現代生物学では自明の理となった。何らかの形での自己保存あるいは自己複製は、生命とは何かという定義には必ず含まれている。

自然選択による進化の過程は、なぜそうならざるをえないのかを教えてくれる。多様性に富んだ個体群の中では、生き延びて子孫を残すのが最も得意な生物が自らの遺伝子を次世代に伝える。身の回りに見られる猫や樹木や昆虫のどれであれ、今存在しているのは、祖先が自らと子孫を維持するのに最も長《た》けていたからにすぎない。

したがって、生き永らえて子孫を残すことを通じて、未来まで首尾良く生き延びられるかどうかが、まさに進化の勝者と敗者の分かれ目なのだ。

これをより明快にするために、ここでしばらく、逆のもの、すなわち、自分の将来の見通しを気にも留めぬ生き物を想定してみよう。ヘビやフクロウから少しも身を隠そうとしない無関心なネズミは、たちまち餌食にされてしまい、その哀れな生殖細胞系は、そのネズミと共に死に絶えることになる。私たちがそのような無頓着な生物と出くわすことは、断じてないだろう。それは、そのような生き物の遺伝子は、けっして生き延びることができなかっただろうからだ。

それにひきかえ、生き続けて世界を自分の子孫で満たすためには何でもする、もっと努力家のネズミたちなら、懸命に努力する遺伝子を子孫に伝えるだろう。世界は程なく、やる気のあるネズミばかりで満たされることになる。自然選択は自己を永続させようとする者を生み出す。

その結果、社会学者のレイモンド・D・ガスティルが書いているとおり、「あらゆる形態の生き物が、未来まで存続すること、すなわち不死が、自らの存在の基本目標であるかのように振る舞う」。生き物がすることはどれも、この目標に向けられている。

卓越した神経科学者のアントニオ・ダマシオは、直感や複雑な情動や私たちの洗練された推論の過程はみな、生存という目的に、直接的あるいは間接的に貢献するために存在していることを示した。生物人類学者のジェイムズ・チザムはさらに推論を進め、あらゆる価値はこのたった一つの目標から生じるとし、その目標とは、「そのために身体が存在している複雑な活動、すなわち無期限の持続」である、と述べている。

ドイツの哲学者アルトゥール・ショーペンハウアーは、この根本的な衝動を単に「生への意志」と呼んだ。とはいえ、時間の制限はない——チザムの言うとおり、私たちが望む持続は「無期限」だ——から、むしろ、永遠の生への意志、あるいは、不死への意志と呼ぶべきだ。

文明という営みの大半を含め、私たちの成すことのじつに多くが、この衝動で説明できる。

四つの基本的な不死のシナリオの筆頭である「生き残りのシナリオ」は、基本的な形を保ちながら生き続けたいという、永遠の生への意志以外の何物でもない。そして、生き残りというのは、私たち人間がとても得意とするようになったことであり、人類は地球上の無数の異なる気候帯や生息環境に拡がり、そこで哺乳類の基準に照らせば例外的な長寿を享受している。

一方で、残る三形態の不死のシナリオは、火災から逃げたり、冬のために食べ物を蓄えたりといった動物的な衝動のはるか先まで行く。それどころか、ときに、そうした衝動に反することさえある。これらのシナリオは、不死への意志が動機であるとはいえ、私たちが他の生き物と共有しているものの産物であるだけではなく、私たちを彼らから隔てているものの産物でもあるのだ。

「死のパラドックス」――人は必ず死ぬ。しかし誰もが「自分の死」は受け容れられない

私たちを際立たせているのは、もちろん、大きくて接続性の高い脳だ。この脳も、私たちが自らを無期限に存続させるのを助けるために進化したのであり、生存のための奮闘には大いに役立つ。私たちは、自分自身や、未来や、さまざまな可能性を自覚しているので、適応し、精緻な計画を立てることができる。だが、自分自身に関して、恐ろしいと同時に不可解な視点を持つことにもなる。

一方では、私たちの強力な知性は、私たちも身の回りの他のあらゆる生き物同様、いつの日か死なねばならないという結論に情け容赦なく至る。それにもかかわらず、その一方では、私たちの頭脳には一つだけ想像できぬものがあり、それは、死という、自分が存在しない状態そのものだ。それは文

字どおり、考えられない。したがって、死は不可避かつ信じ難いものという印象を与える。これを私は「死のパラドックス」と呼ぶ。そして、その解決が不死のシナリオに形を与え、したがって、文明に形を与えている。

このパラドックスの両面は共に、同じ見事な認知能力から生じる。約二五〇万年前に現生人類の直系の祖先であるホモ属が出現して以来、人間の脳の大きさは三倍になった。それに伴い、概念にまつわる一連の非常に重要な革新が起こった。

第一に、私たちは自分を他者と別個の個体として認識している。これは、大きな脳を持つほんの一握りの種に限られた特質であり、高度な社会的相互作用に不可欠と考えられている。

第二に、私たちは未来について詳しい考えを持っているので、あらかじめ計画を立てたり、それを変更したりできる。これもまた、他の大多数の種では見られぬ能力だ（珍しい例外の一つに、スウェーデンのフールヴィック動物園のチンパンジーの事例がある。そのチンパンジーは、日中に来園者に投げつけるための石を、夜のうちに拾い集めておいた）。

そして第三に、私たちはあれこれ可能性を検討し、目にしてきたものを一般化しながら学習したり、論理的に考えたり、既知のものから未知のものを推測したりでき、さまざまな筋書きを思い浮かべられる。

生き延びる上でこうした能力が有利に働くことは明らかだ。マンモス猟の落とし穴からスーパーマーケットの供給網まで、私たちは必ず必要を満たせるように、物事を計画し、調整し、協力することができる。

だが、こうした能力には代償も伴う。自分や未来についての概念を持ち、身の回りで目にするものに基づいて未知のものを推測したり一般化したりできるなら、仲間がライオンに殺されるのを目撃した場合には、自分もライオンに殺されうることに気づく。そのせいで、いざというときのために槍の穂先を尖らせて備えておくようなら役に立つが、不安も生まれる。死という未来の可能性を現在に呼び込む。翌日、別の仲間がヘビに殺され、さらに一人が病気で死に、もう一人が火事で焼け死ぬところを目にするかもしれない。そして、自分がありとあらゆる形で命を落としうることに気づく。しかも、死はいつ襲ってきてもおかしくない。どれほど準備をしておこうと、死の猛攻は仮借《かしゃく》ない。

だから私たちは、身の回りで他の生き物が次々に倒れるのを目にすると、生きとし生けるものはすべて死を免れないことに気づく。死こそ真の敵であることを悟る。強力な頭脳を使い、鋭い槍や頑丈な門、満杯の食料貯蔵庫、病院などによって、この敵をしばらくは食い止めることができるが、同時に、すべては結局無駄で、いつの日か自分が死にうるだけではなく、確実に死ぬことがわかる。

これこそ、二〇世紀のドイツの哲学者マルティン・ハイデッガーが「死に向かう存在」という有名な言葉で表現したものであり、彼はこれこそが人間の境遇にほかならないと考えた。

したがって私たちは、強力な頭脳に恵まれているものの、同時に、死ぬだけではなく、死なねばならぬことを知るという宿命を負わされている。「人間が死を創り出した」と、詩人Ｗ・Ｂ・イェーツは書いている。他の生物はやみくもに生きていくだけで、最期まで生しか知らない。

「人間を除けば、あらゆる生物は不死だ。なぜなら、死を知らぬから」と、アルゼンチンの作家ホルヘ・ルイス・ボルヘスは記した。だが私たちは、死を生の中に持ち込む。嵐や森林火災に遭ったり、ヘビやクモに出くわしたり、病気にかかったり、凶兆を目にしたりするたびに、死が自分に向かってくるのを見て取る。
これは哲学や詩歌や神話の中心テーマであり、私たちが死すべき者とされる所以《ゆえん》だ。それは、物語のうちでも群を抜いて古く、影響力の大きいもの、すなわち旧約聖書の「創世記」の中でも描かれている。アダムとエバは善悪の知識の木の実を食べたら死ぬと言われた。死は知識の代償なのだ。
私たちは自己認識を獲得してからというもの、ミシェル・ド・モンテーニュが書いているとおり、「絶えず死に襟首を掴まれている」。何をしようと、どれだけ努力しようと、いつの日か死神に命を奪われることを、私たちは承知している。生は、私たちが負けることを運命づけられた絶え間ない闘いなのだ。

だが、第二の考え――そして、「死のパラドックス」のもう一面――は、その正反対のことを告げている。私たち自身の消滅は不可能だ、と。実際のところ私たちは、自分が死んだらどうなるかを想像しようとするたびに、つまずく羽目になる。現に存在していないところを思い描くことが、どうしてもできないのだ。やってみてほしい。自分の葬儀までは、あるいは、ひょっとすると、暗い虚空までは思い浮かべられるかもしれないが、あなたは依然としてそこに存在している――観察者として、それを思い浮かべて眺めている目として。想像するという、まさにその行為が、あなたを魔法のランプの精のように呼び出し、仮想の存在とする。

したがって、思考する主体としての私たち自身に、死を現実のものにすることはできない。私たちの秀でた想像力が適切に機能しない。想像をしている者が、その想像をしている本人の不在を懸命に想像しようとしてもうまくいかないのだ。

「私たち自身の死を想像することはまったくもって不可能だ。そうしようとするたびに、じつは自分が傍観者として相変わらず存在していることが見て取れるから」と、ジークムント・フロイトは一九一五年に書いている。彼はここから、次のように結論した。「心の底では、自分が死ぬと信じている人は誰もいない……［なぜなら］無意識の中では、私たちの誰もが、自分は不死だと確信している」からだ。あるいは、イングランドのロマン派の詩人エドワード・ヤングが言うとおり、「万人が、誰も死を免れないと思っている。自分自身を除けば、だが」。

これはどれほど先の未来に目をやろうとしても当てはまる。今から一年後であれ、一〇〇〇年後であれ、私たちは自分の目にするものの中に存在せざるをえない。いったいどれだけ先まで見通せるかに限度はない。私たちの想像は、一〇〇万年先で止まるわけでも、一〇億年先で止まるわけでもないのだから。

したがって、旧約聖書の「コヘレトの言葉」（三章一一節）を引用するなら、神――あるいは自然――は、「永遠を人の心に与えた」（訳注　本書では、聖書の引用の訳は日本聖書協会『聖書　聖書協会共同訳』より。それ以外の引用は、訳者による訳）。私たちは自分の心の中では、宇宙の構造そのものの一部であり、根絶不可能で、ここに永遠に存在し続ける。

ドイツの文豪ゲーテは、「この意味では、誰もが自分の不死の証拠を、自分の中に持っている」と結論したと言われている。私たちは自分の存在していないところを想像することができない、したがって、私たちが存在しない状態はありえない、とゲーテは推論した。

現代の認知心理学は、この古来の直感に科学的な説明を与える。私たちが新しい事実や可能性を受け容れるかどうかは、それを想像できるかどうかに左右されるという。たとえば、マッチで遊んでいれば、家が火事になってしまいうることは受け容れられる。なぜなら、それはいともたやすく想像できることだからだ。

だが、何かの邪魔が入って特定の筋書きを想像できないときには、それを受け容れるのがはるかに難しくなる。自分自身の死というのは、まさにそうした筋書きであり、それは、意識の終わりを伴うので、意識がないというのはどのようなものかを意識的になぞることができないからだ。

まだ特定の宗教観や世界観に染まっていない幼い子供でさえ、心が身体的死を生き延びると信じていることを、心理学者のジェシー・ベリングによる研究が示した。彼と共同研究者たちは、これは逆のこと、すなわち、心が消滅するということが理解できないからだ、と主張している。私たちはこの認知上の奇妙な特性に由来する「生得の、不死の感覚」を持っている、とベリングは結論する。すなわち、私たちの脳は、自分の消滅が不可能に思えるように、最初からできているということだ。

というわけで、私たちはパラドックスを抱えている。未来に目を凝らすと、永遠に生きたいという願望が満たされるように思える。いつの日か自分が存在しなくなることなど、考えられないように感じられるからだ。だから、私たちは自分の不死を信じている。

それでも同時に、毒ヘビから雪崩《なだれ》まで、自分の存在に対する無数の潜在的脅威を痛切に感じており、そこかしこで他の生き物が否応なく命を落とすところを目にする。だから、私たちは自分の死の必然性を信じている。私たちの過度に発達した知的能力が、お前は永遠だ、お前は永遠ではない、死は事実だ、死は不可能だ、と相反することを告げているように思える。

ジグムント・バウマンの言葉を借りると、「死の概念は矛盾を孕んでいる。そして、そうであり続ける運命にある」となる。私たちの不滅性と、死の必然性の両方が、同等の力を持って私たちの心の中に現れてくるのだから。

すでに見たように、これら二つの考え方のどちらにも、詩人や思想家や神話の作り手のなかから擁護者が出てきた。私たちはいずれ消滅するのが避けられないことを自覚して生きねばならないと主張する人がいる一方、生が永遠であることはまったく疑いようがないと断言する人もいる。

当然ながら、両方の考え方が真実であるように見えるという、根本的なパラドックスに気づいた人も少数ながらいる。たとえば、スペイン出身のアメリカの哲学者で著述家のジョージ・サンタヤーナは、それを完璧に捉え、「死の必然性という観察された事実と、死を思い描く能力の生まれながらにしての欠如」の折り合いをつけようとする私たちのぎこちない奮闘について書いている。

このパラドックスは、自分自身の二つの異なる眺め方に由来している。私たちは自分を、一方では客観的に、つまり、言ってみれば外側から眺め、その一方で、主観的に、つまり内側から眺める。理性を働かせ、身の回りの他の生き物を眺めるように自分を眺めると、自分も彼らと同じように、いずれ衰え、死に、朽ち果てることに気づく。この外からの客観的な視点に立つと、私たちは死すべき者であることがわかる。だが、自分自身のものへと視点を変え、これが意味するところを主観的に理解しようとすると、想像力の壁に突き当たる。消滅という見通しを受け容れられないのだ。内省してみると、自分が天使と同じように不滅で、不可分で、永続的に思える。それにもかかわらず、鏡を覗くと、他人が見るように自分を目にする。肉がたるみ、衰えの最初の徴候が見て取れる。束の間の存在と悲惨な最期を運命づけられた、不完全で非永続的な生き物が、そこには映っているのだ。

これら二つの視点の違い、客観的なものと主観的なものの違いを踏まえれば、「死のパラドックス」がどのように発生するか説明がつく――だが、説明がつくのと解決するのとは話が別だ。このパラドックスは、私たちの最終的な運命についての、二つの相容れぬ、それでいて強力な直感から成る。私たちはそのような緊張関係を抱えたまま生きてはいけないし、生きてはいない。そのような状態は、恐怖と希望の間の、継続的で身がすくむような苦闘となるだろう。

だが、大半の人はそのような生き方はしない。人間の境遇の中核にある矛盾に身がすくむようなことは、通常ない。それは、存在にまつわるこの窮境を理解するのに役立つ物語を創り出したからで、それらの物語が不死のシナリオであることは言うまでもない。

不死への欲求は「人類の進歩」の原動力

人々に自分の死の必然性を束の間思い起こさせるだけで、政治観や宗教観に注目すべき影響が出ることを、あるアメリカの心理学者のグループが一九九〇年代に発見した。

一例を挙げよう。彼らはキリスト教徒の大学生に、二人の人物の性格について印象を語るように求めた。性格にかかわる点のすべてで、この二人は非常によく似ていた。ただし、一人は学生たちと同じキリスト教徒、もう一人はユダヤ教徒だった。通常の状況下では、実験の参加者たちは二人をかなり公平に評価した。

ところが、あらかじめ自分の死の必然性を思い起こさせておく（たとえば、自分自身の死に対する態度についての質問を含む性格検査の記入を依頼する）と、自分と同じキリスト教徒に対してはかなり肯定的に、ユダヤ教徒に関しては否定的になった。

これらの心理学者は、私たちは死の恐怖から自分を守るために文化的な世界観を創り出したという仮説を検証していた。もしこの仮説が正しければ、人は自分の死の必然性を思い起こさせられたら、自分の世界観の中核的な信念になおさら必死に固執し、そうした信念を脅かす者たちに対してより否定的になるだろうと推論した。そして、先の実験によって、まさにそのとおりであることを突き止めた。

別の研究では、アメリカの政治制度について、一方は肯定的、もう一方は批判的な小論の筆者がどれだけ「好ましく聡明か」を、アメリカの学生たちに評価してもらった。すると学生たちは例外なく、自国の制度を擁護する筆者には肯定的、批判する筆者には否定的だった。

ところが、自分の死の必然性を思い起こさせられた後には、評価が極端になった。この研究論文の執筆陣によれば、これは死に直面したときに私たちがいっそうしっかりとしがみつくのは宗教だけではないことを示しているのだという。国家への帰属意識さえもが、実存的な安心感を与えることができるというわけだ。

今は大学教授になったこれらの研究者（シェルドン・ソロモンとジェフ・グリーンバーグとトム・ピジンスキー）は、大学院生だった頃、ジークムント・フロイトとアメリカの人類学者アーネスト・ベッカーの著述を読んで刺激を受けた。文明が死の恐怖に対する心理的保護を提供するという考え方に納得し、以後、それを検証するために、前述のような実験を四〇〇回以上も行なってきた。そして、次のように結論した。

私たちの宗教や神話や価値観などの文化的世界観は、「現実の性質に関して人間が創作した信念であり、人々が集団で共有し、死に対する人間特有の自覚から生じる非常な恐怖を（少なくともある程度まで）管理する役割を果たす」。

彼らが提唱する「人間文化の発達の存在脅威管理理論」は、今では広く受け容れられ、支持者を増やしている。それは、私たちは死なねばならないという認識――つまり本書でいう、「死のパラドックス」の前半部分――に対する反応にかかわる。この理論の支持者は、そのような認識は人を打ちのめしうると考えている。私たちは、我が身に降りかかりうるうちで最悪の事態が、いつの日か必ず起こることを知りつつ、生きていかねばならないからだ。消滅――究極のトラウマ、我が身の破滅、個人的な宇宙の終焉――は不可避に見える。存在脅威管理理論の提唱者によれば、もしこの逃れようのない破局で頭がいっぱいだったなら、人々は「すっかり不安に包まれ、すぐ身の回りの要求に効果的に応じられぬ、痙攣《けいれん》する原形質の塊」と化すだろうという。

したがって彼らは、仮説を立てた。死の最終性を否定するか、少なくともそれから気を逸らすかして、この恐怖から守ってくれるような文化制度や哲学や宗教を、私たちは創り出した、という仮説だ。そして、実験によってまさにそれを証明した。

死を否定するこれらの制度や宗教は、古代バビロンの多神教から現代西洋社会の大量消費主義まで、時代と場所次第で大きく異なる。だが、そのどれもが、死ぬことについて本気で心配する必要がないような何らかの説明を提供する。その説明は、私たちの本質はじつは霊であり、それが別の世界で生き続けるという主張から、ビタミンを十分摂取しジョギングを十分行なえば、死神から逃げおおせるという信念まで、さまざまだ。

したがって存在脅威管理理論は、「死のパラドックス」の前半部分、すなわち、自分自身の死の必然性の自覚が、不死のシナリオを創出する動機となっていることの、現代における科学的説明だ。

だが、これももう見たように、自分が存在していないところを想像できないという、「死のパラドックス」の後半部分のせいで、私たちはすでに、自分は死ぬはずはないと信じやすくなっている。だからこそ、私たちはパラドックスを抱えているのだ。「私たちは絶対、本当に消滅させることはできない」という、この第二の直感は、死に公然と反抗する物語を生み出そうとする者にとって、きわめて有用だ。私たちが本当に死ぬことはない理由を説明するシナリオの、概念的な拠り所を提供してくれるからだ。

たとえば、不死の霊魂が存在するという考え方は（「死のパラドックス」の前半部分に沿う形で）、身体が死ぬことは認めるが、それでも、私たちは身体の死を生き延びて霊として生き続けるという主張をするために、このパラドックスの後半部分、すなわち、私たちは完全に存在しなくなることはありえないという見方を展開する。

したがって、このパラドックスの両方の部分が受け容れられ、物語の一部となり、両者の明らかな矛盾が取り除かれる。死に対する私たちの恐れは和らげられるし、その物語は、私たちがもともと信じやすい考え方に基づいているので、直感的に妥当だと思える。

こうして不死のシナリオが創出される。そのそれぞれが、「死のパラドックス」を解決する何らかの方法を見出す――見掛けとは裏腹に、私たちは本当に生き続けること、身体的な死は不可避でないか、あるいは見た目とは違うこと、自分の消滅は不可能であると信じるのは正しいことを、私たちに納得させる、何らかの方法を。

競争の激しい学究的な心理学の環境では、人間の文化を説明するにあたって、「死のパラドックス」の持つこれら二つの面のどちらのほうが重要かを、専門家たちが激しく議論している。

存在脅威管理理論の支持者のような社会心理学者たちは、私たちの世界観を形成する上で、死の否定の優位性を熱烈に主張する。一方、前述のジェシー・ベリングのような認知心理学者たちは、至る所で見られるさまざまな種類の宗教的信念を説明するには、自分が存在していないところを想像する能力の欠如だけで十分であると力説する。

だが、「死のパラドックス」のこれら両面の影響が互いに補い合っているのを、私たちは見て取ることができる。死の恐怖は、不死を約束する世界観を創出する強い動機を提供し、自分の心が永続するという感覚は、そのような世界観の拠り所を提供するからだ。

私たちの文化のいくつかの面が、飽くことなき生への意志の直接の産物であることは紛れもない。農業や守りの固い建物などはみな、単に生き延びる助けになる。だが、たとえば宗教や詩歌は、食卓に食べ物を並べたり敵を寄せつけなかったりするための最善の手段ではない。単に生き延びるという観点に立てば、自らを鞭打つ修道者や飢えを耐え忍ぶ芸術家志望者の存在は説明し難い。まして、栄光のために死んだり、死後の名声のためにすべてを犠牲にしたりする行為は、とうてい説明できない。

こうした人間社会の際立った特徴は、死の必然性についての視点が孕む矛盾を解消する試みとしてしか理解のしようがない。著述家のブライアン・アップルヤードは、それを次のように総括している。「誰もが死ぬ。したがって、私も死ぬに違いない。だがこれは想像できないので、私たちは不死を創出し、その所産が文明である」

進歩そのものが、無期限の生を求める私たちの抑え難い欲望の産物だ。永遠に生きようとする私たちの試みによって形作られているのは、個々の文明だけではない。文明どうしの相互作用や、文明の興亡も、その試みによって決まる。「歴史とは、人間が死をどう扱うか、だ」と述べたのは、一九世紀のドイツの哲学者ヘーゲルだった。

前述の精神科医ロバート・ジェイ・リフトンは、これが意味するところを、次のように説明している。「歴史の大半は、刻々と変化する精神的状況と物質的状況の下で、不死の集合的感覚を獲得・維持・再確認するための奮闘として理解できる」。人類の発展のほぼすべての面は、永遠の生への意志の表れとして理解できるのだ。

「ほぼ」すべての面が、永遠の生への意志によって説明できると私が言うのは、他にも見方があって、そうしたレンズを通しても人間の文化を眺めねばならないからだ。

第一に、個々の文明は、主要な底流の産物であると同時に、無数の歴史の偶然の産物でもある。画家が絵を描くのは、「芸術は時間を超越した、個人の独自性の主張である」、あるいは、「創造的過程には自己を超越する力がある」とする不死のシナリオが支配的だからかもしれない。だが、その画家がなぜその特定の作品を描くかを理解するためには、美術史というレンズ、あるいは各自の経歴というレンズを通して眺めてみなければならない。

第二に、こうした不死の物語に私たちが本能的に惹かれることに気づいていて、それに批判的な一部の思想家は、代替の世界観を創出しようとまでしてきた（ただし、そのような世界観は例外であるため、それらが打破しようとしている原則の観点から、依然として最もよく理解できるのだが）。

そして第三に、フロイトが言ったという噂だが、葉巻はただの葉巻にすぎない。これはまた、なんとも印象深いたとえだ。なにしろ、喫煙は生存の見込みにとっては、はなはだ有害だから（フロイトは毎日葉巻を吸っており、口腔癌《こうくうがん》で亡くなった）。だが、喫煙は現に即時の――そして実際、中毒性の――快楽を与えてくれる。快楽を求め、苦痛を避けることを説明するためには、大仰な理論体系も深遠な心理学も必要ない。そのような行動を取る理由は自明だ。

バラを植えるのは、死んだ後、自分の霊の追悼用にするためでもなく、自分の遺伝子を未来まで伝えるのを助けてくれる配偶者を惹きつけるためでもなく、単にバラの香りが好きだから、ということは十分ありうる。だが、人間の文明を際立たせているのは、ただ快楽を求めたり苦痛を避けたりすること以上のものであり、それは、永遠の生の探求という観点から理解しなければならない。たしかに、死に公然と反抗するこれらのシナリオの視点から文明を理解するだけでは十分ではない。とはいえ、そうすることは必要だ。社会学者のジグムント・バウマンが言っているとおり、「死の必然性なしには、歴史もなければ文化もない――人間性もありえない」のだから。

今後の章では、不死の四つのシナリオのそれぞれを考察していく。その一つひとつが、私たちの文明を現在のもののようにならしめる上で、どのような貢献をしてきたかを調べる。そして同時に、これら四つの道のどれが本当に約束を果たす可能性があるのかも問う。四つのシナリオは、人間の境遇に深く根差した側面に動機づけられて生み出されたが、だからといって、それらが正しいかどうかはわからない。みな、歴史の黎明期に人類によって成し遂げられた正真正銘の発見かもしれないし、あるいは、希望的観測の手の込んだ産物ということもありうる。

私たちは、不死の秘密を解明するように「死のパラドックス」によって駆り立てられたのかもしれないし、あるいは、不死の秘密を創作するように駆り立てられたこともありうる。それぞれの道は歴史を通して、仮に何十億と言わぬまでも、何億、何千万という信奉者を集めてきた。そして、現在もなお、集めている。それぞれが、多数の哲学者や神学者や賢者に擁護されてきた。

そのうちの一つ、あるいはすべてが、深い森を抜け、雲の上の、不老不死の山の日当たりの良い頂上まで私たちを導いてくれるのか、どれ一つとして導いてはくれないのかを、これから見てみることにする。

ネフェルティティは、他の古代エジプト人同様、永遠性を達成するために四つの選択肢のすべてを追求することにした。だが、他の死すべき者たちの運命を彼女が免れた可能性は高いはずがない。彼女が掻き立てた怒りを考えれば、なおさらだ。だから彼女は、最初の「生き残りのシナリオ」では、まず成功を収められなかっただろう。

肉体の儚《はかな》さに屈したとすれば、間違いなくミイラにされたはずだ。だが、後継者たちがどれほど徹底して彼女を抹殺しようとしたかを考えると、遺骸を手つかずにしておくとは思えない。したがって、第二の「蘇りのシナリオ」に託された望みは完全に排除できる。

そして、彼女のカーは、古代エジプト人が必要だと信じていた食べ物を断たれたために、とうの昔に衰えて、果ててしまっただろう。だから、「霊魂のシナリオ」も彼女にとっては、ほとんど慰めになりえなかったはずだ。

したがって、彼女の不死への過大な意志を満足させる、残された唯一の道は「遺産のシナリオ」だった。

美女、蘇る——私たちもまた「不死」を実現できるのか？

ルートヴィヒ・ボルヒャルトが初めてネフェルティティを目にしてから六週間後、ドイツ人たちの野営地は緊張した雰囲気に包まれていた。古代美術検査官グスタフ・ルフェーヴルが翌日やって来ることになっており、エジプトの法律に従って、この年に行なわれた発掘の成果の半分をエジプトのために取り分けるのが、このフランス人の任務だったからだ。

検査官は好きなようにその半分を選ぶことができるので、ネフェルティティの胸像をベルリンに持ち帰れるだろうと思っている者は、ドイツの発掘隊には一人もいなかった。日が暮れ、夜になると、ドイツ人たちは蝋燭《ろうそく》を手に、仮の王座の間にしていた小屋にぞろぞろと入っていき、単に「女王陛下」と呼んでいた王妃に暇を乞うた。

翌日、検査官はボルヒャルトに迎えられ、出土品を集めた小屋へ案内された。太陽が平原の空高く昇っていくなか、残されたドイツの遠征隊は決定を待ち受けた。やがて、ついに二人が出てきて、書類に署名し、フランスの検査官は選んだ半分の荷造りを命じ、カイロへの帰還の準備をした。次々に箱が集められる間に、ドイツ人の野営地には、ゆっくりと驚きが拡がっていった。彼らは気づいたのだ。女王陛下が彼らの取り分として残されたことに。

ボルヒャルトが小屋の中でどんな魔法を使い、ネフェルティティがカイロの博物館の洞窟のような地下室に姿を消すのを防いだのかは、誰も知らない。虚言、贈賄《ぞうわい》、無能など、根拠のない非難が今なお飛び交う。検査官は、胸像の不鮮明な写真しか見せられなかったとか、小屋の最も暗い一隅の暗い箱の中に入っているところしか見せてもらえなかったとか、価値のない石膏の模型像だとボルヒャルトが偽ったとか、さらには、検査官は買収され、ボルヒャルトがカイロの暗黒街で作らせておいた模造品を掴まされたとさえ言う者もいる。

だが、ボルヒャルトの──そして、ネフェルティティの──闘いは、まだ勝利に終わってはいなかった。厳重に管理されているエジプトの税関で、依然としてこの胸像が取り上げられてしまいかねぬことを恐れたボルヒャルトは、「慎重にばかりか、秘密裡《ひみつり》に」カイゼルのもとに持ち帰るのに手を貸すよう、ドイツの外務局に依頼した。彼らは成功し、偉大な王妃はドイツに到着した。

ベルリンで公開されると、ヨーロッパ中でたちまちセンセーションを巻き起こすと同時に、カイロの人たちの激しい怒りを掻き立てた。エジプト政府はただちに返還を求め、ドイツがそれ以上発掘を行なうのをいっさい禁じた。今日に至るまで、エジプトはドイツに、古代世界のこの「モナ・リザ」を母国に返すよう要求し続けている。

ボルヒャルトは自分の秘密を墓場まで持っていった。たしかにわかっているのは、ネフェルティティの目を見張るような美貌が、かつて若きファラオのアクエンアテンを魅了したのと同じぐらい圧倒的に、ボルヒャルトの心を奪ったことだけだ。

現在、彼女はベルリンのムゼウムスインゼル（博物館島）に収まっており、毎年五〇万を超える人が訪れて敬意を表する。彼女の名前は、再び口にされている。アテン神の治世の間と同様、エジプト中で彼女の肖像が見られる。

彼女は穏やかで自信に満ちた笑みをたたえながら、はっきりと言う。我は返り咲いた、我は不滅なり、と。

第 1 部

Staying Alive

「生き残り」シナリオ

第2章

「万里の長城」の究極目標
――文明と不老不死の霊薬

秦《しん》王の政《せい》がひどくおびえるのも無理はなかった。政は本当につけ狙われていたのだから。実の父だったかもしれないし、そうでなかったかもしれない前王は、三年しか王座を保てなかった。さらにその前の王は、わずか一年しかもたなかった。

政の宮廷は、陰謀と策略と武力政変という遺産の上に築かれていた。実母でさえ政に対する陰謀を企《くわだ》て、下の息子たちを王座に就けようと画策していた。哀れな政は、誰一人信用できなかった。とはいえ、彼はやたらに敵を作る質《たち》だったのだから、いたしかたない面もあった。

これは、戦国時代として知られていた頃の中国の話であり、ネフェルティティの失脚から一〇〇〇年余り後のことだった。血なまぐさい時代で、競い合う諸侯が手を結んだり、計略を巡らせたり、戦ったりしながら、生き残りを図っていた。長平の戦いという悪名高い一度の戦闘だけでも、政の曾祖《そうそ》父《ふ》は、隣国趙《ちょう》の兵約四〇万人を殺害した。政もこの一族の伝統を熱心に受け継ぎ、傲慢《ごうまん》・冷酷で評判となり、「借り物の美しい装束で着飾った野蛮人」と呼ばれた。

ところが本人は、それはただの誤解だと思っていた。なぜなら、政には志があったからだ。その志というのは中国の統一であり、さまざまな民族が互いに和し、天道に従って暮らす世の中を実現させることだった。だからこそ、麾下《きか》の黒備えの軍隊が近隣諸国の領土を絶え間なく侵略し、北西部の山間の本拠から東へと勢力範囲を拡げていたのだ。政の兵たちは、討ち取った首の数に応じて位が上がったので、情け容赦ない働きぶりを見せた。程なく秦は敵対していた二国をそっくり吸収し、東の小国、燕《えん》に狙いを定めた。

紀元前二二七年、燕は二人の使者を送り、秦の支配下に入ることを申し出て、政を喜ばせた。二人は親善の証として、貢物を携えていた――燕の最も肥沃な地方の詳細な地図一枚と……刎《は》ねた首一つを。

その首は、政に疎まれ、燕に逃げた秦の将軍のものだった。すでに将軍の一族を皆殺しにしていた政は、裏切り者が斬首されたとの知らせに歓喜し、二人の使者を丁重に迎える手筈を整えた。だが、政は知らなかったが、将軍は燕の使者たちを助けるために、自ら喉を掻き切り、進んで首を差し出したのだ。秦王に破滅をもたらすことを願って。

二人の使者は謁見を許された。一人が王座への段を上がり、贈り物を献じた。政は首を納めた入れ物を脇に置き、巻いてあった地図をゆっくりと広げた。最後まで来た刹那、金属がきらりと光るのが目に入ったが、時すでに遅し、だった。地図の中に、毒を塗った短刀が隠されていたのだ。使者は片手でその短刀を、もう一方の手で王の衣の袖を掴み、刺そうとした。

ところが、政の動きは速く、すでに身を引いていた。袖はちぎれていた。政は腰に吊るしていた儀式用の大剣に手をかけたものの、長過ぎて鞘を払えず、暗殺者が再び襲い掛かってきた。政は柱の陰に逃げ込み、廷臣たちは恐れのあまり散り散りになった。王の暗殺を試みたりしないように全員武装していなかったのだから、皮肉な話だ。王座の間《ま》の外に控えていた衛兵たちは、王の明確な命令がないかぎり、入ることを許されていなかった。そして今、政は我が身を守るのに必死で、命を発する暇などなかった。

暗殺者が次の一突きを見舞った。すると、年老いた侍医が薬の入った袋で短刀を防ぎ、その隙に、政は剣を背後に回して鞘から抜くことができた。たちまち暗殺者は、並外れた大剣を手にした怒れる王と向き合う羽目になった。短刀を投げつけたが、外れた。政は彼を切り倒した。八太刀を浴びせてようやく、暗殺者は息絶えた。

翌日、政は燕を攻めるために秦の軍を送った。一年もしないうちに、秦軍は燕の都を陥落させ、五年のうちに燕を完全に滅ぼした。その一年後、政の軍隊は、「天下」、すなわち既知の世界をすべて征服した。そして政は、世界最強の者として、中国初の皇帝を名乗った。

今日では通常、「始皇帝」として知られている政が、自分の死の必然性を痛切に自覚していたことには、何の不思議もない。彼の胸に短剣を突き立てたかった者は大勢いただろうし、現にそれを試みた者も少なからずいた。

前述の話以外にも伝説的な暗殺の試みがある。筑《ちく》という打弦楽器の盲目の奏者が、始皇帝を巧みに近寄らせ、鉛を仕込んだ特製の筑で襲った。だが、目が見えなかったために狙いを外し、ただちに処刑された。

さらに別の試みもなされた。雇われた怪力の男が山の上で待ち受け、皇帝が乗り物で下を通ったときに、一〇〇キログラムほどもある錘形の金属を投げ下ろし、その乗り物を完全に破壊した。ところが皇帝は、まさにそうした待ち伏せを予想して、別の乗り物に乗っていた。自分が死を免れぬ儚い存在であることを一瞬でも忘れる誘惑にかられないように、世間が共謀して皇帝に思い知らせていたわけだ。

「死のパラドックス」の前半は、私たちが自分の儚さを意識しながら生きねばならないことを教えてくれる。生まれた者はみな、死なねばならぬことに、誰もが気づいている。

だが、私たちの大半には、この事実が頭に浮かばぬようにする文化的な道具や仕組みがある。親族や友人を突然亡くさぬかぎり、私たちは死が避けようもないことから、喜んで気を逸らされるに任せている。ところが、ファラオや独裁者や王のように、暗殺者の影につきまとわれて生きている者は、自分の運命の危うさを、常時思い知らされる。この、自身の脆弱さについての意識が、最強の地位にある者にこそまとわりついてくるというのは、よくできた皮肉だ。シェイクスピアのヘンリー四世が言うとおり、王冠を戴く者は、安穏と頭を横たえることができないとは。

したがって、こうした支配者に、この無情な消滅の自覚が及ぼす最大の影響が見て取れる。始皇帝は、自分のいる所で死を口にすることをいっさい禁じ、従わぬ者は極刑に処すことを定めた。そして、廷臣たちは代わりに、不死を題材にした詩を書き、皇帝の行く先々でそれを詠ずるよう命じられた。

あるとき、皇帝が間もなく亡くなることを示唆する落書きが帝国の辺境で見つかった話を耳にすると、役人を派遣して犯人を捜させた。それでも誰の仕業だかわからないと、一帯の住民を皆殺しにさせた。皇帝は、死の必然性がほのめかされることすら軽く受け流すような人物ではなかったのだ。

だが支配者たちは、「死のパラドックス」を過剰に自覚しているだけではなく、それに対して何かしらの手を打つことができる。中国を統一し、始皇帝を名乗った秦の王は、世界最強の人間になった。

もし死に抗うための策を講じることのできる人物がいたとすれば、それは彼をおいて他にない。

「迫りくる死」への抵抗——長城の建設と焚書《ふんしょ》

「生き残りのシナリオ」は、不死のシナリオの筆頭で、単純明快そのものだ。それは、記録が残っている最初期の文化でも見つけることができる夢で、今日でも依然として盛んに追い求められている。それどころか、今やついにこの夢を実現させる飛躍的な科学の進歩を目前にしていると信じている人は多い。この主張は次章で考察し、疾患と老化と死を完全に遠ざけることでこの道をたどって、不老不死の人が住むという山の頂へと至る見通しを評価する。

だがその前に、無期限に生き永らえることができるという約束が、どのような形で文明の土台そのものとなっているのかを見てみることにする。

第1章で論じた、存在脅威管理理論を提唱する心理学者たちは、もし保護してくれるシナリオなしで死の必然性に直面したら、私たちは「すっかり不安に包まれ、痙攣する原形質の塊」と化すだろうと主張した。

始皇帝はたしかに、すっかり不安に包まれていたように見えるが、それを除けば、首尾良く精力を傾けて途方もない成果を上げた。それは、不死のシナリオを信じていたからにほかならない。彼は、不死身になって、永遠に生き続けることは可能だと信じていた。それを成し遂げるために、彼は秦帝国を打ち立てたのだ。

万里の長城は「死」からの守り

無期限に生き永らえるというのは、今、ここで命を保つことの継続であり、生存のための日々の奮闘を果てしなく延長することだ。したがって、すべての人間が維持する必要がある、基本的な物事から始まる。すなわち、飲食物と住まいと身を守る道具だ。社会は、発達するにつれ、協同や労働の専門化や技能の伝承を通して、こうした必需品の供給法を洗練させていく。文明は根本的には、延命テクノロジーの集積だ。農業は食糧の安定供給を確実にし、衣服は寒さを防ぎ、建築は住み処と安全を提供し、優れた武器は狩猟と身を守ることを助け、医学は負傷や病気と闘う。

だが、大半の人がこうしたテクノロジーを自分や家族や村に適用して満足するのに対して、始皇帝にははるかに壮大な展望があった。彼は帝国を支配しており、それを永続させ、自分が永遠に君臨するつもりだった。これを達成するために、自分の版図《はんと》を、予測できぬ危険なもののいっさい、すなわち、死をもたらしうるものすべてから隔て始めた。

そして、文字どおりの意味で、すなわち、北の国境沿いに一万キロメートルほど続くことになる城壁の建設という形で、それに取り掛かった。さまざまな文明の人々が、遠い昔から家や村の周り、さらには都市の周囲にさえ防壁を築くのを常としてきたが、一つの帝国をそっくり防壁で隔てることは、かつてなかった。これが万里の長城の始まりであり、この長城は徴用された労働者の血と汗の上に築かれ、その建設中には何十万という人が命を落としたと考えられている。

この長城の内側で、始皇帝は前代未聞の改革を行なって経済を発展させた。度量衡《どりょうこう》（編集部注　長さ・容積・重さの基準）と通貨が統一され、漢字書体が一本化され、行政と統治が合理化された。相争う諸国から、単一の国家が創設された。この国は、始皇帝の祖国である秦（chin＝チンと発音する）王国にちなんで、今もなお広く中国（China＝チャイナ）として知られている。

その後、紀元前二一三年に始皇帝は悪名高い命を発し、自分の新体制とは相容れぬ学派の書物はすべて焼かせた。過去の年代記は破棄され、歴史は一から始まることになった。延命の役に立つと思われる文書、すなわち、農業や占いや医学に関するものだけが難を逃れた。残りはみな禁書とされ、その所有は極刑に相当する罪と見なされた。

アルゼンチンの作家ホルヘ・ルイス・ボルヘスは、万里の長城と焚書を共に、永遠に生きようとする始皇帝の探求という文脈で捉えた。

「空間における城壁と時間における炎は、死の接近を止めることを意図した魔法の防壁だったことを、データが示唆している」と彼は書いている。始皇帝は生――自分の命――を無期限に存続させることができる新しい秩序を樹立することを試みていた。文明と野蛮の相違が表れているのがこれだった。それはボルヘスの言葉を借りれば、魔法の防壁であり、それが生を持続させる秩序を、混沌と疾患と崩壊から隔てているのだった。

だが、始皇帝が中年に差し掛かると、高い城壁や実りの多い田畑も、さらには新しい歴史書でさえもが、老化と病気を防ぐには不十分であることが明らかになった。そこで皇帝は、最高の医師や呪術師、錬金術師、賢者たちを身辺に置いた。彼らの任務は、皇帝がありきたりの病気にかかったときに治すことだけではなく、加齢に伴う衰えを食い止め、その最終結果である死を寄せつけぬことでもあった。

当時、この任務が不可能だと思う者はいなかった。それどころか、天下に平和をもたらし、驚異的な建造物を生み出し、すでに豊富な医学の伝統を持っていた文明にとっては、それは同じ輝かしい道をたどる、さらなる一歩にすぎぬように見えた。

だから始皇帝は、秩序ある政治とよく統制された経済が実現可能だと信じていたのとちょうど同じように、不老不死の霊薬（エリクサー）を手に入れることも可能だと信じていた。実際、そのような霊薬を見つけ、時の流れがもたらす害を免れて不死になった人々の伝説には事欠かなかった。

皇帝はそのような霊薬が存在することを確信しており、したがって、どうしてもそれを見つけ出さねばならなかった。見つければ、彼が創出した文明にとって、燦然《さんぜん》と輝く栄誉となるだろう。というわけで、彼は自分の帝国全土を経巡《へめぐ》り、霊験《れいげん》あらたかな山々で供犠《くぎ》を執り行ない、各地で出会った呪術師や学者に助言を求め、彼らが処方した水薬や丸薬、霊薬とされるものを熱心に服用した。

そんなある日、徐福《スーフー》という賢者に出会った。彼は、不死の人々が密かに暮らしている場所を知っていると断言した。

徐福は、中国北東部沿岸の島の一つに暮らしており、その島は遠い昔から霊薬と結びつけられていた。彼は皇帝に、次のように告げた。黄海には三つの山がある。本土から遠くはないが、不思議な風に守られており、岸にたどり着こうとする船はみな、針路を逸れてしまう。だが、幸運にもなんとか上陸できた船乗りたちが見つけた国では、動植物はみな純白で、宮殿はどれも金銀でできている。それらの島に暮らす人は不死だった。正真正銘の不老不死の霊薬を発見したからだ、と。

大いに胸を躍らせた始皇帝は、遠征隊を率いてその霊薬を見つけに行くよう、徐福に命じた。徐福は三〇〇〇人の童男童女と出発した。「穢《けが》れなき者だけが霊薬を与えられる」と徐福が主張したからだった。彼らは件《くだん》の島に渡り、不死の人々に懇願して、霊薬を授けてもらうことになった。

数年後、帝国内を巡遊していた皇帝は、再び広大な領土の北東岸に行き着いた。そして徐福を捜し出し、真の霊薬を手に入れる計画の進み具合を問いただした。徐福はひどくうろたえた。何の成果も上がっておらず、厖大《ぼうだい》な出費を重ねただけで、童男童女もその数を減らしていた。それを聞いた皇帝は激怒した。なにしろ、もっと軽い咎《とが》で大勢の人の命を奪ってきた人物だから。

徐福はとっさに機転を利かせ、神仙が暮らす島々で霊薬が見つかるだろうことを、かつてないほど確信していると、皇帝に請け合った。そして、自分たちは困難で危険な試みを何度となく繰り返している間に、島々を取り巻く恐ろしい風を克服する一歩手前まで行った、と言い張った。

「あと少しで純白の岸辺にたどり着く所まで来るたびに、巨大な海獣たちが行く手を塞ぎ、本土へ追い戻すのです。石弓で武装した一隊さえいれば、海獣たちを打ち負かし、必ずや霊薬を手に入れられるでしょう」

と言う。

切羽詰まっていた始皇帝は、これを信じてしまった。なんとしても不死の薬を見つけたかったので、徐福の求めるままに石弓の一隊を与えた。徐福の話に強く心を動かされた皇帝は、自分が石弓だけを手に、強大な海獣と闘っている夢を見た。これは、不死への道筋を邪悪な海獣が妨げているという凶兆に違いないと思った皇帝は、地元の船乗りたちに、その怪物を捕らえるように命じた。それから、自ら近くの浜に石弓を手にして立ち、彼らが海獣を連れ戻るのを待った。

一方の徐福は、財宝や童男童女、石弓の一隊と共に出帆した。そして二度と中国に戻ってくることはなかった。

尋常でない随行者たちと共に二度目の航海に出た徐福は、伝説の領域へと旅立っていった。ある伝承によると、彼は日本に上陸して新しい社会を築き、自らその王となったという。日本では徐福《じょふく》として知られ、伝承の中では聖人君子の地位、さらには神の地位さえ獲得している。

彼には、農業、医学、冶金術、絹を、日本列島の、それまでは原始的だった人々にもたらし、彼らの文化を一変させた功績があるとされている。

意外にも、徐福が航海に出たと言われているちょうどその紀元前三世紀に、日本の文化が現に突然の大躍進を遂げたことを示す考古学的証拠がある。狩猟採集が稲作に、石器が金属器に、毛皮が織物の衣服に、穴居が戸建ての住居に、それぞれ取って代わられたのだ。日本の和歌山県新宮《しんぐう》市は、徐福が大勢の童男童女を引き連れて上陸し、文明化に取り掛かった場所であることを依然として世に喧伝している。

徐福の日本上陸伝説のある和歌山県にある「徐福の墓」。江戸時代の建立とされる

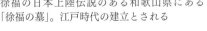

というわけで、これだけ多くの伝説があるのだから、徐福が中国を去って日本を発見したという話は、事実無根ではないかもしれない。だが、徐福の伝説にはまだ続きがある。

彼は新しい社会を築いた後、不老不死の霊薬の探求を続け、富士山に住む隠者たちのもとを訪ねる。そして、長い航海をしながらずっと探してきた秘密を、ついにそこで見つける。隠遁《いんとん》していた賢者たちは、徐福を長《おさ》に戴き、その伝説によれば、雲のかかる高い頂上で、今なお霊妙な聖人の暮らしを送っているという。

古代日本人が手に入れた「不老不死の霊薬」とは?

文明のもたらし手は、より良い、より長い人生をもたらす。そして、彼が受ける報い——と、彼が追従者たちに与える約束——は、果てしない生だ。

これが徐福の物語の日本版が意味するところで、それこそまさに、始皇帝が自らの帝国を創設したときに範としたものだ。なぜならそれは、中国の社会で語られている伝説とまったく同一だからだ。それどころか、それは文化の創設神話として私たちが世界中で繰り返し目にする主題でもある。文明は不死の約束の上に築かれるのだ。

まだ石器時代にあった日本に徐福が導入したとされる一連のテクノロジーは、日本の人たちの寿命を延ばすのに貢献したことだろう。まさにその点が肝心で、だからこそ、その後、徐福が才覚を発揮して不老不死の霊薬を発見するところまで、この伝説が切れ目なく進んでいくのが、ごく自然なのだ。

作家で未来研究家のアーサー・C・クラークは、「十分に発達したテクノロジーはどれも、魔法と区別がつかない」と書いている。鋤《すき》から心臓バイパス手術まで、文明の魔法のような業績に驚嘆する人にとって、不老不死の霊薬は、次なる一歩として十分妥当に思えてもおかしくない。これは古代日本だけではなく現在にも同じように当てはまる。

そして、始皇帝が権力を握ったときの古代中国でも、すでにそうだった。彼がただの秦王でなくなったときに自らに与えた称号は、伝説の祖先、黄帝《こうてい》に倣ったものだ。新しい称号を使うにあたり、秦王はこの伝説の人物が持つ桁外れの名声に少しでもあやかろうとした。そして、黄帝の経歴もなぞろうと願っていた。

というのも、黄帝も文明の創設者で、死に勝利したと言われていたからだ。初期の中国文化の本質的要素を導入したのが黄帝であり、彼は中国人にとって、日本人にとっての徐福に相当する存在で、彼はその業績に対して不死を与えられた。始皇帝は、新しい国家を打ち立て、中国を新たに作り直そうとしたとき、黄帝を意識的に手本とし、同じ評価を得ることを望んでいた。

言い伝えによると、黄帝は紀元前二六九七年から一〇〇年にわたって統治したという。その治世には、平和と統一と進歩が実現し、伝承では、鋤、畜産、音楽、暦、武芸、医学、絹織物、さらには書字まで、文明の基礎がすべて発明されたことになっている。こうして自分の王国に秩序と繁栄をもたらした黄帝は、自分の真の目標、すなわち、永遠の生の追求に専心することができた。

伝説によれば、黄帝はある女神の助けを享受したという。女神は三人の侍女を遣わし、長寿の技を直接伝授させた。そのうちの一人は、精力を永遠の生の追求につぎ込む術《すべ》まで教えた。性行為と精液と寿命との間のこの結びつきは、近代以降も長らく残っていた。
黄帝の不断の努力と徳は、不老不死の霊薬によって最終的に報われた。その薬を服用すると彼はたちまち一変し、老化と病気を免れられるようになり、慈悲深い龍がやって来て、はるか遠いチベット北部の崑崙《こんろん》山脈へと運び、そこで永遠に暮らしたという。

徐福の物語の場合と同じで、霊薬は文明の偉業の極みとして、重要な意味を持つ。長い人生をかけて物事を革新し、世の中を発展させ、秩序を生み出した後、ついに死を打ち破ることができた。これこそ文明生活が本当に約束するものだ。どういうわけで遊牧・狩猟民の自由を捨ててまで、土地を耕し、法に従い、社会が要求する税を払うべきなのか？　なぜなら、もしそうすれば、寿命が延びるから――ことによると無期限に延びるからだ。
文配者ではない人――ただの民、平凡な人間――でさえ、文明の城壁の内側で、秩序ある安全な暮らしの恩恵に浴すことを望みうる。私たちが机や生産ラインに向かって、骨の折れる単調な仕事に精を出し続けるのは、私たちもその魔法の防壁を信じているからだ。

古代エジプト文明の創設神話は、ナイル川流域の人々に、それとまったく同じ答えを提供した。ただし、少しばかり空想的な形ではあったが。その神話には、第1章で触れた冥界の神オシリスが出てくる。既知の神のうちでもとりわけ古いオシリスは、黄帝と同じで、もともとは本物の支配者であり、農業や法体系など、文明の物質的な面と象徴的な面の両方を民にもたらしたと考えられていた。オシリスが、彼を羨む弟に殺されて、体をばらばらにされると、妻のイシスがなんとかミイラにして蘇らせた。その後、オシリスは史上初のミイラとして冥界の王の座に就いた。

他のエジプト人たちは、オシリスを見習って善き人生を送り、古来の習わしに従うことで、オシリスと共に永遠に生き続けることが望めた。この場合にもまた、さまざまな掟や儀礼を伴う文明の創設者が、不死の見込みと明確に結びつけられている。

文明の創設神話が持つこのパターンが、他の多くの文化で繰り返されるのを私たちは目にすることになる。古代の神秘的な文化だけでなく、近代の科学的な文化でもそうだ。したがって、文明の創設神話は、創世神話とは大違いだ。創世神話は世界の起源にまつわるもので、死が必然で現実のものであることを説明する場合が非常に多い。そうした創世神話の中では、人間が不死にされることはない。だから、霊薬も、文明さえも無用のものとなる。たとえば、中国の神話では、人間は黄土の飛沫から無頓着に作られたことになっている。そのような人間を永遠の存在にふさわしいものにするには、性質を一変させる必要がある。そのような変化を、黄帝は達成したのであり、始皇帝は追い求めたのだった。

そうした創設神話は、文明という概念そのものが、永遠に生きたいという私たちの願いと密接な関係にあることを証明している。私たちは死すべき者として創造されたが、文明は私たちを救い出すことができる。今日、先進世界の人の多くは、文明の恩恵を当然と思っているが、初期の文明の人々は、自分たちと野蛮人とを隔てるこの魔法の防壁がどれほど脆弱かを十分承知していた。彼らにとって文明は、農業と医学という、明らかに寿命を延ばすテクノロジーから不老不死の霊薬へと、すんなり続いていくものだった。

不老不死の霊薬は、実在する物質であると考えられていたものの、その役割は象徴的でもあった。

それは文明の至高の目的、すなわち、初めて種が蒔かれ、煉瓦が積まれたときに始まった、死の征服の完遂を象徴していた。現存する最古の文書のうちには、この追求の証拠となるものもあり、その試みは今日もなお続いている。

霊薬（エリクサー）――「寿命の無期限の延長」という約束と錬金術

今に伝わる世界最古の叙事詩で、シュメール王ギルガメシュの物語では、主人公の王は、「老いた者が若返る」という若返りの草を探し求める。

第1章で見たように、古代エジプト人も不老不死の霊薬を信じていた。処方箋の一つは、紀元前一六〇〇年まで遡る。これらの文書が書かれて以来の数千年間、霊薬の類の探求が続けられなかった時代は一つとしてない。新しい一〇〇〇年紀の初頭に当たる今、霊薬産業は依然として活況を呈している。二〇一〇年までの一〇年間に、れっきとした科学雑誌『ニューサイエンティスト』が掲載した、老化を止めることを約束する新しい「霊薬」の記事は、一二にのぼる。

臨床検査を行なった今日の特効薬とは違い、古代の伝説はすべて架空の迷信にすぎないと考えたくなるといけないので指摘しておくが、『ニューサイエンティスト』誌に載った一二の老化防止策の一つは、マメ科の草であるレンゲソウの根から抽出した成分を利用したものだ。

レンゲソウは、伝統的な中国医学における「基本的な五〇の薬草」の一つで、始皇帝に処方された薬のうちに入っていた可能性がきわめて高い。呪術と科学の間には、厳然とした境界線はない。

使う方法こそ、長い歳月を経るうちに、より厳密で、効率的で、生産的になったものの、それを別とすれば、私たちは依然として「生き残りのシナリオ」を追求しており、それは歴史が始まって以来、人類が常にやってきたこととまったく同じだ。

どの世代にも期待をかけるテクノロジーがある。二〇世紀初頭には、それはオーストリアの生理学者オイゲン・シュタイナッハにちなんで「シュタイナッハ手術」と呼ばれたテクノロジーだった。「この探求は、単に変わり者や偽医師だけのものだったためしがない」と、医学史家のジェラルド・グルーマンは書いている。それどころか、さまざまな宗教そのものや、高名な哲学者、重要な科学者が、無限の寿命のカギを見つけることに打ち込んできた。

この手術は、シュタイナッハの同僚の言葉を借りると、「寿命の無期限の延長」を約束するもので、シュタイナッハ自身は、六回もノーベル賞候補になった（ただし、受賞することはなかった）。ジークムント・フロイトとW・B・イェーツを含む、多くの一流の科学者や知識人をはじめ、何千もの人が若返りを期待してこの手術を受けた。ところが今日、この手術は単に精管切除術として知られており、それが持つ若返りの力は、すべて想像上のものにすぎぬことが立証されている。

それでもなお、死を打ち負かすという希望は残っている。ほぼどのような文化にも伝わっている、驚異的な長寿者の話がそれを煽《あお》る。始皇帝には、黄帝以外にも、想像力を掻き立てられるような人物が大勢いた。

たとえばその一人が彭祖《ほうそ》で、彼は八〇〇歳まで生きたとされる。ローマの歴史家プリニウスも、八〇〇歳の人々の事例を記録している（ただし、彼らはその高齢のせいであまりに人生に辟易していたため、海に飛び込みたがるほどだったと記している)。ユダヤ教とキリスト教の伝統に連なる人々は、旧約聖書に目を向ければ、なおさら長寿の祖先を見つけることができた。ノアは九五〇歳、メトシェラは九六九歳まで生きたと言われている。私たち自身の時代には、記録管理が改善し、証拠の基準も高く設定されているので、そのような話は稀になったものの、依然として流布している。

たとえば、カフカス山脈に住む並外れて長寿のジョージア(グルジア)人たちにまつわる、よく知られた話だ。ヨーグルトこそが彼らの秘密の霊薬だと視聴者に請け合う、一九七〇年代の一連のテレビコマーシャルが大成功を収めた後、この伝説に触発されて、何百万もの人がヨーグルトを買った。

生き永らえることを夢見るのは自然かもしれないとはいえ、身体の性質が、私たちに不利に働いている。身体は、手助けしたり改良したりしてやらなければ、病み、年老い、死に、朽ち果てる。何か手を打たねばならない。

時の試練に耐えるためには、通常の生物学的な限界をなんとか超越する必要がある。どうにかして永遠に生きるのにふさわしくなるように、自分を一変させなくてはならない。不老不死の霊薬という概念は、変化へのこの欲望を体現している。

それは、服用すると通常の衰弱の過程を止める伝説上の薬物で、服用者を死すべき者を超える存在に高め、中国人が「仙」と呼ぶ、超越的で神々しい不死の人々に変える。

今では私たちは、不老不死の霊薬というと、泡立つ水薬か、すっきりした丸薬を想像するかもしれないものの、始皇帝はそのような先入観は持っていなかっただろう。それがたった一本の植物か、一連の運動か、粉末と呪文《じゅもん》の秘密の組み合わせだと判明したとしても、やはり、驚かなかっただろう。

命を与えてくれる何かしらのものについての話は、非常に多様で広く普及している。魔法の茶碗、大釜、泉、湧き水、川、木、きのこ、果物、野菜、角《つの》、毛、動物、精霊、魔女、怪物、呪文、呪《まじな》い、指輪――こうしたものはみな、いずれかの時代に、死に抗う効能があるとされた。

したがって、人は永遠に生きたいと願うときには、手段に関して先入観を持たないのが最善であることに気づいた。老化と死をあとわずかでも長く寄せつけぬようにするのに役立つものなら、それは何でも霊薬であり、その追求は、医学から呪術や科学、さらに宗教まで、今日なら本質的に異なる伝統と見なされるものを網羅していた。だが霊薬の探求は、これほど多くの構成要素を持ちながら、一つの名称で知られるようになった。

すなわち、錬金術（錬丹術）だ。

歴史で初めて錬金術に触れたのが、紀元前一世紀の中国の歴史家、司馬遷《しばせん》が残した記録だ。司馬遷は、始皇帝について現在知られていることの大半も記録した。

彼は、宮廷の錬金術師が辰砂《しんしゃ》（硫化水銀から成る深紅色の鉱物）を金に変えようとしていたこと、そして、もしその金を飲食のために使えば、「けっして死ななくなる」だろうことを記している。このように、錬金術はその最初期から、変化という概念によって統合された二つの目標の追求と結びつけられてきた。その二つの目標とは、卑金属を金に変えること、そして、卑《いや》しい人間を不死の人に変えることだ。

今では錬金術は前者の目標と結びつけられることが多いものの、大方の錬金術師は、どれほど控えめに言っても、これら二つの目標が分かち難く関連していると考えただろうし、司馬遷の記述にあるように、金の製造は無期限の生という目的のための手段にすぎないと考えることが非常に多かった。

これは、西洋の錬金術にも同様に当てはまる。科学実験の提唱者の草分けで、オックスフォード大学教授のロジャー・ベーコンは、一二六七年に次のように述べている。

「卑金属から不純物と穢《けが》れをすべて取り除いて銀や純金にするような薬は、人間の身体から穢れを取り除いて、長い年月にわたって寿命を延ばすことができると、科学者は考える」

「錬金術（alchemy）」という呼称自体、この技法の神秘的な起源を反映している。この単語はアラビア語の「al-kimia」に由来する。中世初期に、錬金術を存続させるのに最も貢献したのがイスラム世界だったからだ。だが、アラビア人はこの単語を、ギリシア語の「chemia」から取り込んだ。七世紀にギリシア人がアレクサンドリアを占領したときのことだ。そして、「chemia」（「chemistry（化学）」という単語の語源でもある）は、「エジプトの技法の知識を持った人」を意味した。不死の探求では毎度のことながら、すべての道はナイル川に通じるのだ。

始皇帝の頃の中国では、錬金術は、当時の主要な宗教・哲学体系である道教のきわめて重要な構成要素だった。道教の実践者が開発したさまざまな延命法は、二〇〇〇年以上経た今も盛んに行なわれている。瞑想、呼吸法、太極拳や気功といった緩やかな運動、茶の服用、薬用ニンジンをはじめとする多くの薬草とミネラルの摂取などだ。主要な医学書の一つである『黄帝内経霊枢《こうていだいけいれいすう》』は、中国の伝統医学の中心的拠り所であり続けている。

ヨーロッパではルネサンス以降かなりの時を経るまで、化学と錬金術の区別も、科学者と魔術師の区別もなかった。今日私たちが科学的方法の厳密さと見なし、あらゆる迷信の正反対に位置づけるものは、錬金術による不死の探求から、徐々に現れ出てきたにすぎない。

ロバート・ボイル、さらにはサー・アイザック・ニュートンのような、科学時代の黎明期に現れた偉人の多くは、錬金術の教えに染まっており、ニュートン本人は、物理学の分野における自分の発見よりも、錬金術への自分の貢献を重視していた。

根拠に基づく新しい方法の成功が急速に重なるにつれ、古来の知恵と秘術への信頼はやがて衰えていった。もし自然界の秘密が解明されるとしたら、それは丹念に集めた実験データに照らして新しい説を検証することを通して達成されるのであって、古い象形文字を解読することを通してではなかった。だが、方法と文化が進化しても、霊薬の概念は生き延び、無数の研究者がせっせとそれに取り組み、マーガリンから美顔用クリームまで、ありとあらゆ

不死への願望は科学の進歩の原動力（「錬金術師」ピーテル・ブリューゲル／National Gallery of Art）

るものを私たちに売りつけるのに利用されている。

この探求の科学的な現代版は、神話的な過去を放棄することで、霊薬伝説のきわめて重大な側面、すなわち、それが万人向けに意図されたものではないという面も失ってしまった。

じつは、やはり治癒と蘇生の力を持つとされていた聖杯に似て、霊薬は賢者や有徳の人だけが手にできるものだった。永続的な生は、並外れた努力と善行を通して勝ち取るもので、そうした美点が文明が野蛮へと衰退するのを防いでいるというのが約束事だったのだ。

したがって、高度な社会の核心に不死を据えるのとまさに同じ伝説の中には、不死は愚者や臆病者のものではないという警告も含まれているのだ。

「永遠の生」は賢者だけの特権か？

日本に伝わる徐福の物語は、彼が富士山の頂に登るところでは終わらない。霊薬の守護者である彼が平穏を楽しむのを、どうして妨げられずにいられようか？

ある日、金持ちで怠惰な仙太郎という若者が、自らその霊薬を探すことにし、徐福のために建立された神社を見つけ出して祈った。七日目の真夜中に、徐福が若者の前に姿を現した。徐福は仙太郎を手前勝手な愚者と見て、試すことにした。紙で作った小さな鶴を与え、これが久遠の生の地へ連れていってくれるだろう、と告げた。仙太郎がまたがると、その鶴は途方もない大きさになって羽ばたき、舞い上がった。そして、海に出て何千里も飛んでから、ついにある離島に降りた。鶴は縮んで元の大きさに戻り、仙太郎の袖の中に飛び込んだ。

この島の住民たちが、そこでは誰一人死なず、病気にもならないというので、仙太郎は大いに驚いた。なんと幸せな人々だろう、と彼は思った。ところが、どうすれば死ねるようになれるか、手掛かりを与えてほしいと彼らにせがまれ、仙太郎はなおさら驚いた。彼らは、長い長い人生に飽き飽きしていたのだ。知られているかぎりの毒を試したが、無駄だったという。とりわけ強力な毒薬は、凄まじい人気を博したが、それは、その薬で髪がわずかに白くなり、軽い腹痛がするからという、ただそれだけの理由からだった。あいにく、死ぬことはできなかった。

仙太郎には、人々の不幸がまったく腑に落ちなかった。彼は小さな店を開いて、この魔法の島に落ち着き、永遠に暮らすことになった。だが、三〇〇年が過ぎると、彼も単調な生活に飽きてしまった。商売は捗《はかど》らないし、近隣の人々とは喧嘩が絶えない。何もかもが退屈で無意味に思えた。

かつて、不死にしてくれるように徐福に祈った彼は、とうとう徐福に再び祈り、死を免れぬ地へ連れ戻してくれるように懇願した。すると、たちまち紙の鶴が袖の中から飛び出し、大きくなった。仙太郎はその背に乗り、飛び立った。

だが帰る途中、ひどい嵐に見舞われた。紙の鶴は揉みくちゃにされ、海に墜ちた。仙太郎が沈むまいともがいていると、巨大なサメが、恐ろしい口を開けて迫ってきた。仙太郎は声をかぎりに徐福の名を呼び、助けてくれ、と叫んだ。

と、その瞬間、彼は目覚めた。そこは、徐福が最初に彼の前に現れた小さな神社だった。仙太郎の思いがけぬ体験は、彼の愚かさを暴くための夢だった。彼は永遠の生を願ったが、それが退屈であることに気づき、それから、死すべき者たちの地へ戻ることを願っておきながら、依然として死を恐れていたのだから。徐福は仙太郎に、家族のもとに戻って、有徳で有益な人生を送ることを学ぶように言って聞かせた。

不死は弱者や愚者のものではないというのが、徐福の教えだった。

大半の人が生き続けたい、死の恐怖を免れたいと望むものの、そう望むだけでは、それがもたらす結果、すなわち、永遠に生きることには耐えられない。永遠に生きるとは何を意味するかを理解することさえ覚束ない。

永遠というのは、ただの長い時間ではない。それよりもはるかに、はるかに長い。一〇〇万年は長い。一兆年はさらに長い。だが、仮に私が本書を一〇〇万個のゼロで埋め尽くし、それからそのような本をさらに一〇〇万冊書いたとしても、永遠という長さの半分にも届かないだろう。いや、その一〇〇万分の一にも達しない。なぜなら、どれだけ長く生きようと、何百万年、何兆年生きようと、目の前に依然として続いている無限の生の、まだほんの一部にすぎないからだ。しかもそれは、無限に小さい一部分だ。なんたることだろう！

私たちはみな始皇帝や哀れな仙太郎と同じで、不死を求め、なんとか肉体の儚さを克服し、ただただ生き続けるように駆り立てられる。この衝動は、生存への本能的意志を果てしない未来に投射する、壮大な想像力から生じる。だが、私たちに特有の想像力は、永遠が本当はどのようなものなのかを教えてくれるほど優れているのだろうか？

どんな頭脳をもってしても、無限は把握できないので、どれだけ試みても、やり遂げられない。不死を追求するのは、一度として行ったこともなければ、誰一人そこから戻ってきたこともない約束の地への旅を強いられるようなものだ。

徐福の物語は、永遠に生きることが悪いとは言っていない。なにしろ徐福自身は賢者たちに許される不死を享受しており、自分の成し遂げたことを悔やんでいるようなそぶりは微塵も見せないのだから。

むしろこの物語は、不死の問題点を指摘している。永遠の生は万人向けではないかもしれず、すべての不死が等しいわけではないと言っている。賢者は悟りと永遠の平穏を見出すが、愚者は自分のつまらぬ人生の繰り返しによって、苦悩へと追いやられる。霊薬を求めるときには、何を手に入れたいのかだけではなく、どんな人間になりたいのかも考えねばならない。

「無数の人が不死を希《こいねが》う。雨降りの日曜の午後に自分を持て余すというのに」と、小説家のスーザン・アーツの言うとおりだ。

徐福が何の疑いもなく霊薬を探す旅に出たことを踏まえると、これは重要な修正点だ。多くの物語や伝説は、延命を純然たる善と決めてかかる。とはいえ、大半の文化では、大半の人の間でと同様、次のような小さな声も聞こえる。

だが、それはどのような不死なのか？　それは、どこで？　誰と？　霊薬を差し出されたときには、口をつける前に、こうした問いを発すべきだ。

そのような薬を服用したときに何が得られるかは明白だ。まず、何をおいても、死に対する恐れからの解放であり、さまざまな形態で現れる死の恐怖を免れられることが挙げられる。その霊薬を探し求める人は、そのような死の不安が取り除かれるだけでも、人間の境遇が一変し、人生という戯曲が悲劇から喜劇に書き直されると信じている。

彼らにとっては、死が確実であることを知りながら生きるのは、道路が断崖絶壁に一直線に続いているのを知りながら、ドライブを楽しもうとするようなものであるのに対して、霊薬を飲むのは、崖の代わりに、緩やかにうねる果てしない丘陵地帯へと続く分かれ道を見つけるようなものだ。

もし生を重んじるのなら、長い生ほど良いに違いないと考えるのは自然だ。生きていてこそ、あらゆることができる。いかなる種類の幸福であれ、生きていて初めて味わえる。そして、不死になれば、たっぷり時間が得られる。新しい技能を身につけ、この世のあらゆる文化や地域を詳しく調べ、なれるもの、なりたいと夢見ていたもののいっさいになることができる。霊的な意味で自分自身を見つけたり、神の新しい崇拝の仕方を考案したり、あるいは自ら神のようになったりすることができる。新しい銀河を探検できる。

あるいは単に、愛する人々が自分から奪い去られたり、愛する人々から自分が奪い去られたりするかもしれないという不安なしで、彼らと過ごす時間を楽しむことができる。

少なくとも、理屈の上では。ところが、すべては、私たちが何者か、どのような状況で死を免れるかにかかっている。仙太郎は数百年で退屈したが、彼の暮らしは、小島で変化に乏しい商いを続けるというものだった。

現代の文化の中で生きる私たちは、進歩は当然と確信しているから、寿命が延びれば新しいものが胸躍る経験をもたらしてくれるだろうと思っている。好奇心をそそる劇的な変化を次々に生き抜くことができると期待している。テクノロジーがますます急速に進歩しているので、一〇〇年後、一〇〇〇年後、一〇万年後に文明がどこまで進んでいるかは、まったくわからない。そして、その行く末を見届けたいと思わぬ人などいるだろうか？

仙太郎はまた、家族や友人から遠く引き離されていた。知っている人や愛する人全員よりも、さらには我が子よりも長生きするのは、災いと思えたとしても少しも不思議ではない。カレル・チャペックの一九二二年の戯曲『マクロプロス事件』に登場するヒロインの状況がこれだ。彼女一人が、不老不死の霊薬の秘密を知っている。仙太郎と同様、三〇〇年後、彼女も辟易する。何に対しても興味が湧かず、情熱をすっかり失ってしまっている。かつて愛した男性たちは年老いて死んでしまったし、彼らに代わる若い男性たちは滑稽だ。彼女は退屈さえ超えた境地にある。チャペックのもののような想像の世界の中では、不死の人は寄る辺のない身であり、死すべき者たちに妬まれ、忌み嫌われ、誤解される。

だが、そのように孤独な境遇を想像する必要はない。永遠に生きることを望んでいる人や永遠に生きるつもりの人の多くは、霊薬が十分にあり、あらゆる人に――あるいは、少なくとも自分が好む人全員に――行き渡ることを見込んでいる。そのような社会は、現在の社会とは大きく異なるものにならざるをえない。

人間関係、とりわけ結婚は、その社会に適応させてやる必要がある。学習や仕事や引退は、これまでとは違う意味を持つだろう。だが、人間には順応性がある。

歴史を振り返れば、現在の平均寿命は例外的に長いが、私たちはすでにそれを当然視しているし、わずか一世代の間に、インターネットとモバイル通信の画期的なテクノロジーにすっかり慣れてしまったので、それなしの生活など、ほとんど想像もできない。したがって、現代の霊薬を探し求める人(それがどれほど大勢いるかは、次章で見ることにする)は、私たちが不死にもうまく対処できるだろうと、楽観している。

不老不死の霊薬を夢見るときには、私たちはお馴染みのお伽話《とぎばなし》のような結末を夢見ている。「そして、いつまでも幸せに暮らしました」というわけだ。だが、仙太郎の物語は、そうとは決めてかかれぬことを教えてくれる。死を無期限に先延ばしできれば、得るものは多いが、それがどれほどの代償を伴うかにも目を向ける必要がある。私たちは終わりのない生を追求するように駆り立てられるものの、この衝動に従ったときに、どこにたどり着くかを問うように駆り立てられはしない。

この先の章では、そうした代償と恩恵を、不死の四つのシナリオの文脈で考察し、それらのシナリオが、私たちの望みそうな永遠性をもたらすかどうかを問うことにする。

水銀の海——始皇帝が溺れた「死の霊薬」

始皇帝は、不死は望ましいものなのかどうかという疑念に悩まされることはなかった。天下を完全に支配するという務めは、いくらでも長く幸福に続けられそうに思えたからだ。

先程は、始皇帝が石弓を手にして海辺に立ち、自分と永遠の生との間に立ちはだかる海獣を倒す機会を窺っているところまで、話を進めた。だが彼は、船乗りたちが捕まえた数匹のサメに矢を浴びせることぐらいしかできなかった。海獣はうまく逃げおおせたようだった。そして、始皇帝は内陸の都へと戻る途中、紀元前二一〇年にわずか四九歳で重い病気に倒れて亡くなった。

だが、ひどい味の強壮薬を飲み干したり、本物の霊薬を探すために遠征隊を派遣したりする間に、始皇帝は代替案の実現にも精を出していた。ほとんどが彼の苛酷な法制度に違反した者から成る、七〇万という驚異的な数の労働者が、皇帝の墓となる陵墓の建設に長年にわたり従事していた。当時の記録によれば、地下に帝国全土をかたどった青銅製の複製が作られ、流れる水銀によって中国の大河が再現され、それが水銀の海へと絶え間なく注ぎ込み、魔法のような仕組みによってそれが果てしなく繰り返されていたという。その上方には、天上の星座が再現され、宇宙の支配者たる皇帝の地位を象徴していた。そして、そのすべてが、近寄る者は誰でも自動的に射殺する石弓で守られていた。

始皇帝の後継者――若い息子で、その統治は短期間しか続かなかった――は、父の側室で男子を産まなかった者を、すべて殺して父と共に埋葬するように命じた。

その後、間を置かずに殺されたのが、墓の防御設備の建設にあたったので宝の在り処を知っていた職人たちだ。「亡くなった者はおびただしい数にのぼった」と記録にある。彼らはみな、皇帝と共に埋葬され、それから墓は密封され、土で覆われ、ただの丘に見えるように木が植えられた。

始皇帝は、伝統に従って自分の墓を建造したのだが、その規模は前代未聞だった。始皇帝が、この複製の帝国で生き続けられると信じていたかどうかは、何とも言い難い。道教の慣習に沿って、何よりもまず身体的な死を避けるために懸命の努力をしたことを、本人の言行が明白に示している。だが、「生き残り」の道をたどっている者なら誰にとっても、代替案を準備するのは当然のことであり、古代エジプトの場合で見たように、複数の不死のシナリオが共存している文化は、けっして知られていないわけではない。中国の伝承によれば、死者の霊がどうなるかは、適切な埋葬と儀礼を行なうかどうかに大きく依存するという。始皇帝は、もしあの世に行くのなら、何が何でも、自分が慣れ親しんだ様式で行くつもりだったのだろう。

この巨大墳墓の大仰な説明は、何世紀にもわたって作り話だと考えられていた。墓が隠されている小山は地元の人々によく知られていたが、迷信と、恐ろしい罠にまつわる伝説のせいで、誰も近づかなかった。やがて一九七四年に、小山自体からは一・六キロメートルほどの場所で、数人の農民が井戸を掘り始めた。すると意外にも、地下の穴を掘り当てた。そして、中から秦時代の兵士の像が出てきた。

その像は陶製で、これまでのところ、さらに八〇〇〇体が見つかっている。すべて実物大で、精巧に成型されており、それぞれが実物のモデル同様個性的だ。今では兵馬俑《へいばよう》として知られているこれらの像は、世間をあっと言わせるような二〇世紀屈指の大発見で、世界の七不思議と肩を並べるものとして、広く認められている。

だが、なおさら驚くべきなのは、この大軍団が、巨大な陵墓のほんの一部、それも、当時の記録が、他の宝物と比べれば触れるに値しないとさえ見なしていた、ごく些末な部分でしかない点だ。

陵墓は約五七平方キロメートルという途方もない広さに及び、陶製の役人、軽業師、戦車、さらには動物たちが納まった多数の坑がある。兵士たちは、墓の外壁への入口を警護している。この外壁は、六・四キロメートル近くある。発掘は今も進行中で、今後も何十年にもわたって、宝物が掘り出されることが見込まれる。墓の本体は、今のところ開かれていない。中身がまだ適切に保存できぬ恐れと、ことによると、石弓が自動的に作動する恐れもあるためだ。だが、土壌の予備スキャンから、水銀濃度が異常に高いことが明らかになっており、水銀の海という古代の記述が正しいことが窺える。

それはともかく、当時の最高の医師たちを仕えさせ、寿命を延ばすように考案された厳格な養生法に従っていた始皇帝が、なぜあのような比較的低い年齢で亡くなることになったのか？　宮廷の呪術師や医師は、皇帝の激務を原因として挙げている。巡遊中でさえも、毎日三〇キログラムもの国家の文書を処理してからでないと休まなかったからだ。彼らは、このように万事自分で取り仕切ろうとする行動が、自分たちの処方する薬の効果を妨げていたと考えた。

とはいえ、今振り返ってみれば、別の見方もできる。

当時からそれほど時を経ていない頃の資料のおかげで、霊薬を作るために医師や呪術師

兵馬俑は墓所であり不死のシナリオの一部（写真：DnDavis ／ Shutterstock.com）

が使っていた材料の多くがわかっている。金銭的余裕がある人々にとって、主要な材料は、金や水銀や翡翠《ひすい》のような腐食しない物質だった。その他によく使われたのが、硫黄、鉛、石黄《せきおう》（目に鮮やかな黄金色のヒ素化合物）だ。したがって、始皇帝が日々摂取していた霊薬は、水銀、鉛、ヒ素のどれか、あるいは、すべての中毒を引き起こしたことだろう。

その症状は、頭痛、腹痛、発汗、痙攣、不眠、興奮、偏執症とさまざまだったはずだ。そして、皇帝はそれらの症状をたっぷり見せたようだ。侍医が始皇帝の寿命を首尾良く延ばしてのけたのは、燕の暗殺者の短刀を、薬の入った袋で防いだときだけだったように見える。

彼らの約束とは裏腹に、皇帝が服用していた薬は結局、死の霊薬となった。彼の死因は、「永遠に生き永らえようとする探求」だったのだ。

不老不死の霊薬の探索が、確固たる科学的基盤を持つまでには、その後二〇〇〇年を要することになる。私たちは今や、史上初めて、老化と病気を打ち負かす見通しが立つところまで来たと考えている者は多い。無期限に生き永らえる可能性は、かつてないほど高く見える。

そのような変化をもたらした張本人は、その過程で、ノーベル賞を二度も受賞した経歴を犠牲にしたものの、健康に執着する私たちの時代の形成に大いに貢献した。今度は彼に目を向けることにしよう。

科学vs死神

──ノーベル賞学者を虜《とりこ》にした不老不死のビタミン療法

第3章

医師たちは死の宣告を下した。癌がエヴァ・ヘレンの全身を蝕《むしば》んでおり、出血がしだいに頻繁になっていた。それでもライナス・ポーリングは、自分には彼女を救えると信じていた。なにしろ彼は分子生物学の考案者で、二度にわたるノーベル賞受賞者で、『がんとビタミンC』(村田晃・木本英治・森重福美訳、共立出版、一九八一年)の著者であり、その本では、ビタミンを大量投与すれば西洋世界で最も恐れられているこの疾患の進行を遅らせたり止めたり、さらには治癒させることさえできると主張していたのだから。しかも、エヴァ・ヘレンは彼の妻だった。その彼女が今、胃癌の診断を受けたので、彼の説は運命に試されていたわけだ。

エヴァ・ヘレンは化学療法を拒み、夫の助言に従ってビタミンCの摂取量を増やした。ポーリングの見方は、科学雑誌と報道機関の両方に酷評されていた。彼はかつて、アメリカ科学界の花形だったが、ビタミンの恩恵についての主張がしだいに常軌を逸していくにつれ(彼は、ビタミンは癌を撃退でき、一五〇歳まで生きる助けとなりうる、とまで主張した)、徐々に孤立する羽目になった。

このテーマに関する彼の科学論文は雑誌から掲載を拒否され、研究所のスペースは取り上げられ、マスメディアでは、耄碌《もうろく》した過去の人と揶揄《やゆ》された。

ポーリングは妻の食事に生の果物と野菜を加えた。トマトとニンジンで新鮮なジュースを作ってやった。妻の出血は悪化し、それまで以上に輸血を必要としたが、彼は大量のビタミン摂取で奇跡を起こせると確信していた。どうしても、奇跡を起こさぬわけにはいかなかった。私生活も学者としての人生も、つまり彼の全世界が、それにかかっていたのだから。

ライナス・ポーリングは、その底知れぬ活力と知性を発揮して、量子力学から核軍縮、遺伝学から食事療法まで、今私たちが暮らす世界を特徴づけているさまざまな進展の先頭に立ってきた。とはいえ、彼の人生は論争続きで、ただの変人にすぎないとして公然と非難されながら幕を閉じた。

オレゴン州ポートランドで過ごした少年時代に、ポーリングは自営のドラッグストアの奥にある部屋で父親のハーマン・ポーリングが仕事をするところをよく眺めていた。ハーマンは、自分のチンキ剤や軟膏《なんこう》について、途方もないことを言っていた。ほぼどのような病気も治し、老化を止めることさえできるというのだ。だが、一九一〇年当時、医学は厳密な科学には程遠かった。そして、ハーマンは自分の病を癒すことができなかった。ある日、彼は自分の店で激痛に倒れ、わずか数時間後に、穿《せん》孔性《こうせい》胃潰瘍《いかいよう》で若くして亡くなった。

それでもハーマン・ポーリングはその短い生涯のうちに、科学の治癒力に対する自分の信頼を息子に伝えることができた。ライナス・ポーリングは二九歳の若さで、創設からまだ日が浅いカリフォルニア工科大学の正教授に就任した。ポーリングは非凡な科学的本能を持っており、それを次から次へと新たな分野で発揮し、毎回画期的な見識をもたらし、常に研究の最前線に位置を占め続けた。

この才能のおかげでノーベル化学賞を受賞した後、化学よりは混沌とした生物学の領域に目を転じた。彼は、この二つの分野の両方に、同じ根本的な諸法則が当てはまると熱烈に信じていた。そして、致命的な鎌状赤血球症が、単一のきわめて重要なタンパク質の微細な異常によって引き起こされることを発見して、それを証明した。この発見が一つのきっかけとなり、分子生物学の分野は現在のような隆盛を迎えたのだった。

その後、一九六六年、名声の絶頂にあって、大方の人なら快適な引退生活を待ち望む年齢に達した頃、ポーリングは思いがけぬ転機を迎えた。ニューヨークで講演しているときに、科学と社会におけるさらなる進歩を我が目で確かめるために、あと一五年か二〇年生きたいと思っていると語った。数日後、はやり生化学者で、講演を聴いていたアーウィン・ストーンから手紙が届いた。彼は、ポーリングが本当にそれだけ長生きできると請け合った――もし、大量のビタミンCを摂取すれば。ポーリングは科学文献を調べ、程なく、ビタミンこそ自分が――そして、彼に先んじて父親が――探し求めてきた化合物だと結論した。身体が疾患を撃退するのを助け、老化を止めることさえできる魔法の分子であり、正真正銘の不老不死の霊薬だ、と。

彼はビタミンの大量摂取を提唱する運動を始め、長い人生の、その後二五年間をそれに捧げ、医療と栄養についての世間の理解を一新した。彼はそれを、科学の発見を応用して健康と長寿を人類にもたらすという、自分の生涯の仕事の極致と見ていた。

だが、科学界はそれをヒッピーのような一時的流行と見なし、彼の熱意を共有しなかった。一九七六年、定評ある医学雑誌の編集者は、世間が科学者への信頼を失いつつあると書いた。科学者たちが、根拠を明白な形で提示できるとはもはや思えぬからで、「その最も悲劇的な例」がライナス・ポーリングだとした。だから、妻が末期の胃癌だと診断されたとき、ポーリングには、批判者たちの誤りを証明する機会が巡ってきたわけだ。

たった一世紀で平均寿命は「倍増」——工学がもたらした「不死」

「生き残り」という、不死への第一の道は、今もなお、始皇帝の時代に劣らぬほど広く追求されている。不老不死の霊薬が手に入るという見通しに、私たちは酔いしれ続ける。実際、それは科学と進歩を信頼する現代西洋社会の基盤となっている。本章では、この強力な不死のシナリオが、非現実的にも思える見込みを実現できるかどうかを問うことにする。

すでに見たように、文明はこれまで常に、死を阻止する希望を提供してきた。それどころか、先進社会を特徴づける革新は現に人間の境遇を改善してくれ、そのおかげで、多くの人が実際に、不死とはいかぬまでも、以前よりはるかに長寿になっている。

だが、大ざっぱに言って、初期の文明は主に、すでに達成したことの維持、すなわち野蛮人の猛襲から自らを守り、混乱状態に陥るのを防ぐ体制の維持を切望した。これは、それらの文明が持つ不死のシナリオの形態に反映されている。そうしたシナリオは、すでに霊薬を発見したと考えられていた徐福や黄帝のような建国の父たちを顧みるものだった。シナリオに示された大望は、過去の栄光を維持したり再発見したりすることで、何か新たなものへと向かっていくことではなかった。

だが、一八世紀ヨーロッパの啓蒙主義は、それ以前とは違って理性に信頼を置くようになり、過去志向を一変させた。近代の科学的方法が登場し、それまでは思いもよらなかったような知識を約束したのが、この時代だ。啓蒙主義の信奉者は、過去の業績を凌駕できるかもしれない、真のユートピアは過ぎ去って久しい黄金時代ではなく未来にある、という希望を抱き始めた。

したがって、「生き残りのシナリオ」の科学版は、将来にインスピレーションを探し求め、不老不死の人が住むという山が見つかるのは未来だ、そこへの道筋は「進歩」と呼ばれている、と信じている。

文明の成功は、専用の道具と学習した技能を活用して、人間が直面する問題を小分けにし、一つずつ解決することから得られる。だから、たとえば農業は飢餓の問題を、医学は疾患の問題を、それぞれ解決する。

私たちは進歩をこうした観点から見ることができる。すなわち、文明の問題をますます細かく分割し、ますます優れた、ますます特殊化した解決方法を提供できるようにすること、というふうに。

人間は、昔は粗末な小屋に住んでいたが、今では（先進世界では）空調と集中暖房の設備のある家に暮らし、洗濯と調理には別の部屋を使い、相応の複雑な所有権法や建築法規などにも従う。もっと素朴な社会では、住まいの問題は、頭上に必要最低限の屋根を設けることで解決されたのに対して、先進国では住宅は無数の特殊な必要性と不慮の事態に対処するようになっている。

過去数世紀間に、この形態の進歩は、科学と工学の進展を通して新たな高みに到達した。科学は、自然界の諸法則をできるかぎり詳しく説明することを願って、世界を体系的に分割・再分割することで発展する。大まかに考えると、工学はこうして新たに獲得した知識を活用して、私たちの問題を解決する。その結果が、新しい形態の移動や通信、新しい医薬品やプロテーゼ（人工器官）であり、すべて現代世界の贅沢品であり恩恵だ。物質的進歩は、まさにこうした工学的解決策から成り、そうした策はますます特殊化し、ますます特殊な問題を解決している。

だが、いずれにしても、疾患や飢餓や寒さといった、私たちが解決を試みるいっさいの問題の背後には、死が潜んでいる。こうした問題は、それで私たちが死ぬかもしれないからこそ、深刻な問題なのだ。

したがって、進歩とは、死の多くの攻撃様式を以前よりうまく鑑別し、死を寄せつけぬ高度な防御手段を開発することを意味する。たとえば、現存する古代エジプトの医学に関するパピルス古文書のうち、最も包括的なものには、七〇〇もの病気などとその治療法が記されているから、感心させられる。だが今日、世界保健機関が認めている疾患は一万二〇〇〇を超え、さらに増え続けている。細かく区別すればするほど、細かい治療が可能になるのだ。

したがって、死の問題に対する科学的な取り組み方は、それを特殊な要素に分割し、個別に対処するというものだ。この断片的な問題解決戦略が、どうすれば首尾良く生き永らえることができるかという現代のシナリオを特徴づけている。これを、不死への「工学アプローチ」と呼ぶことにする。

この取り組み方は、死ぬ恐れを和らげるために私たちが自分に語り聞かせることのできる物語と、平均寿命を実際に延ばす革新的な正真正銘の源泉の両方を提供してくれる。

「工学アプローチ」は、ライナス・ポーリングがすっきりと要約した見識から始まる。すなわち、「生命とは分子間の関係である」というものだ。人間も他の生き物も、石や海や砂を構成しているものとまったく同じ物質でできており、同じ諸法則に従うと、ポーリングは固く信じていた。これは今では科学界の定説だが、ポーリングが提唱した一九六二年当時は、ほんの数世紀の歴史しか持たず、依然として物議を醸していた。

伝統的な信念体系と宗教の大多数はこれまで、生命の火を灯すには何らかの活力の火花が必要だと決めてかかってきた。たいていは、この魔法のようなものは、唯一神あるいは神々からの贈り物だ。それは、古代エジプトのカーのような、魂や霊と同一視できるかもしれない。そして、生物を非生物から完全に区別する。たとえば、人間を土から、鳥を岩から区別する。

だが、啓蒙主義の先駆的な哲学者や初期の科学者は、この見方に異を唱え、生き物は自然現象であり、あらゆる物質を支配するものと同じ法則に従っていると主張した。彼らは入念な研究を行なうことで、そうした法則を理解できると請け合った。

ルネ・デカルトからニコラ・ド・コンドルセまで、科学的方法の創始者たちにとって、人間は機械だった。したがって、優れた時計職人なら時計に正確な時を永遠に刻み続けさせられるのとちょうど同じように、医師もいつの日か、人間を無期限に完璧に機能させ続けられるようになるというわけだ。コンドルセが執筆していた一八世紀後期には、科学と進歩と無期限に延長された寿命とのこの関連は、しっかりと確立されていた。理性という道具を利用すれば、「我々は、人間の平均寿命は永遠に延び続けるだろうと信じざるをえない」とコンドルセは主張した。

フランス革命の大変動のさなかに亡くなったコンドルセがもっと長命だったなら、自分が書いていた進歩に類するものを目撃していただろう。当時のフランスでは、世界の他の部分の大半と同様、平均寿命は三〇年ほどだった。あなたの何世代も前の祖先にあたる当時の人々は、大都市や火薬のある世界に生きていたものの、彼らの平均寿命は穴居人の寿命と大差がなかった。ところが、一九世紀末までには、科学的方法が公衆衛生の問題や医療活動に応用され始めるなか、平均寿命は急激に延び、四〇年になっていた。

だが、真の大躍進が見られたのはその後で、ほんの数世代早送りしてみると、二〇世紀末にフランスで生まれた子供は、西洋世界の大半で生まれた子供と同様、八〇年以上生きることが見込めるまでになっていた。つまり、一世紀の間に平均寿命が倍増したのだ。これは史上稀に見る偉業で、それがなければ私も親愛なる読者の方々も、今ここにこうして生きてはいない可能性が高い。

この飛躍は、多数の発見と相まって実現した。そのうちでも特に重要なのは、致命的な感染症が病原菌によって引き起こされることの発見で、これらの微小な有機体は、汚染された水や体液を通して拡散しうる。この発見が最初のワクチンの開発や、新たに工業化された世界で汚臭を放つ都市を浄化する大規模な衛生事業につながった。

これに、一九二八年の抗生物質ペニシリンの発見が重なり、感染症は急速に下火になった。たとえばイングランドで、百日咳、麻疹《はしか》、ジフテリア、猩紅熱《しょうこうねつ》で亡くなった人は一九〇一年には三万四〇〇〇人を数えたが、二〇〇一年には一人もいなかった。

つまり、今日生きている人は、きわめて幸運であるということだ。二〇世紀後半に先進国で生まれた人は、退職年齢よりもずっと先まで生きる可能性が非常に高い。これは、私たちの種の長い歴史の中で、以前にはまったく知られていなかった状況だ。これは、最初の長寿革命——人類が自然の限界を超えてもっと長く生きる試みにおける、最初の真の革命——だった。

果てしない歳月をかけて空しい努力を続けた後、ついに人類は過去数世代のうちに、死の必然性を屈服させることに向けた進歩を、ある程度まで首尾良く成し遂げたのだった。

それならば、不死への道を工学で切り拓けることを約束するシナリオが、これほど支配的になっているのも無理はない。すでに、真に実際的な成果を達成しているのだから。死は克服不可能な問題であると信じていたら、身がすくんでしまう。死は確実で、いつ訪れてもおかしくなければ、奮闘や革新に何の意味があるだろうか？

それにひきかえ、もし死は解決可能な一連の問題にすぎないと信じていれば、大いにやる気が湧くし、まさに進歩をもたらして文明を前進させる類の研究・開発が促される。今では毎週のように、癌や心疾患、その他無数の病気に対する理解に新たな飛躍的進歩が見られる。この進歩は現実のもので、寿命を延ばしており、それについて読むたびに、いつの日か老化と疾患を完全に排除するという見込みが更新され、信憑性が増す。「工学アプローチ」はうまくいっているようだ。

死を避けるための「やることリスト」──「寿命」からの解放は現実的か？

「生き残りのシナリオ」の現代版がうまくいっているのは、それが細部に的を絞り、問題を分解して解析しているからだ。だが、この取り組みは、そうした問題の一部を実際に解決することに加えて、別の恩恵ももたらす。それは、「死のパラドックス」の前半、すなわち、私たちはいずれ死ぬという自覚から、うまく気を逸らしてもくれるのだ。

私たちはみな、死の必然性を無数の一口大の問題に小分けにすることで、やるべき課題の長大な一覧を抱え込んで忙殺される羽目になり、ジョギングに出掛けたり、ヨガをしたり、体重に気を配ったり、適切な種類の脂肪を摂取するために食品のラベルを読んだり、コーヒーを飲んだり、あるいは避けたり、ワインを飲んだり、あるいは避けたりする。新聞は日々、その手の助言を満載している。それを読んでいると、死の必然性は、何らかの手が打てるもの、思いどおりになるもののような錯覚を起こす。

オーストリアの哲学者イヴァン・イリイチは、これを「日常生活の医療化」と呼んだ。その後、社会学者のジグムント・バウマンは、死の恐怖を抑圧するための現代の主要戦略と評した。私たちは「工学アプローチ」を取り、死を、サルモネラ菌から自動車事故まで、個々の要因別に小分けし、適切な予防策を講じさえすれば、それぞれ避けることができると自分に言い聞かせる。

「体調を保ち、運動をし、『偏りのない食事をし』、食物繊維を摂取して脂肪を避け、喫煙者に近寄らず、飲料水の汚染と闘うことは、どれも実現可能な課題だ」

とバウマンは書いている。

「これらの課題は実行することができ、死という……対処不可能な問題を……完全に対処可能な一連の問題として再定義する」

そして、これらの予防措置を実施することを通し、喫煙者を避けたり、体調を保ったりすれば、バウマンが「形而上学的に無意味な行為の最たるもの」と呼ぶものを直視することを避けられる。

この戦略の最終的な目標のほとんどは、表明されぬままになっている。不死の見込みは、自分に制御できるという錯覚と、死の格下げの中に暗に示されており、報道機関によって公表される新しい治療法や他の革新の絶え間ない流れによって煽られる。私たちは、果てしなく拡大する、死を避けるためにやるべきことの一覧に気を逸らされ、「工学アプローチ」の真の見通しについてじっくり考えることがない。陰に隠れた見込みが表面化することはめったになく、科学が今まさに不老不死の霊薬を見つけようとしていると、マスメディアがまたしても宣言するときぐらいのものだ。

だが、こうした動きはみな、低迷する信頼を恢復《かいふく》して大衆を鼓舞するために、預言者や民衆煽動家を必要とする。そして、「生き残りのシナリオ」のこの形態にとって、そうした人間は増える一方だ。

そのうちでも最も熱狂的な人々は、「医学的不死」、すなわち、老化と疾患に対する免疫は、理論上可能であるばかりか、あなたや私のように、今日生きている人間によって達成可能であると主張する。そう信じている人々のうちでも目立つ一団は、「トランスヒューマニスト（超人間主義者）」という名称で通っている。なぜそう呼ばれるかというと、私たちは発展の移行期に差し掛かっており、ただのヒトから、それをはるかに凌ぐポストヒューマンの不死の存在へと進化しつつある、と彼らは信じているからだ。

トランスヒューマニストは、工学者、倫理学者、起業家、普通の人々の奇妙な取り合わせだ。彼らは実験を行ない、小論文を書き、政府に働きかけ、自らの展望の実現を図っている。「工学アプローチ」の真の提唱者たちは、寿命を劇的に延ばすことは可能であるばかりでなく、私たちの道徳上の義務でもあると信じている。

彼らは世界中で毎日およそ一五万人が亡くなることを指摘する。そのうち一〇万人は、加齢に伴う疾患で命を落とす。この死者数は、二〇〇四年のインド洋津波、あるいは二〇一〇年のハイチ地震が一日おきに起こっている事実に相当する。そのような天災による悲劇が起こると、それほど多くの人命が二度と失われぬようにするために、世界は資源を出し合う。それにもかかわらず私たちは、老化のせいで日々一〇万もの人が世を去るのを黙って受け容れている。このような状況は変えなくてはいけないと、トランスヒューマニストたちは主張する。人命を救うのが正しいと思うのなら、疾病や老化で奪われる命を救うために、できることは何でもすべきだ、と。

とはいえ、これが途方もない課題であることは、トランスヒューマニストも承知している。何が老化を引き起こすのかを完全に理解している人さえいない。それどころか、老化とは単一の過程ではなく、じつに多くの機能不全と損傷の積み重ねである可能性が非常に高いようだ。これほど複雑なのだから、老化をただちに止めるような手軽な丸薬は、近い将来、発明されそうにない。

それでも、死を征服することを夢見ている人の多くは、時間の経過から自分がすでに影響を受け始めているのを感じている。だから、治療法が見つかるのを永遠に待ち続けるわけにはいかぬことを知っているのだ。

幸い、待ち続ける必要はないと彼らは信じている。それが「工学アプローチ」の素晴らしさなのだ。老化との戦争は一気に完全な勝利を収めなくてもよい。すでに二〇世紀には、先進国では平均寿命が四〇年も延びた。ことによると、次の躍進の波が訪れれば、また四〇年延びるかもしれない、と彼らは主張する。そしてその間に、さらに何十年か確保できるようなテクノロジーを開発することができ、その何十年かの間に、今度は一世紀長く生きられるような発展を成し遂げ、それを繰り返しているうちに、ついには医学的不死を保証してくれるような発見がなされるというわけだ。

これこそ、楽観的なトランスヒューマニストたちが「寿命脱出速度」の達成と表現すること、すなわち、長く生き続けるうちに永遠に生きられるようになることだ。

トランスヒューマニストたちは、死の必然性の問題を対処可能な分量に小分けにするさまざまな方策を持っている。トランスヒューマニズム（超人間主義）の著名な提唱者で老年学者のオーブリー・デグレイは、人間が無期限の若さを獲得するために解決しなくてはならぬ——そして、解決可能な——問題がきっかり七つあると言っている。その七つは、不死への「工学アプローチ」のパラダイムを体現するような、彼の「工学によって老衰を無視できる程度に抑えるための戦略」に要約されている。

デグレイは、彼の分野の人々の大半と同様、今はまだ揺籃期《ようらんき》にあるテクノロジー——具体的には、遺伝学、幹細胞、ナノメディシン（ナノ医療）——に依存しているが、そうしたテクノロジーが約束するものは計り知れないほど素晴らしく思える。

遺伝子工学は、私たちの身体の取扱説明書を書き換え、今は致命的な疾患の多くが、けっして発生しないようにできてしかるべきだ。

幹細胞は、皮膚からニューロン（神経細胞）まで、どのような種類の組織にも分化する能力を持っているので、病変したり疲弊したりした組織に、さらには臓器全体にさえ取って代わる、健康な組織を生成する見込みを提供してくれる。

そして、ナノテクノロジー（原子や分子の尺度での工学）は、何十億という微小な標的型マシンを使って私たちの身体を徹底的に修復できるようになるという希望を与えてくれる。

こうしたテクノロジー、とりわけ遺伝学は、すでに現実に成果を上げ始めている。着実に進歩を続けながら、「生き残りのシナリオ」への「工学アプローチ」が持つ巨大な創造力を実証している。自己成就予言に似て、死の必然性の問題は解決可能であるという信念は、実際にその問題を解決可能にするのを助けている。無数の研究者が、新しい治療法を見つけることに専心しているからだ。その結果、平均寿命は延び続け、根底にある進歩のシナリオへの信頼をさらに強固なものにする。

とりわけ熱狂的なトランスヒューマニストは、霊薬を飲んだ後の道教の賢者のように、人間たちが一変した世界を描き出す。彼らは、疾患を防ぐことと、より強力で賢くなるために私たちの身体能力を強化することの間には実質的な違いはないと主張する。

衰弱に勝利することを可能にするのとまさに同じテクノロジーが、超人的な力を提供してくれるだろう。たとえば、感覚の衰えから救い出してくれるのと同じ治療介入が透視能力も与えてくれるし、筋肉の萎縮を癒す治療は、誰もがヘラクレスのように強くなることを可能にする。

それに輪をかけて画期的なのが、脳を改造する能力だ。間もなく私たちが自分の注意や情動や食欲を制御できるようになると、研究者たちは考えている。トランスヒューマニストのなかには、ナノロボットを使って疾患を治したり老化を止めたりするばかりか、心を文字どおり拡張することまで主張している者もいる。二〇年ほどのうちに、人間の脳内にある一〇〇兆もの神経接続をナノロボットの大軍団で増強し、記憶や論理的思考や創造の能力を指数関数的に高められるかもしれないというのだ。

そうしたナノロボットは、相互にも外界とも無線で接続できるだろう。だから私たちは、頭で考えるだけでコンピューターを制御できる。近い将来、複雑なものはすべてコンピューターで作動するようになるだろうから、そうした制御には、テレビのチャンネルを替えることから自動車を運転することまで、あらゆる操作が含まれるはずだ。私たちは事実上テレパシーを使い、考えるだけで遠い彼方の人と意思を疎通させ、頭の中でインターネットサーフィンをするようになる。

未来学者は、その時点で人間とテクノロジーが事実上不可分になることを夢見ている。その時点で、自らの生物学的宿命を牛耳る私たちの能力は、指数関数的に急上昇を始める、と彼らは信じている。能力強化を通じてより賢くなるにつれ、私たちは新たな発見が容易になり、いっそう高性能のコンピューターや機械を設計することが可能になり、それが今度はさらなる能力強化につながる。

程なく私たちは、未来学者が「超知能（superintelligence）」と呼ぶ極致に至り、人間、あるいは機器、あるいはその組み合わせが驚異的に賢くなって物理的宇宙の理解が実質的に完全無欠になる。そこまで来れば、万事が可能になるだろう。それ以上のものは二度と発明する必要がない。なにしろ、それ（あるいは彼、はたまた彼女）は、私たちのために何から何までやることができ、どうやって永遠に生きるかなどという些細な疑問にも無論、答えられるだろうから。

ティトノス問題――不老を伴わない不死の不幸

そうしたサイボーグや超人についての空想は、大衆文化にはすっかり浸透しており、私たちは死すべき人間の身体を超越する瀬戸際まで来ているという、広く普及したシナリオを反映している。

当然ながら、誰もがこの考え方に満足しているわけではなく、公然とそれを批判する人も少なくない。その多くは、死の必然性は何らかの理由から神によって定められたものであると教える宗教のような、「工学アプローチ」によって脅かされかねぬ他の不死のシナリオを受け容れている。だが、「生き残りのシナリオ」の妥当性を評価する段になると、最も効果的な攻撃は、科学自体の内部から浴びせられる。

トランスヒューマニストは、科学は自分たちの味方だと信じている――私たちが修復可能な機械であることを立証し、すでに何十年も寿命を延ばしてくれた、と。だが、科学が私たちに与えてくれる教訓は他にもあり、そのすべてが楽観的なものであるわけではない。不死へと向かう「工学アプローチ」の進歩は、一部の人が思いたがっているほど平坦なものではなかった。それどころか、断固たる敵と出くわし続けている。その敵の名はティトノスだ。

古代ギリシアの伝説によれば、ティトノスは際立って優れた容姿の若者だったので、暁《あかつき》の女神エオスにさらわれ、愛人にされた。エオスはいつの日か彼が死ぬと思うとぞっとしたので、自分と同じように不死にしてくれるように、ゼウスに懇願した。ゼウスは願いをかなえてやったが、エオスは夫に永遠の若さも授けるように頼むのを忘れていた。ティトノスは歳を重ねるうちに、すっかり弱り、耄碌した。やがて、わけのわからぬ言葉を発することしかできなくなると、切羽詰まったエオスは、彼をセミに変えた。こうしてティトノスは、永遠に生き永らえながらも、死を呼び求め続けている。

ティトノス問題とは、私たちは死を先延ばしすることには成功しつつあるものの、消耗性の疾患に依然として襲われ続けている、というものだ。私たちは人々が非常な高齢まで生きることを可能にし、それによって、認知症のようなかつては稀だったさまざまな疾患を引き起こし、死を先送りできるテクノロジーに依存することで、恐ろしい病気や老衰に苦しむ人々を生き続けさせることができるようになった。その結果は、強靭な身体を持つ半神半人の理想郷ではなく、意気消沈し、病を抱え、下の世話が必要な老人で満員の、大量の介護施設や病院だ。

トランスヒューマニストは、私たちは平均寿命を倍増させたのだから、もう一度、そしてさらにもう一度、それが可能だと信じている。だが、事は見た目ほど単純ではない。

最初の長寿革命の背後にある躍進は、主に人々が幼くして死ぬのを防いでいる。ほんの数世代前までは、五人に一人の新生児が、一歳の誕生日を迎える前に亡くなっていた。今や西ヨーロッパでは、その数は二〇〇人に一人を下回る。これは平均寿命に大きな影響を与える。幼少期に亡くなる人がいると、平均が大幅に下がるからだ。生まれたての赤ん坊に八〇年の寿命を与えるのは（比較的）易しい。感染症を撃退してしまえば、自然が味方をしてくれる。

ところが、第二の長寿革命は八〇年の寿命に、さらに八〇年を加える必要がある。そして、それにははるかに大きな代償が伴う。

現代では、先進世界の平均寿命は一〇年ごとに二年の割合で延び続けている。つまり、一九九〇年に生まれた人は、一九八〇年に生まれた人よりも二年長く生きると見込んでかまわないということだ。ところが、延びた年数の四分の一しか健康に過ごすことができない。言い換えると、増えた二年のうちの一年半は、不健康な状態、あるいは障害を抱えた状態で送ることになる。私たちは以前より長く生きているものの、誰もが追加の年数の多くを、自分で入浴することも、着替えをすることもできず、愛する人々を目にしても誰だかわからず、感覚がしだいに鈍り、体力も衰えた状態で過ごすと思ってよい。

過去には致命的だった感染症にかかっても生存率が高くなった結果、生き延びた挙句、はるかに長期に及ぶ疾患にかかるという厳しい現実が生じた。先進世界では、三分の一の人が生きている間に癌を発症し、死ぬまでにアルツハイマー病のような何らかの深刻な認知症になることが予想される。これは熱狂的なトランスヒューマニストが、科学は死を打ち負かせると主張するときに夢見ている状況ではなく、悪夢のような現実であり、以前より長生きするというよりも、単に時間をかけて死ぬことを意味する。

癌や認知症のようなこれらの衰弱性疾患は、老化自体から切り離せないと考えている研究者もいる。実際には、根底にある衰えの表れにすぎないというのだ。

ある人口統計学者の計算によると、あらゆる形態の癌を治しても、三年しか寿命は延びないという。たいてい癌に冒される年齢に達する頃には、私たちの身体はすでにいろいろな形で衰えているからだ。そして、現在、先進国では三大死因である癌と心疾患と脳卒中の治療法がたとえ見つかったとしても、平均寿命はせいぜい九〇年をわずかに超えるところまでしか上がらないだろう。果物や野菜を十分に食べないから、あるいは、十分に運動をしないから、こうした疾患になってしまうのだと、私たちは自分に言い聞かせる。

だが現実には、三大疾病になるのは、祖先の大半と違って、私たちが長生きし、身体のさまざまなシステムが衰弱する影響を余すところなく受けるからだ。したがって、たとえこれらの死病の治療法を見つけたとしてさえ、私たちの身体は、すでに活動停止に向かっているのだ。

科学は、命を救ってあげた人々に、なぜ健康と幸福をもたらすことができぬように見えるのか？その答えは、老化の本質そのものに関連している可能性が最も高い。ある生き物が繁殖した後にようやく発現する形質は、自然選択によって取り除かれることがない。

だから、たとえばあるマウスは、特別強靭で活発にしてくれるけれど、老年期に結腸癌を非常に起こしやすくする遺伝子を持っているかもしれない。そのマウスは、強靭で活発だから、自分の遺伝子を首尾良く多くの子孫に伝える可能性が高い。ところが、老年期まで生きると、結腸癌で死ぬことになる。だが、死ぬ頃にはすでに、そのマウスの遺伝子を持った子孫が大勢あたりを駆け回っている。だから、その遺伝子が癌による死刑宣告を抱えていても、自然選択によって除去されることはない。これは、癌を助長する遺伝子ばかりでなく、生物が繁殖を終えた後にようやく望ましくない影響を及ぼす遺伝子ならどれにでも当てはまる。

したがって、厖大な歳月を経るうちに、遺伝子の廃品投棄場とでも呼べるものができ上がり、そこには、自然がそのままとどまることを許した、分別されていない、無用で有害そのものの遺伝子があふれている。私たちが生殖年齢を過ぎると、これらの遺伝子が作動し、防御能力を損ない、疾患をもたらす。言い換えれば、私たちは崩壊し始める。私たちの健康を無期限に維持しようとするのは、塵と化していく像を一まとまりにしておこうとするようなものだ。

修復作業をなおさら困難にしているのが、一部の遺伝子らしい。それらは、持ち主が若いときには望ましい影響を及ぼすものの、歳を取ったときには望ましくない影響を与えるようだ。

たとえば、私たちは遺伝子のおかげで、皮膚を日光にさらすことで必須のビタミンDを作れるが、太陽の紫外線を長年浴びていると、皮膚癌になる。

それに輪をかけて心配なものがある。私たちはエネルギー産生に不可欠の遺伝子を持っており、そのおかげで、進化の歴史のある時点で、以前よりも著しく強靭で敏速になることができたが、それには毒素（フリーラジカル）の産生が避けられず、それが体内にゆっくりと蓄積し、老齢期についに致命的になると、一部の研究者は信じているのだ。

私たちのさまざまな身体システムの損傷の蓄積が、そうしたシステムの正常機能に必然的に伴う副産物ならば、老化には手軽な解決策はない。私たち自身を完全に停止させることなしに、オフにできる分子スイッチなどないだろうから。

したがって、自分たちの身体についての理解が深まるにつれ、不死の実現を目指す工学者たちがやるべきことの一覧は、短くなるどころか、長くなる一方だ。彼らの不老不死の霊薬の処方箋は、いっそう複雑になる。「脂肪の摂取量を減らすが、オメガ3は除く」「アルコールの摂取量も減らすが、赤ワインは除く」「悪玉コレステロールは減らすが、善玉コレステロールは増やす」といった具合だ。有力なトランスヒューマニストで、評判が高い発明家のレイ・カーツワイルは、毎日サプリメントを二五〇錠も摂取しているという。霊薬に執着していた始皇帝さえも、これを聞いたらたじたじになったことだろう。こうしたことはみな、自分の死の必然性という厳しい現実から私たちの気を逸らせることには成功するかもしれないが、不死から私たちを解放してはくれない。

何世紀もの間、多くの有能な研究者たちが、老化の秘密を追求してきた。そして、見つけたと信じてきた。ライナス・ポーリングが子供の頃には、性ホルモンこそが、老化を逆転させられると考えられていた。パリを拠点としていたある医学の教授は、犬たちの睾丸を潰して自らの体内に注入し、自分の生物時計を巻き戻したと主張した。別の教授は、こうすれば二〇歳若返ることができると言って、老齢の大富豪たちの局部に猿の睾丸を薄切りにしたものを移植し、富と名声を手にした。こうした方法は一つとして時の試練に耐えず、厳密な試験で効果が立証されることはなかった。現在流行している万能薬も、それと同じ期待外れの結果に終わったとしても、驚くべきではない。たとえ、逆の結果を期待していようと。

科学は、私たちは無期限に作動させておくことができる分子機械であるという抽象的な保証を提供する。だが、この保証は、他のあらゆる空想的な夢と同様、実現しそうにない。無限の寿命に対して、状況ははなはだ不利だ。だからといって、試み続けるべきではないというわけではない。あと数年、寿命を延ばしてくれるような研究を支援すべきだ。

だが、健康に送れる人生のほうがなおさら貴重だから、私たち全員をティトノスにすること、すなわち、死を先延ばしにするけれど、悲惨さと老衰という代償を伴うものを約束するテクノロジーには用心すべきだし、私たちの晩年が幸福なものになる可能性を高めるような政策と研究を支援すべきだ。

医学がさらに大きく進歩することは確実であり、いつの日か私たちはみな、生没年が確証されている最長寿者であるフランス人女性ジャンヌ・カルマンと同じぐらい長く生きることが期待できるかもしれない。だが、彼女の一二二年と一六四日の人生でさえ、無限には程遠い。

科学とテクノロジーがもたらした恩恵と「破滅の力」

ライナス・ポーリングは不死への「工学アプローチ」の先駆者であり、新しい科学が人類に健康と長寿をもたらす莫大な可能性を見て取った、大胆な思想家だった。

だが、ポーリングの展望に含まれていたのは、科学の恩恵だけではない。世界を作り変える人類の能力を軽率に発達させることによってもたらされる恐ろしい危険の数々も、彼は十二分に承知していた。実際、そのような認識があったからこそ、彼は初めて研究室から打って出て、政治の世界に飛び込む気になったのだ。その結果、後にビタミンCに熱を上げたときと同じぐらい多くの敵を作ることになった。

戦争遂行努力に懸命に取り組んできたポーリングは、一九四五年八月七日の朝、新聞を手にして、「日本、原爆による大損害を認める」という記事で、たった一発の爆弾がまるごと一つの都市を跡形もなく破壊した詳細な経緯を読み、ぞっとした。彼は、その破壊の規模に深く心を動かされた。原子爆弾製造計画の化学部門を指揮するように依頼を受けたものの、他に多くの責務を抱えていたという理由で辞退していたから、なおさらだった。

翌年、核技術の危険を世間に警告しようというエリートたちの組織である「原子力科学者による非常委員会」の設立に、アルベルト・アインシュタインに誘われると、ポーリングはただちに同意し、原子力兵器実験に対する反対意見を表明し始めた。

だがそれは、ジョセフ・マッカーシー上院議員の時代で、マッカーシーはソヴィエト連邦の同調者たちがアメリカを陥れようと工作していると確信していた。だから、ポーリングのような高名な科学者が核兵器を非難すれば、目をつけられぬはずがない。一九五二年、ロンドンの権威ある王立協会がポーリングのために主催したシンポジウムに出席する予定だった日のわずか一〇日前、彼は合衆国国務省にパスポートの交付が認められないことを告げられた。下院非米活動委員会が、彼を「共産主義平和努力」の支持者だと宣言したためだった。

なんとも皮肉な話だが、もしポーリングが一九五二年にイギリス行きを許されていたら、ロンドンのキングズ・カレッジのロザリンド・フランクリンという若い研究者の研究室を、きっと訪れていたことだろう。彼女は、詳細なDNA結晶の写真を撮影していたからだ。当時ポーリングは、DNAの構造を推定しようとしており、その事実はケンブリッジ大学のフランシス・クリックとジェイムズ・ワトソンらのチームにただちに断念させようとするほどの影響力があった。

だが、イギリス訪問すらできなかったポーリングとは違い、クリックとワトソンはフランクリンのきわめて重要な画像を見たことで、ついに有名な二重螺旋《らせん》構造を突き止めることができた。これは「工学アプローチ」の非常に大きな飛躍であり、勝利だった。

もしポーリングがイギリス訪問を許可されていたら、クリックとワトソンを出し抜いていたことだろう。アメリカ政府はポーリングにパスポートを交付するのを認めなかったために、皮肉にも、二〇世紀の科学史上屈指の偉業をアメリカのものにしそこねてしまった。

一九五四年一一月、ライナス・ポーリングがノーベル化学賞を受賞することが発表された。それまで、ノーベル賞受賞者が賞を受けに行くのを妨げたのはナチス・ドイツだけだった。そして、アメリカ政府は授賞式の二週間前についに態度を軟化させ、ポーリングに無制限のパスポートを交付した。彼は、人類の新しいテクノロジーが持つ負の側面に反対する運動を継続し、やがて大気圏核実験の禁止につながる運動の参加者として、決定的な役割を果たした。大気圏核実験を禁止する条約の締結は、冷戦の緊張を和らげる努力における画期的な出来事だった。一九六三年、この条約が発効した日に、ノーベル委員会はポーリングの二度目の受賞を発表した。今度は平和賞で、彼は、二つのまったく無関係の分野で受賞した唯一の人となると同時に、単独で二つのノーベル賞を受賞した唯一の人にもなった。

この頃には、政治情勢もすでに変化していた。一九六二年四月には、ポーリングと妻のエヴァ・ヘレンは、他の偉人たちと共に、権力の最もきらびやかな中枢であるケネディのホワイトハウスに招かれ、大統領と晩餐を取りながら、当時の差し迫った問題を話し合ったことがある。

このときにはポーリングはもう老練の運動家になっていたので、その晩餐会の日の昼間は、反核運動のために大統領官邸にピケを張って過ごし、ジャーナリストたちを喜ばせた。それから泊まっていたホテルに戻って着替え、晩餐用の正装で、大統領の客としてホワイトハウスに戻った。それにもかかわらず、晩餐会の主催者側はポーリングの抗議活動を善意的に受け止め、ファーストレディーのジャッキー・ケネディは、外で抗議中のポーリングを見掛けた娘のキャロラインに、

「ママ、パパは今度は何をやらかしたの？」

と訊かれた、と彼に打ち明けた。

ポーリングは運動を続けるうちに、科学界と政界のエリート層の保守的な傾向に、しだいに心を乱されるようになった。彼がしてきたように、新しい科学の巨大な力が孕んでいる危険について警告したり、平和と正義の名の下に制限を提唱したりするために進んで立ち上がる同輩は、ほとんどいなかった。

科学とテクノロジーには、人間の境遇にまつわるさまざまな問題を解決する力もあれば、私たちを破滅させる力もあると、ポーリングは固く信じていた。彼の死後、科学知識の進歩は、彼の並外れた想像力さえ凌ぐほど加速してきた。自分たちやその環境に対して、より大きな力を飽くことなく追い求めれば、その両方の終焉をもたらしかねない、と彼は警告した。

その警告は今、かつてないほど当を得たものとなっている。

この世の破滅を生き残れるか？──「死」についての想像力の限界点

「工学アプローチ」は、問題を解決可能な分量に小分けするというものだ。だが、この方策は、これまで成果は上げてきたものの、およそ完璧とは言えない。

工学アプローチが抱える爆弾の一つは、「不死を目指す工学者は、ごく限られた単一の問題に的を

絞るせいで、自らの解決策が引き起こしている新たな問題に気づかない」というものだ。あるいは、物に憑《つ》かれたように不死を追求しているうちに周りが見えなくなり、迫ってくるバスに気づかぬようなもの、と言ってもよい。不死へと向かう「工学アプローチ」の道筋が目的地に到達する可能性があるかどうかの最終評価をするにあたっては、未来学者と共に水晶玉を覗いてみる必要がある。

永遠に命を保とうとするときに厄介なのは、致命的な事故をたとえ一回でも起こせば万事休すとなる点だ。生き永らえるというのは、一度何かを実行して、後は気楽に過ごすようなことではない。毎日、毎時間、毎分やらねばならぬことだ。最初の数百万年間はじつに順調に過ぎているように感じたとしても、ブレーキケーブルの欠陥から、腹を立てた象の群れまで、一瞬にしてその人生の幕を引きかねぬものはいくらでもある。

「電線に触れると即死します——罰金200ドル」

こと、死に方に関しては、私たちの想像力に限界があるようだ。それを思い知らせてくれる、路面電車当局の有名な看板がある。

「電線に触れると即死します——罰金二〇〇ドル」

テキサス大学教授のスティーヴン・オースタッドという長寿研究者による二〇一〇年の計算では、医学的不死者の平均寿命は五七七五年になるだろうという。言い換えれば、もし老化や疾患を免れられるのなら、誤って自動車で崖から飛び出したり、井戸に落ちたりするまでに、およそそれだけの年月を生きることが見込めるというわけだ。

この数字は、アメリカの九歳児の生存率に基づいて推定している。なぜ九歳児を選んだかと言えば、彼らは幼少期の疾患をすでに生き延びたものの、まだ老化と共に襲いかかってくる疾患の犠牲にはなっていないので、病気で亡くなる可能性が最も低いからだ。この推定値は非常に大まかで、九歳児は自動車を運転したり、銃を所有したりしないのが普通だからなおさらだ（自動車と銃は、共に事故死の主要な原因となっている）。


そして、それはあくまで平均にすぎない。一万年生きる人もいるかもしれない。これは、定住文明の始まる頃から、古代エジプトの盛衰を経て、現在に至るまでの期間を生きることに相当する。その反面、乗っていた飛行機が墜落して二〇歳の若さで死ぬ人もいるかもしれない。


事故が起こりにくい社会や、事故後の治療が得意な社会では、平均寿命はさらに延びるだろう。たとえば、安全を重視する日本ではアメリカの二倍近くになるだろう。だが、世界のそれ以外の地域、とりわけ戦争や生活必需品の欠乏に苦しむ国々では、はるかに短くなるだろう。

アメリカにおいてさえ、それほどの高齢まで生きるためには、現在のような生活状態が何千年にもわたって保たれる必要があるが、それ自体、極端に可能性が低い。人類史の多くは、安定した気候の下で平和と繁栄のうちに過ぎたわけではない。そして、未来がそれとは異なる道をたどる保証はまったくない。むしろその逆で、永遠への長い途上には、私たちを待ち伏せしていそうな脅威――私たち個人の存在と種全体としての存在に対する脅威の両方――が山ほどある。

それどころか、こうした脅威は増大している。

ライナス・ポーリングがはっきり認識していたように、世界についての私たちの知識が増すにつれ、世界を破壊する私たちの能力も増してきた。人類が核戦争による世界の破滅の瀬戸際まで行ったことを記憶している人は多い。破滅を免れたのは、一つには、無責任な実験を禁止したり、軍備拡張競争を止めたりしようとしたポーリングのような人々による根気強い運動があったおかげだ。冷戦が終結してから久しいが、国際的な同盟関係や敵対関係が再び変化し、いつの日か、核兵器による対決の危機に再び陥る可能性は大いにある。何と言おうと、核兵器は依然として存在しているのだし、たとえ軍備を縮小したとしても、核テクノロジーを消し去ることはできない。文明が続くかぎり、人類は自己破壊の能力と共に生きていかざるをえないのだ。

私たちは今日、テロの影にもおびえながら生きている。マスメディアや政治家はしきりに注目しているものの、テロリストによって殺される可能性は、特に先進世界では、現在、微々たるものだ。だが、この現状を変えたいと願っているテロ集団があることは、まず間違いない。世界各国の治安部隊は、核物質や致命的なスーパーバグ（超強力な細菌）のような著しく強力な武器が、政治的動機を持つ者だろうが、単にこの世の終わりの到来を早めることに没頭している者だろうが、元アメリカ大統領ジョージ・W・ブッシュが「邪悪なる者たち」と呼んだ人間の手に落ちることを、しきりに懸念している。

戦争やテロや社会不安の危険は、地上での不死の探求がもたらしかねぬ結果、すなわち、人口過剰によって、さらに募る。現在この惑星には七〇億を超える人が住んでいる。これはまったくもって前代未聞の数であり、一世紀前の四倍を超え、ローマ帝国が繁栄を極めていた頃の三〇倍に相当する。人口の水準は、どれだけの割合で人間が生まれているかだけではなく、どれだけの割合で死んでいるかによっても変わってくる。近年の世界人口の急速な増大は、すでに取り上げた、最初の長寿革命に由来している。すなわち、私たちは今や、以前よりも多くの人々を、以前より長く生かしておけるのだ。

たとえば、今世紀末までには一〇〇億人を優に超える可能性が高いといった、世界人口についての現時点での予想は、今とおおむね同じ割合で私たちが死に続けることを前提としている。ところが、もし医学的不死を達成してもなお子供を持ち続けたら、再び人口爆発が起こり、ついには壊滅的な水準にまで達しかねない。世界の多くの地域では真水のような必須の資源の入手や確かな食糧供給が、すでに危うくなっており、私たちはかねてから森林伐採や砂漠化や汚染によって環境を破壊している。それに加えて、エネルギーを求める人が増えれば、さらに多くの化石燃料が燃やされ、それが引き起こす地球温暖化がいっそう極端な異常気象や海面上昇、多くの地域に局地的な影響をもたらし、生態系と農業に害を及ぼす恐れがある。

医学的不死者が果てしなく増え続けて生物圏を取り返しのつかぬ状況に陥れ、今知られているような生命を維持する能力の喪失を引き起こす危険が、現実に存在している。これらの未解決の問題に直面し、厖大な数の人が清潔な飲料水さえ確保できずにいるなかで、地球上で不死を追求するのは、これまた、他者を搾取する利己的なイデオロギーの表れにすぎぬようにも見えうる。全世界は少数の特権的な人々の生き残りを支えるためだけに存在しているのだと、そのイデオロギーは教える。

ティトノス問題を眺めたとき、人体の非常に重要なシステムの一部には、良い作用と悪い作用の両方があるらしいことを指摘した。その一例が、細胞分裂の自然の限界だ。私たちの細胞は通常、特定の回数だけ分裂したところで止まってしまう。この現象が老化の一因だと考えられている。だから、細胞分裂に対するこの制約を解除すべきだと考えることができるかもしれない。

だが、そのような解除は、すでにときどき自発的に起こっており、それが癌と呼ばれている。腫瘍はとめどなく分裂を繰り返す細胞で、実質的には、生き物全体を犠牲にして、自らの不死を達成しようとする。私たち人間が不死を目指すときに地球に与える影響は、癌が私たちに与える影響とちょうど同じようなものとなりうる。全体が均衡を失い、支配され、消耗し、ついにはもはや生命をまったく維持できなくなる可能性があるのだ。

当然ながらトランスヒューマニストたちは、こうした主張に対する答えを持っている。彼らは、裕福で長生きの人ほど儲ける子供の数が非常に少ない傾向にあるという事実を指摘する。ことによると、医学的不死者はまったく子供を残さないという選択をするかもしれない。あるいは、不死か子供かという選択を迫られ、両方は選べないかもしれない。

また、地球温暖化が進んでいるとはいえ、地球が維持できる人間の数の限界に私たちが迫っているかどうかは、まったく定かではないことも、トランスヒューマニストたちは好んで指摘する。絶えず発展しているテクノロジーのおかげで、これまでのところ、私たちはますます多くの食料を生産できている。現在では以前より何十億も多くの人が生きているにもかかわらず、その大半は、前例のないほど快適で安全な暮らしをしている。こうしたテクノロジー楽観主義者たちは、気候変動に伴う不可避の問題に対しても、同様に解決策を見つけられると信じている。それに、いつでも宇宙に植民できるだろうと、一部の夢想家はつけ加える。

もう少し誠実なトランスヒューマニストのなかには、人口過剰にまつわる疑問に対して、異なる反論をする者もいる。それはごく少数の特権的な人々の企てだからこそ、問題となりそうにない、というわけだ。大多数の人にとって、老化と疾患を征服するのに必要な医薬はあまりに高価だろうから、新たに不死となる人は少数のエリートに限られ、その数はごくわずかなので、世界の人口水準には影響がない。

だが、そこからはもちろん、別の疑問が生じる。社会正義の問題だ。死は偉大なる平等主義者であり、現時点では、裕福な人々さえもがその平等主義者に屈する。中世の寓意物語である『死の舞踏』では、王も貧民も踊る骸骨に手を取られた。だが、もし不死を買うことができるのなら、究極の差別が生じることになる——死ぬことを運命づけられた人々と、永遠の生に恵まれた人々との間に。それ自体、本質的に不公平だが、それに加えて、不死のエリートは自らの長寿を利用して、莫大な富と権力を蓄積できるかもしれないので、不死の支配者と死ぬ運命にある被支配者から成る永遠の階層制が生まれかねない。

トランスヒューマニストたちは、これにも答えを持っている。すでにお金で長寿が買える——富は今日、長寿と緊密に相関していることが立証されている——ものの、私たちはみな、それを受け容れているように見える。また、少数の人しか救命治療を受ける余裕がないからといって、それを理由に治療を完全に禁じてしまうべきだとは、普通は考えない。

いずれにしても、どのようなものであれ未来の不老不死の霊薬は、実際には、異なる疾患や老化の症状に対する、じつにさまざまな治療介入となる可能性が高いので、誰がどの治療を受けられるか、その実態は懐疑派が示唆するほど白黒がはっきりしないだろう。たとえ、新しい治療をすべて受けられるのは少数の富裕層だけだったとしても、大半の人は、そうした治療のいくつかを受けることができるはずだ。

とはいえ、人口過剰の問題と、不死になれる人となれぬ人の間の血なまぐさい争いの問題を克服したとしても、永遠の生への途上で私たちを見舞いうる大惨事は数知れない。「実存的危機」、すなわち、人類の存在そのものに対する危機の専門家たちは、私たちが心配で夜眠れなくなること請け合いの致命的な筋書きが詰まった、ぞっとするようなパンドラの箱に注意を喚起する。そうした筋書きの多くは、ライナス・ポーリングが予見したとおり、私たちを救うはずのテクノロジーそのものの副産物だ。

すでに見たように、遺伝子工学は医学的不死を達成するためには不可欠だろう。だが、それほどの精度で生命を操作する能力があれば、丈夫な赤ん坊を生み出すことが可能になるばかりではなく、その能力を使って怪物を生み出せるようにもなるはずだ。それはおそらく、映画や伝説に出てくるような人を食らう獣ではない。

従来のものよりも毒性や感染性が強く、既存のワクチンが効かぬウイルスや細菌のほうが、よほど致命的になるだろう。そのような病原体は、図らずも生まれうるが、テロや戦争の兵器として開発される可能性も同じように考えられる。

それに輪をかけて危険に見えるのがナノテクノロジーだ。その将来性は、ナノロボットの自己複製能力に大いに依存している。たとえば、その能力を利用し、人間の血流を、赤血球の代わりに、酸素を運ぶメディボット（医療用ロボット）で満たす。だが、まさにこの能力が私たちを破滅させかねない。意図的に、あるいは偶発的に、設計に些細な変更が加えられただけで、おびただしい数の微小な自己複製体が解き放たれ、あらゆる有機物を食い尽くすこともありうる。都市も田園も区別なく席巻し、極微のロボットの大群が動植物に取って代わりうる。

どれほど用心しようと、現時点までの歴史が示しているように、新しいテクノロジーはどのようなものであれ、軍事目的で利用される。だから、人命を救うミニボット（小型ロボット）が登場する可能性があるのなら、急速に自己複製する肉食のミニボットが未来の一部となる可能性もそれと同じぐらいある。

だが、究極の危険は、トランスヒューマニストたちが自らの究極の救済と見ているもの、すなわち、神のような「超知能」だ。それは、能力を強化した人間あるいはコンピューターであり、どうやって永遠に生きるかを含め、私たちのあらゆる問題を解決できるほど賢い。

たいした想像力がなくても見て取れるだろうが、そのような全能の存在を創出すれば、とんだ手違いが起こりうる。『２００１年宇宙の旅』から『ターミネーター』まで、私たちのお気に入りのあらゆるＳＦ映画に描かれている類の惨事を招きかねない。プログラミングに誤りがあったり、超知能の持ち主が独自の謎めいた意図を持つに至ったりしたため、超知能は私たちを排除することに決めるという筋書きは、十分ありうるように見える。もしライナス・ポーリングが今も生きていたら、きっとひどく心配することだろう。

科学界の巨人の孤立と「生き残り」シナリオの破綻

ライナス・ポーリングは自分の新しい説を、病んでいる妻のエヴァ・ヘレンの治療に応用しようと全力を上げたが、容体は悪化した。出血による痛みが増し、衰弱が進み、とうとう彼女は耐えられなくなった。そして、輸血をやめさせた。ポーリングは目的を果たせず、死にゆく妻の手を握ってやることしかできなかった。一九八一年一二月七日、彼女は亡くなり、二〇世紀有数の科学者は面目を失って孤立した。

ライナス・ポーリングは二〇世紀の科学界の巨人だった。群を抜いて生産的で創意工夫に富む人物であり、分け入ったどの分野にも新たな見識をもたらすことのできる、科学版のミダス（訳注　触れるものをすべて黄金に変えることができたとされるギリシア神話の王）だった。

だが彼は、長い人生の最後の四半世紀を、自分が万能薬と見なしていたもの、すなわちビタミンCの売り込みに捧げたため、医学界の見方と衝突した。そして、多くの人の意見では、事実とも衝突した。長年、科学の最先端で過ごした後は、自分の誤りを証明する研究と、その背後にいる科学者たちに対する容赦ない攻撃に度を超えて熱中するようになった。ポーリングが八九歳だった一九九〇年、一流の科学雑誌『ネイチャー』は彼のことを「孤独な変人と見なされている」と評し、その失墜は「古典悲劇に見られるもののどれにも劣らぬほどはなはだしい」ものだったと述べた。

ライナス・ポーリングは、老化防止を支える科学と、科学と食事と生活様式の組み合わせで極端な長寿を達成できるという信念とに、他の誰よりも貢献した。それと同時に、不死志望者への警告としても捉えることができ、高齢でありながら不老不死で、考え方がとうの昔に凝り固まったエリートたちに支配された社会の前兆と見ることもできる。人には、脚光を浴びるべき時もあれば、舞台を去るべき時もあることを、彼の経歴は示している。

無論、晩年のポーリングが夢中になったのは、ただのありきたりの考え方ではなく、不老不死の霊薬に近いものに対する信念だった。彼は、人類のあらゆる病気の解決策を見つけたと考え、科学が間もなくそれを裏づけてくれると思っていた。

だが歴史は、まさにそのように信じていた人だらけであり、唯一彼らに共通なのは、全員が遅かれ早かれ死んだ点、そして、たいてい彼らの説も本人と運命を共にした点だ。ポーリングは深遠な科学知識を持っていたものの、死の必然性が自身にも作用しているのを感じ始めると、不可能なことを信じるのを自分に許してしまった。すなわち、人類が抱える多くの欠陥の普遍的な解決法を発見できる、と信じてしまったのだ。

それを踏まえれば、今日、抗酸化剤や緑茶や成長ホルモンが永遠の若さをもたらしてくれると主張する人々は疑ってしかるべきだ。

四つある不死のシナリオの基本形態の第一である「生き残りのシナリオ」は、すっかり浸透しているように見える。それは、文明が拠り所としている約束の一部を成し、現代における西洋的世界観の核心にある、進歩の概念にとって不可欠だ。少しだけ長く、さらに長く、なおいっそう長く生きられるという希望こそが、人間社会の物質的側面のほぼすべての発展を促してきた。そして、今日その希望は、科学と医薬の巨大産業に動機を与えている。これらの分野は、現に私たちの人生を、より長く、より良いものにするような成果を上げている。

だが、さらに先まで私たちを導くことを約束する科学は、他にも教訓を示している。老化と衰弱の過程は、私たちの身体に深く根差していること、私たちの助けとなりうるテクノロジーは、破滅ももたらしかねぬこと、私たちが暮らす世界は人間の生を永遠には許容しないだろうことだ。

私たちは、親や祖父母よりも少し長く生きられるかもしれない。いつの日か、癌を打ち負かしたり、移植用臓器を培養したりするかもしれない。だが、永遠に生き永らえるのに成功する人は、一人もいないだろう。私たちの生身の体も、私たちが暮らすこの惑星も、それを許すことはない。このシナリオは魅惑的でも生産的でもあるが、約束を果たすことはない。

この道に足を踏み出したとき、この身体でこの地球上で生き永らえるのが、不死への最も簡潔明瞭な道筋だと述べた。だが、どれほど懸命に走り去ろうとしても、死神に追いつかれてしまうことが、今やわかった。もちろん私たちは、それに気づいた歴史上最初の人間ではない――その理由を本当に理解する最初の人間かもしれないが。

したがって、始皇帝と同じで、賢い人や悲観的な人は、常に代替策を探し求めてきた。いいだろう、私たちは死なねばならないが、きっと蘇ることはできるはずだ、と彼らは推論した。一度目にはこの生身の体は衰えるかもしれないが、二度目がある。そのときには、何か永遠のものに生まれ変われるかもしれない。

この見方は何千年にもわたって、無数の人々に希望を与えてきた。そして今や、死そのものも、宇宙の終焉さえも、不死への道の障害として受け容れるのを拒む、新しい世代の科学者たちを鼓舞している。

それが私たちの第二の方策、すなわち「蘇り」であり、その人気は、この考え方を、小さなユダヤ教の宗派から前例のない最強の宗教の正統的信念へと、ほぼ単独で変容させた人物に負うところが大きい。

第 2 部

Resurrection

「蘇り」シナリオ

第4章

イエス・キリストの復活と食人
——蘇りの台頭

サウロは、その異端者が最高法院から引きずり出されるのを満足げに眺め、有罪を宣告されたその男をエルサレムの門外へと導く短い行列に加わった。城壁の外まで来ると、彼は、死刑執行人たちが、その冒瀆者に石を投げつけて殺すという、骨が折れ、汗もしたたる仕事のために脱いだローブを受け取った。万事は彼の計画どおりに進んでいた。不逞《ふてい》のナザレ人《びと》が磔《はりつけ》にされてから一年になるが、その信奉者たちは問題を起こし続けていた。間もなく、その信奉者も一人減る。

サウロは唯一の神と、神がモーセに与えた律法を、熱烈に信仰していた。「同世代の多くの同胞よりもユダヤ教に精進し、先祖の伝承に対してはきわめて熱心でした」と後に自慢している（「ガラテヤの信徒への手紙」第一章一四節）。彼が立ち会った処刑——記録が残っている最初のキリスト教の殉教者ステファノの処刑——は、この聖なる都の浄化が始まるという合図だった。「その日、エルサレムの教会に対して激しい迫害が起こり……サウロは教会を荒らし、家々に入って、男女を問わず引き出して牢に送っていた」と聖書にある（「使徒言行録」第八章一～三節）。

サウロはファリサイ派だった。つまり、ユダヤ教のうちでも、ユダヤ人上流階級の厳格な宗派ではなく、敬虔ではあるが一般民衆向きの派閥に属していたということだ。国際的な沿岸都市タルスス

(現在のトルコの南端に位置する) で生まれたが、当時の最高の教師たちにエルサレムで教育を受け、ローマ帝国の市民権を持っていた。強健で賢く、ひたむきなこの青年は、ユダヤ教神殿の階層制の上位に上り詰める運命にあるように見えた。

ユダヤ教を脅かす最新のカリスマ的なカルト (編集部注　カルトとは特定の対象への熱狂的な崇拝、礼讃のこと。なべて悪い意味で用いられる) に対するサウロの迫害が功を奏し、残っていたわずかの信奉者は周辺の土地に散っていった。サウロはユダヤ教への傾倒を証明する決意で、「主《しゅ》の弟子たちを脅迫し、殺害しようと意気込んで」(「使徒言行録」第九章一節) 大祭司のもとを訪ね、ダマスカスへと逃れた冒瀆者たちを追跡して捕らえる許可を求めた。許可は与えられたが、周知のように、サウロはまったくの別人としてダマスカスに行き着くことになった。

サウロの犠牲者たちは、イエス・キリストの信奉者だった。イエスは、強大なローマ帝国のユダヤ人臣民の間でよく見られたタイプの、終末論信仰の信奉者たちを惹きつけた。

聖書には、この種の自称救世主が何人か記されている。たとえば、「自分を何か偉い者のように言って」、四〇〇人ほどの信奉者を集めた後に殺されたテウダや、「民衆を率いて反乱を起こし」たが、やはり殺されたガリラヤのユダだ (「使徒言行録」第五章三六〜三七節)。

ダビデ王の血筋を復活させて王座に就け、預言に即した形でこの地に平和と正義をもたらしてくれるメシア (「油を注がれた者」) の出現を、明らかに、多くのユダヤ人が熱烈に願っていた。そして、イエスの信奉者は彼のことをまさに、ユダヤ教の預言を実現して教徒を救うためにやって来たメシアとして崇めていた。ところが、多くの同輩ユダヤ教徒はキリスト教徒を、ユダヤ教の存在そのものがすでに脅かされているときに、ユダヤ教を分裂させる、ただの宗派分離論者と見なしていた。

サウロはこれらの異端者を罰するためにダマスカスに向かう途上で、天の光によって地面に打ち倒された。「使徒言行録」（第九章）によると、

「サウル、サウル、なぜ、私を迫害するのか」

という声が聞こえた。

「あなたはどなたですか」

とサウロが訊くと、

「私は、あなたが迫害しているイエスである。立ち上がって町に入れ。そうすれば、あなたのなすべきことが告げられる。」

という答えが返ってきた。サウロは立ち上がったが、目が見えず、しかたなく手を引かれてダマスカスに入った。そこで飲まず食わずで待っていると、三日後に、イエス・キリストの信奉者の一人が訪ねてきた。彼がサウロの身体に手を置くと、たちまち「目からうろこのようなものが落ち」、再び見えるようになり、サウロは聖霊で満たされ、洗礼を受けた。


サウロは、これが何を意味するか自分には間違いなくわかっていると感じた。彼は初の蘇りの証人となったのだ。イエス・キリストは弟子たちが主張したまさにそのとおりに、本当に蘇り、現にサウロに直接話しかけたのだった。

これは途方もない意味を持っていた。蘇りという行為は、あらゆる奇跡のうちでも最も強烈な畏怖の念を起こさせた。ほかならぬ死の征服だからだ。このたった一つの行為を通して、神は全人類のための計画を明かしたのだと、サウロは確信した——全員を不死にするという計画を。そして今、イエスはサウロの前に現れることで、この良き知らせを広めるための媒体も選んだのだった。

サウロは、この新しい信仰を迫害するためにかつて注いでいた厖大な精力と熱意を、今度はその信仰の普及にただちに注ぐことにした。次から次へとシナゴーグ（ユダヤ教の礼拝堂）に直行し、イエス・キリストが蘇ったと宣言した。それを聞いた人々は仰天し、

「あれは、エルサレムでこの名を呼ぶ者たちを滅ぼしていた男ではないか。また、ここへやって来たのも、彼らを縛り上げ、祭司長たちのところへ連行するためではなかったか。」

と尋ねた（「使徒言行録」第九章二一節）。

サウロは新たな使命を遂行し続けるうちに、自分の名前のギリシア＝ローマ版である、パウロという名前を使い始めた。間もなく、彼のかつての同志で、この最新のメシアに依然として懐疑の目を向けていた敬虔なユダヤ教徒たちは、パウロが本当に彼らを見捨てて寝返ったことを悟った。以前、パウロがステファノ殺しを画策したのと同じように、彼らもパウロ殺しの陰謀を巡らせた。パウロがダマスカス脱出を計画しているだろうと睨んだ彼らは、町の門で待ち構えていた。ところが、パウロは待

イエスの幻を見て馬から落ちるサウロ（カラヴァッジオ「聖パウロ（サウロ）の回心」／サンタ・マリア・デル・ポポロ聖堂チェラージ礼拝堂）

ち伏せを嗅ぎつけ、弟子たちが「夜の間に彼を連れ出し、籠に乗せて町の城壁伝いにつり降ろした」（「使徒言行録」第九章二五節）。

この事件はほんの皮切りにすぎず、蘇りに対して新たに得た信仰をパウロが広め、その過程で世界でも屈指の一大宗教を船出させるのを、親類であれ赤の他人であれ、ユダヤ教徒であれ異教徒であれ、怒れる暴徒が妨げようとする試みは、この後何度も繰り返されることになる。

死に、そして蘇る――蘇りシナリオが人類に与えた「大きな進歩」

第2章と第3章では、不死のシナリオのうち、第一の基本形態、すなわち、「私たちはこの惑星で永遠に生き永らえることができる」という約束を見てきた。そして、科学革命が約束してくれた、より長い寿命をもってしても、地上で永遠の生を得る見通しは相変わらず立ちそうにないことがわかった。死はじつに几帳面で、遅かれ早かれあらゆる生き物の命を奪っていくのだ。

だが、地球は不毛の荒野ではない。万物が死ぬが、それでも世界は生命力にあふれ、緑に満ち、花が咲き誇っている。春のブルーベルはあまりにあっけなく枯れてしまうが、翌年には地面からまた生えてくる。自然界では、死は終わりではなく、もっと大きな周期、すなわち、生と死と再生の周期の一部にすぎない。

それを見て取ったおかげで希望を与えられた人は多い。彼らは、もしこの希望がなければ、肉体の衰えを甘んじて受け容れるしかない。彼らは、私たち人間も他の生き物同様、ほんの束の間栄えた後、消え去ることを承知している。だが、ブルーベルの場合と同じで、そうして消え去るのは、再生の前触れにすぎぬことを期待している。これが蘇りの希望であり、不死のシナリオの第二の基本形態だ。

私たちの文化と信念は、不死への意志を満足させ、「死のパラドックス」――私たちは脆弱で、他のすべての生物同様、死ぬのは明らかに見える一方、この見通しは想像できぬように、あるいは、不可能であるようにさえ見えるというパラドックス――が生み出す緊張を和らげようとする試みであることは、第1章で見た。「生き残りのシナリオ」は、このパラドックスの前半の必然性をあっさり否定し、私たちは物理的死を避けられると約束する。

だが明らかに、この主張は信じ難いと思う人が大勢いる。なにしろそれは、私たちが身の回りで目にする証拠に反するのだから。それとは対照的に、「蘇りのシナリオ」は死を冷静に受け止め、私たちも他のすべてのものと同じ道をたどることを認める。私たちのような不完全な生身の存在は、死なねばならないという客観的な見方が正しいことを受け容れる。

だが、それは始まりにすぎず、いつの日か、私たちは生前とまったく同じ身体を持って蘇り、再び生きることができると、蘇りを信じる人は言う。

これまでは、文明の物質的な面における進歩を、不死への意志がどのように促してきたかに焦点を当てていた。「生き残り」の見通しを明るくしていたのが、この願望だからだ。一方、蘇りの概念は、人間文化の物質的な面と象徴的な面の両方にまたがっている。この概念は、多くの古代からの宗教伝統に深く根差しているが、科学の力と物質的進歩についての、はなはだ影響力の大きいシナリオの中では一つの原動力でもある。

本章では、発端、すなわち、蘇りの持つ象徴的な重要性――蘇りを契機として史上最も強大な宗教伝統が生まれた経緯を含む――から始め、その後、蘇りの物語が妥当かどうかを見てみることにする。

宗教が、少なくとも部分的には、私たちの不死への意志を満足させるために興ったことは明白に思えるかもしれない。たしかに、私たちが身体的な死を生き延びる理由の明快な説明を、ほぼすべての宗教が持っている（「あなたが来世を信じていないのなら、私はあなたの神にキノコの一本も捧げないだろう！」とマルティン・ルターは言っている）。

その一方で、宗教と、その姉妹とも言える儀礼や神話が、文明の発展に大きく貢献してきたことも明白に思えるかもしれない。だが、宗教がいったいどのようにして不死のシナリオ、それも特に「蘇りのシナリオ」としての機能を果たすかという話は、一見したときに窺われるよりもはるかに微妙で興味深い。

最も広い意味での儀礼と宗教の慣習は、私たちの種そのものと同じぐらい古い。つまり、少なくとも一五万年は続いているということだ。これについての証拠は、驚くまでもないが、人々が死者をどう扱ったかを中心としている。彼らは、まるで死後の生があるかのように、特定の道具や武器と共に、特定のやり方で死者を埋葬していた。たとえば、少なくとも一〇万年前まで遡るイスラエルのカフゼーの墓地遺跡からは、貝殻や鹿の角が見つかっているし、顔料の赭土《しゃど》を使った一〇万～二〇万年前の埋葬方法は、アフリカで広く見られる。宗教を研究している歴史家のカレン・アームストロングは、こうした発見に導かれて、信念体系は「ほぼすべての場合、死の経験と消滅の恐れに根差している」と結論した。書字や農業などを伴う、はっきりと文明と認められるものが登場した頃には、死後の生は、人間の経験の根本的な部分となって久しかった。

儀礼はあらゆる文化で見られる。他の活動と違う点は二つあり、一つは、規則に厳しく縛られている点で、儀礼は特定の人によって、特定のときに、特定の場所で、特定のやり方で、行なわれなくてはならない。もう一つは、その効果が間接的だったり、目に見えなかったり、象徴的だったりする点だ。

山羊を屠《ほふ》り、あぶっている人は、儀礼を行なっているのではなく、食事の支度をしているにすぎない。だが、その人が山羊をまず神殿に連れていき、その山羊の霊に呪文を唱え、一撃で首を刎ね、いちばん美味しい部分の肉を何切れか「神々のため」に残すなら、自分の腹を満たすのに必要なことよりもはるかに多くをしていることになる。この「はるかに多く」が儀礼だ。

儀礼は、特定の宗教あるいは神話の物理的表れであり、そのおかげで、一連の信念が実際的で現実的になる。霊や神が日常生活のあらゆる面に影響を与えるという世界観の中では、霊や神を宥《なだ》めたり、味方につけたり、魅了したり、騙《だま》したりする儀礼は一般的だ。すべての儀礼自体が、永遠性への切なる思いの表れであるわけではない。

たとえば、山羊の神の怒りを招かずに山羊を食べるためなど、日々の暮らしを送っていくためにすぎぬものもある。だが多くの儀礼や宗教の深部には、不死への意志に駆り立てられていると考えるに至ってしかるべき面がある。

儀礼的行動を理解するための取り組み方にはじつにさまざまなものがあるが、二つの重要なテーマが際立っている。第一に、儀礼は制御に関連していることが非常に多い。ジークムント・フロイトは、宗教儀式に見られる強迫性の行為と、強迫神経症患者の行動との類似を、いち早く指摘した。どちらの場合にも、取られる行動は実用的な意味をほとんど持っていないが、万事うまくいく――危険あるいは不運が避けられ、清浄あるいは平穏が達成される――という信念を強化する。その後の研究が両者の関連を実証しており、儀礼的行動は、強迫神経症患者の行動と同様、筋書きを生成する過度に活発な脳内の同一のシステムへの応答である場合が多いことを示唆している。

私たちはそのシステムのせいで、至る所に危険――そして、死――が潜んでいるように想像してしまうのだ。

これが、儀礼と宗教が持つ第二の重要な面につながっていく。「神々は……自然界の恐怖を退散させねばならない。人間に、運命の残酷さと折り合いをつけさせなくてはならない。とりわけ、死に示されているその残酷さと」とフロイトは書いている。これは、儀礼が生み出す制御の感覚によって部分的に達成される。

だが、私たちに死と全面的に折り合いをつけさせるには、これだけでは足りない。私たちの命の微小さと脆弱さを超越しうることが必要だ。これ、すなわち、死すべき運命にあるただの人間たちが有意義な宇宙における存在意義や有意義な役割を持ち、神々と一つになり、それによって不死を達成できるようにすることこそ、宗教が果たせる最高の機能なのだ。

初期の宗教では、この世界と神々や霊たちの世界との境は微妙で、その儀礼の大半は、意図的にそれを超えるためのものだった。たとえばシャーマンは、動物の霊が持つ力の恩恵を受けるために、彼らとの和合を求めた。キリスト教によって脇に追いやられるまで何世紀にもわたって変わらずに続いた古代ギリシアとローマのさまざまな密儀宗教では、参加者は、何日も続くことが多い複雑な儀式に参加した。儀式には、夜を徹しての饗宴、行進、酩酊、性行為、音楽と踊り、役割演技、秘密の小道具などが含まれていて、すべては礼拝者を神あるいは神々と結びつけるように構想されており、知恵と強さ、不死へのカギを約束する超越的経験をもたらすものだった。

このような儀礼は、死すべき卑しい者たちに、彼らの神々の力を分かち合い、自分の行動に宇宙で展開する壮大なドラマの持つ魔法の力を吹き込む機会を提供した。今日でも依然として、毎週日曜日には、まさにそのような不死の儀式が世界中で繰り返され、キリスト教徒が聖体を拝領する。彼らの多くが、自分たちの神の血と肉を文字どおり口にしていると信じており、全員が、自分は神の物語における決定的瞬間を追体験していると考えている。そして、その結果は？「ヨハネによる福音書」は、次のように説明する。

「私は、天から降《くだ》って来た生けるパンである。このパンを食べるならば、その人は永遠に生きる」（第六章五一節）

讃美歌や香を伴う宗教と儀礼は、文明に彩《いろどり》を添えるだけではなく、実践者はそれらを自分の世界観の核心と見なす。自分の生と死に意味と形を与えてくれるものと捉える。普通の生身の自分を超越する可能性を提供してくれるかぎり、多くの儀礼は死に対する勝利と永遠性を垣間見る機会も提供してくれる。だが、世界中の信仰の中で繰り返される特定のパターンが一つあり、それが宗教的な物語の発展における「蘇りのシナリオ」の重要性を示している。

古代文化はみな、自然のリズムを鋭敏に観察した。そうせざるをえなかった。そうしたリズムが、彼らの文明が完全に依存している作物の収穫における成功を決めたからだ。毎日の日の出と日の入りから、月の四週間周期、星々の動き、鳥たちの渡りまで、彼らはそのようなパターンを数多く認めた。

こうしたさまざまな要素の輪の回転が、自然界の素晴らしい奇跡、すなわち、毎年の生命の更新をもたらすことを、彼らは見て取った。

こうした自然界の周期とは違い、個々の人間の生は、あくまで直線状に見える。私たちは生まれ、育ち、弱り、死ぬ。遺骸は放っておいても自然に蘇りはしない。大地は春になると新しい花を咲かせるが、倒れた人間の代わりを生み出しはしない。エジプト人のように、古代のさまざまな民族は、周期的な時間と直線状の時間という、これら二種類の対照的な時間の概念をしっかりと持っていたし、永遠に生きる見通しに対して後者が及ぼす脅威も承知していた。

もし私たちの時間が直線状なら、遺骸の生はすでに過去のものとして背後に残され、先には果てしない死の空白があるだけだ、と彼らは信じた。したがって、彼らの最も重要な儀礼も、そのための手の込んだ高価な装飾のいっさいも、その直線性を打破し、自分たち人間の運命を自然界の周期——生と死と、再度の生を約束する周期——に結びつけるという、ただ一つの目的に向けたものだった。

先駆的な人類学者のサー・ジェイムズ・フレイザーは、死と蘇りのパターンは人間の神話に普遍的であることを最初に指摘し、大成功を収めたものの今なお異論の多い著書『金枝篇』の中で、世界中の無数の例を引いた。そうした神話は、ある神あるいは王が、死を経て蘇り、それによって普通の死すべき者たちのために道をつけたという形式でたいてい語られる、とフレイザーは主張した。

本書ですでに見た、エジプトの冥界の神オシリスは、その典型例だ。彼は殺害されたが、それでも、ばらばらにされた体を継ぎ合わされて蘇り、それによって民たちのために不死への道を切り拓いた。オシリスの儀式は、大地への生命の帰還とも緊密に結びつけられていた。その儀式には、ミイラの形をした鉢で植物を育てることさえ含まれていた。これは、季節の周期を不死の可能性と明確に結びつけるものだ。

消えてから再び現れる神々や、死者の国へ降りていってから再び出てくる神々、実際に死んだのに蘇る神々は、古代の多くの宗教に登場する。前述したギリシア＝ローマの密儀宗教の主要な女神に、ギリシアの人々に農業をもたらしたとされるデメテルがいる。デメテルも、一時（冥府の王ハデスに連れ去られた娘のペルセポネを追って）冥府に姿を消したと考えられている。デメテルの密儀宗教は、毎年春に、大地に生命をもたらすために彼女を説得して戻ってこさせる役割を果たすと共に、そこから転じて、信奉者に蘇りの可能性を提供した。

蘇りの主張、すなわち、命を失い、蛆の餌になろうとしている身体が、どういうわけが息を吹き返すという主張は、突飛としか言いようがない。死と腐敗の過程を逆転させうると考えるには、強力で摩訶不思議な介入が起こることをよほど固く信じる必要がある。

この力を提供するのは、新しい道を切り拓く神々——古代宗教の研究では、「死と再生の神々」として知られている——の役割だった。彼らの例が、人間の一生の動かし難い直線性を打ち破り、それによって自然界の周期的リズムにつながる道を拓き、死の最終性を覆した。

そのような神々の崇拝には、哀悼と再生の儀式を伴うことが多かった。死と再生の周期は季節と結びつくので、そうした儀式は、一二月末、新しい年が誕生する冬至の頃や、植物が北半球に戻ってき始める春分の頃に行なわれることが多かった。

今や、これらの時期を念頭に置きながら、最も有名な死と再生の神と、その旗頭である聖パウロに戻る時が来た。

死の恐怖、蘇生の栄光

西暦三〇年、カリスマ的な指導者が殉教してから三日後、わずかな数の女たち――友人や同輩信奉者たち――が、遺骸に聖油を塗るために、墓に出掛けた。だが、墓は空だった。「途方に暮れて」(「ルカによる福音書」第二四章四節)立っていると、一人の男(あるいは、二人の男、はたまた、天使たちかもしれない)が現れ、彼女たちが捜しているナザレのイエスは、死者の間には見つからないと告げた。「あの方は、ここにはおられない。復活なさったのだ」(「ルカによる福音書」第二四章六節)

女たちが急いで男たちに伝えると、その知らせは「まるで馬鹿げたことに思われて」、彼らは「女たちの言うことを信じなかった」(「ルカによる福音書」第二四章一一節)。ところが彼ら――「不信の」トマスさえ――も、彼らのもとにイエスが現れて、ただの亡霊ではなく、完全な人間であり、蘇って新しい命を得たことを明らかにすると、ようやく納得した。ヨハネは、イエスがトマスに、「あなたの指をここに当てて、私の手を見なさい。あなたの手を伸ばして、私の脇腹に入れなさい」と言ったと報告している(「ヨハネによる福音書」第二〇章二七節)。ルカによれば、イエスは彼らの前で「焼いた魚を一切れ」食べさえし、自分が本当に生身の人間であることを示したという(「ルカによる福音書」第二四章四二節)。

当時のユダヤ教徒にとって、死者が現に身体的に蘇ったという主張は非常に重大だった。パウロが所属していたファリサイ派のような、しっかりと確立したユダヤ教の派閥と並んで、終末論的集団や革命的集団が多数あり、メシアの到来やこの世の終わりを説いていた。彼らは何であれ、解放と正義の時代が近づいているというしるしを待ち受けていた。

そして、殉教者が蘇ったというのは、まさにそうしたしるしだった。イエスの蘇りは、「終わりの時」が始まったことを意味していた。

このメッセージは、イエス・キリストの物語の最も影響力の大きい解釈者である聖パウロによって受け容れられた。パウロは籠に乗ってダマスカスを逃れて以来、休む暇もなかった。驚異的な活力と気力と知力の持ち主だったパウロは、イエスの言葉を小アジア全土に、さらには、当時最も高度な哲学文化の中核地域だったギリシア本土にまで広めていった。

彼は行く先々で、改宗させた人々の教会を設立し、信徒たちの精神的指導者であり続けた。それらの教会に対して彼が送った手紙は、福音書よりもさらに前に書かれ、聖典と見なされた、最初期のキリスト教文書だった。それらを合わせると、新約聖書の半分にもなり、残る半分に強い影響を及ぼした。

したがって、今知られているキリスト教は、おおむね、パウロによって理解されたキリスト教と言える――彼自身はイエスに一度も会っておらず、会った人々をかつては容赦なく迫害していたことを考えると、これは特筆に値する。そして、それは蘇りの約束に基づくキリスト教だった。

パウロは一度もイエスに会ったことがなかったからだろうか、彼の手紙を導いたのはイエスの言葉ではなく、イエスが象徴しているものだった。パウロにとって、メシアであるイエスの生涯には、本当に重大な出来事は二つしかなかった。十字架上での死と、三日後の蘇りだ。この二つだけが預言の証だった。それは、「終わりの時」の到来を予告し、人類に対する神の計画を明らかにした。それは、信者を蘇らせ、永遠の生を与えるという計画だ。

パウロは蘇りに的を絞ることで、イエスの信奉者たちにとって最大の問題を最大のセールスポイントに一転させた。その問題とは、イエスが処刑されてしまったことに尽きる。一見すると、指導者が殺害されたのだから、始まって日の浅いこの運動に終止符が打たれてしかるべきだった。この地域で興った他の無数のカリスマ崇拝カルトと、ちょうど同じように。どう考えても、その処刑によって、イエスはメシア（敬虔なユダヤ教徒が、ダビデの王国を再建する闘いで彼らを率いてくれると期待していた人物）の役割を果たす資格を失ったように見えた。そして、ギリシア人とローマ人にとっての英雄の役割を果たす資格も失った。彼らは磔刑《たっけい》をこの上なく不名誉で、およそ英雄には似つかわしくない最期と見ていたからだ。したがってイエスは、とうてい救世主には見えなかった。

それはパウロも認めており、コリントの信徒への最初の手紙の冒頭で、次のように書いている。「私たちは十字架につけられたキリストを宣《の》べ伝えます。すなわち、ユダヤ人にはつまずかせるもの、異邦人には愚かなものですが」（「コリントの信徒への手紙　一」第一章二三節）

だが、イエスが蘇ったのなら、彼の屈辱的な処刑には結局意義があったのだと、パウロは考えた。彼は蘇りに的を絞ることで、イエスが自分自身のためだけではなく全人類のために死を打ち負かしたと主張することができた。磔刑と蘇りは、人類に死をもたらした堕罪の呪《のろ》いを解いたのだ。「つまり、アダムにあってすべての人が死ぬことになったように、キリストにあってすべての人が生かされることになるのです」（「コリントの信徒への手紙　一」第一五章二二節）。それ以前の多くの宗教的英雄や神や王とちょうど同じように、イエスの復活は、私たち全員が蘇るための道をつけた。言い換えれば、パウロはイエスが死と再生の神の役割、すなわち、その生と死と再生が信奉者全員に蘇りを可能にする象徴的存在の役割を果たすと主張したのだ。

パウロの手の中で、史実としてのイエスの物語は、生きた神話へ、オシリスの伝説の力を持ちながら、伝説の過去ではなく、今、ここを舞台とするシナリオへと、姿を変えたのだった。

敬虔なユダヤ教徒のパウロは、蘇りの教義を、自らが信仰する宗派であるファリサイ派から直接引いてきた。旧約聖書の最初期の諸書に記されているユダヤ教は、ほとんどもっぱら、イスラエルの部族全体の生き残りに的を絞っており、個人の不死についての明確なシナリオを欠いていた。だが、何世紀も経るうちに、慈悲深い神が死者を蘇らせて再び楽園で暮らせるようにしてくれるという信仰が発達した。

ただし、この蘇りが起こるとされる状況は曖昧で、ユダヤ教内部でも一律に受け容れられているわけではまったくなかった。パウロが非凡だったのは、イエス・キリストの物語を使って、いつ、どのように蘇りが起こるかについての鮮明で納得のいくシナリオを創り上げ、続いてそれをユダヤ教内部だけではなく、そのはるか外の世界まで広めた点だ。

とはいえ、パウロが改宗させようとしていた教養のあるギリシアの異教徒たちにとって、蘇りというのはまったく馴染みのない驚くべき主張だった。ギリシア世界における支配的な見方は、人は霊魂、すなわち、堕落して朽ち果てていく身体から永遠に取り残された純粋に霊的な存在として死を生き延びるというものだった。それに対して蘇りは、もっぱら身体を中心とする、この世での物質的な信念だった。古代ギリシア人にとって、欠陥を抱えた、朽ち果てつつある肉体を生き返らせるという考えは滑稽であり、またぞっとするものでもあった。キリスト教をユダヤ教の取るに足りぬ宗派以上のものにするのであれば、パウロはこの垢抜けた人々を説得して、蘇りというまさにその概念に対する嫌悪を克服させねばならなかった。

パウロはこれらのギリシア人の疑念は十分承知しており、彼がコリント人に送った最初の手紙で、新約聖書の中でも不死についての最も有名な一節である、「コリントの信徒への手紙　一」の第一五章三五節でそれを認めている。

「死者はどのように復活するのか、どのような体で来るのか、と聞く者がいるかもしれません」

彼は、本書の第2章で考察した錬金術師なら根源的変化の説明としてただちに認識するであろうような詩的表現で答える。この世にある身体は、いわば「ただの種粒です。……卑しいもので蒔かれ、栄光あるものに復活し、弱いもので蒔かれ、力あるものに復活し……この朽ちるものは朽ちないものを着、この死ぬべきものは死なないものを必ず着ることになるからです」。言い換えれば、私たちは復活したときには、永遠の生にふさわしい形に変わっているということだ。パウロはさらに言い募る。「この朽ちるものが朽ちないものを着、この死ぬべきものが死なないものを着るとき、次のように書かれている言葉が実現するのです。『死は勝利に呑み込まれた。／死よ、お前の勝利はどこにあるのか。／死よ、お前の棘《とげ》はどこにあるのか』。」


この一節がどれほど強力かを裏づけるように、パウロが書いてから二〇〇〇年ほどたった今もなお、日々それが読まれている――当然ながら、たいがいは葬儀で、後に残された人々に希望と慰めを与えるために。

もっとも、それを聞いた人の多くは、パウロが意図していたものとはまったく異なるメッセージを聞くようだ。今日のキリスト教徒の大半は、古代ギリシア人の側につき、私たちには霊魂があり、霊魂は私たちの死後も生き続け、真っ直ぐ天国（あるいは地獄）に行くと信じている。だがこれは、イエスとパウロを含め、初期のキリスト教徒が説いたこととは正反対だ。それどころか、聖書全般に見て取れる所感、すなわち、死は恐ろしいという所感と相容れない。パウロは死を「最後の敵」と呼んでいるほどなのだから。

もし私たちに霊魂があって、それが天国に直行するのであれば、死を恐れる理由はなくなる。死すべき者とされることは、アダムにとって罰だったとはとても言えない。もし、程なく天国へと昇っていくことが期待できたなら、彼とエバがエデンの園に生えた命の木から取って食べるのを神が妨げたことには、ほとんど何の意味もなかっただろう。

だが、それは聖書のメッセージではない。聖書は、死が終わりであることを教えている。いや、正確には、終わりだった、イエス・キリストがアダムとエバの罪を贖《あがな》い、それによって蘇りへの道を切り拓くまでは、と教えている。

もともとキリスト教徒が死をどのように捉えていたかは、イエスの最後の時を、その約四〇〇年前のソクラテスの最後の時と比較することで、明確に見て取れる。偉大な神学者オスカー・クルマンは一九五〇年代にそのような比較をして、当時かなりの動揺を引き起こした。

ソクラテスは、来るべき死刑の執行を歓迎した。プラトンの『パイドン』に記されているように、ソクラテスは信奉者たちに、死は身体からの霊魂の解放であり、それは歓迎すべき移行である、と説明した。それから心穏やかに毒薬ヘムロックを飲んで安らかに亡くなった。

これとは対照的に、「マルコによる福音書」には、処刑されるのを見越したイエスが「ひどく苦しみ悩み始め」、弟子たちに「死ぬほど苦しい」と伝えたと書かれている（「マルコによる福音書」第一四章三三〜三四節）。彼は独りになりたがらず、敵がやって来ると思ったとき、繰り返し弟子たちを起こした。ついに十字架に架けられたとき、

「わが神、わが神、なぜ私をお見捨てになったのですか」

と叫んだ（「マルコによる福音書」第一五章三四節）。これは、死が霊魂の解放であると信じている人間の行動ではない。ソクラテスとは違い、イエスにとって、死は恐怖と消滅を意味していたのだ。

実際、死が通常は恐怖と消滅を意味していた場合にしか、イエスの物語は理解のしようがない。もし私たち全員に、もともと死後も生き続ける霊魂が備わっているのなら、後にイエスが弟子たちの前に姿を現したところで、特別なことは何もなかっただろう。

人は、生者のもとに戻ってこられる霊として生き続けるという信念は、当時は一般的だった。したがって、古代ギリシア人たちがごく自然に解釈したように、イエスは死んだものの、彼の霊魂が生き続け、戻ってきて弟子たちを訪れたのだったとしたら、そのキリスト教のメッセージには何ら目新しいところも、独特のところもなかっただろう。イエスの蘇りが、キリスト教徒が持たせているようなはなはだしい重要性を帯びるのは、彼が戻ってくるために桁外れの奇跡が必要とされていた場合に限られるはずだ。そしてそれは、死が通常は消滅を意味する場合にしかありえない。

言い換えれば、キリスト教はその初期には、不死の霊魂に対する信仰ではなく、死と蘇りに対する信仰を必要としていたのだ。現代のマーケティング用語を使えば、それがキリスト教ならではのセールスポイントだった。

パウロ版のキリスト教の中で彼が提供したのは、地上でと同じように喜びを経験できる、実在する真の楽園の保証だった。そして、それを可能にしたのは、私たちが真の物理的身体——今、私たちが知っているのとまったく同じ身体、それでいて、改善され不滅となった身体——を持って蘇るという、彼の主張だった。これは、当時のギリシア人やローマ人が広く信じていた、捉え所がなくおぼろげな霊としての存在とは好対照を成す。

その後パウロは、私たちが蘇るという主張を、当時のユダヤ教ではやはり一般的だった終末論信仰と結びつけた。これは、間もなく最後の審判があり、善が悪に勝利して、世界は、少なくとも信者にとっては、地上の楽園に変わる、という信仰だ。

パウロはこの出来事、旧約聖書で言う「終わりの日」が、自分の生きているうちに訪れることを予期しており、それをテサロニケの信徒団に語った。まず、死者が蘇り、「続いて生き残っている私たちが、彼らと共に雲に包まれて引き上げられ、空中で主に出会います。こうして、私たちはいつまでも主と共にいることになります」（「テサロニケの信徒への手紙　一」第四章一七節）。ここで彼は、イエスの終末論の説教に従っていた。その核心となるメッセージは、「神の国は近づいた」（「マルコによる福音書」第一章一五節）で、「ヨハネによる福音書」によれば、イエスは次のように宣言したという。

「時が来ると、墓の中にいる者は皆、人の子の声を聞く。そして、善を行った者は復活して命を受けるために、悪を行った者は復活して裁きを受けるために出て来るであろう」（第五章二八～二九節）

したがってパウロは、喜びに満ちあふれた不死の保証（あるいは、恐ろしい不死の脅威）と共に、進歩の概念、すなわち、彼の言葉を聞く異教徒の大半にとってはやはり新しいものであっただろう、より良い未来へと向かう動きの概念も導入した。そして、この歴史的進展の結論は切迫しており、永遠の至福を望むなら、ただちに入信するしかない、というものだった。

結果的に、キリスト教のメッセージの多くは、ギリシア＝ローマ世界にとっては斬新だったであろうが、それは彼らには聞き覚えのある概念の上に築かれていた。先程見たとおり、死んで蘇る神という概念は、地中海沿岸地域と中東ではすでに一般的だった。それどころか、キリスト教とギリシアの密儀は、その語り口があまりにも類似していたため、初期の教会指導者たちは、悪魔の仕業として説明せざるをえなかったほどだ。キリスト教は、発展するにつれ、広く受け容れられていた他の儀礼をも吸収し、信奉者がキリストの物語という宇宙のドラマに参加するのを許した。

キリスト教の二つの重要な祝典は共に、さらに古い儀式に基づいている。クリスマスは、ローマで冬至の後に行なわれていた、新しい太陽の誕生の祝典に、復活祭は、ユダヤ教の過ぎ越しの祭りの諸側面と再生を祝う異教徒による春祭りに、それぞれ基づいているのだ（英語で復活祭を意味するイースターは、春の女神エオストレに由来するという）。

したがって、キリスト教が提供したものの一式は、すでに時の試練に耐えた儀式の集まりだったが、すぐにも得られる楽園での永遠の生という非常に具体的な約束に包まれていた。永遠の生への意志と「死のパラドックス」、特に、死の自覚との折り合いをつけることで、その世界観が成功するところは、すでに見た。キリスト教は、これを物の見事に成し遂げ、西洋文明の発展に途方もない影響を与えたのだった。

イエス・キリストの物理的な蘇りと、この世の終わりにおける私たち全員の物理的な蘇りは、共に重要であるからこそキリスト教会全体の教義であり続けている。

教会を統一するために三二五年と三八一年の公会議で書かれた信仰告白である「ニカイア信条」は、「我らは死者の復活を待ち望みます」と明言している。これは、ローマ・カトリック教会、ルター派、イングランド国教会、東方正教会、東方諸教会、その他多くの教会に、キリスト教信仰の中核的な表れとして認められている。

そして、すでに触れたように、現在でもキリスト教徒が毎週日曜日に行なう聖餐あるいは聖体拝領の儀式は、公式の『カトリック百科事典（*Catholic Encyclopedia*）』によれば、「我々の輝かしい復活と永遠の幸福の誓約」であり、「私の肉を食べ、私の血を飲む者は、永遠の命を得、私はその人を終わりの日に復活させる」（「ヨハネによる福音書」第六章五四節）というイエスの約束に従っているという。

これはキリスト教に限ったことではない。すでに見たように、物理的な蘇りという信念はユダヤ教に由来し、ラビ・ユダヤ教として知られる現在のユダヤ教徒にとって正教となっているものは、聖パウロの連なる伝統的なファリサイ派の教えから発展した。最も広く受け容れられているユダヤ教の信仰箇条は、中世のラビのモーシェ・ベン＝マイモーン（マイモニデス）が考案したもので、「創造者の意に適うときに死者の復活があるだろうことを、私は完全に信じます」という、蘇りへの断固たる傾倒で終わる。

同様に、アブラハムの宗教（訳注　ユダヤ教とキリスト教とイスラム教。これらの宗教が預言者とするアブラハムにちなむ）のうちで最も新しいイスラム教もそれに劣らず明確で、聖典のクルアーン（コーラン）には、こうある。

「アッラーがあなた方に生を授け、あなた方を死なせ、それから復活の日のために集める。これについては何の疑いもない」（第四五章二六節）

楽園で信者、特に戦死者を待ち受ける非常に物理的な快楽の、ムハンマドによる鮮明な描写が、信者に自らの信仰を広める気を起こさせる助けになったことに何の疑いもない。実際、ネリーナ・ルストムジーというあるイスラム史学者は、この新しい宗教は死後の生の写実的なイメージを特徴としていた、と説明している。死後の生というのは、パウロが説教をした異邦人たちにとってと同様、アラビア半島の異教徒にとっても、新奇なものだった。

このように、世界人口の半分に当たるおよそ三五億人が、この世で知っていた身体の物理的蘇りに表向きは同意している。ただし現実には、その数ははるかに少ない。アメリカ人の八割がアブラハムの三つの宗教のいずれかに属しているものの、自分が蘇ると信じている人は三割をわずかに上回るだけであることが、二〇〇六年のある調査からわかった。これは、信者の大多数――合計すると、全アメリカ人の半数――が自分の信仰の中核的教義の一つを信じていないことを意味する。この調査に答えたあるキリスト教徒は、蘇りの概念を「ホラー映画の駄作」と結びつけた。一方、ハーヴァード大学のユダヤ研究の教授ジョン・レヴェンソンは、彼らの信仰にとっての蘇りの歴史的重要性は、「ユダヤ教徒にもキリスト教徒にも、同様に衝撃を与える」と書いている。

教義と実際の信念との間に、この驚くべき隔たりがある理由は単純である。物理的蘇りという概念は、最初は魅力的でも、大きな問題を抱えているのだ。

その細胞の「所有者」は誰か？

「蘇りのシナリオ」が自分の不死への意志を満足させてくれるだろうと信じている人は誰もが、「蘇るのは本当に自分、今の自分と同一の人間だ」と信じているに違いない。パウロは、最後の審判の日に蘇るのは、いくつかの面で自分に似ているだけの人間だとは思っておらず、彼自身が蘇ることを予期していた。実際、蘇る人がかつて生きていた人と本当に同一の人物であって初めて、最後の審判の日に行なわれる審判は意味を成す。誰かに地獄の刑罰を科すのなら、その人が当該の罪を犯した張本人でなければ、不当もはなはだしい。

これは明白に思えるかもしれないが、じつはこのせいで蘇りに問題が生じる。

もしパウロが、自分は蘇ると信じていたのなら、彼は自分が殺され、埋葬され、それから蘇るという難儀をどうにかして切り抜けられると信じていたに違いない。何と言おうと、これはイエス・キリストの物語で起こったことだから。イエスは磔にされ、墓に納められ、蘇るという過程を切り抜けたことになっている。そして、厖大な数の人がこの物語を受け容れている。一つには、それを想像するのが難しくは見えないからだ。人が亡くなり、どういうわけか、しばらくして再び目覚め、生き返るところを思い描くのはたやすく思える。

だが、私たちは表面的なものしか想像していない。誰かが青ざめ、冷たくなり、それから摩訶不思議にも、また温かくなり、血色が良くなる。ところが、死とはこれだけではとうてい済まされない。

生と死の境界を越える厳密な瞬間（あるいは、そのような明確な瞬間があるのかどうか）については、専門家の間で意見が分かれるが、それでもたいてい何が起こるかの概略は示すことができる。

まず、心臓の鼓動が止まり、他の臓器に生命を与えている酸素が供給できなくなる。酸素が得られないと、脳は身体機能の管理を停止し、意識を支えるのをやめ、身体中の個々の細胞が死に始める。免疫系の活動停止に乗じて、消化管内の細菌が内部から身体を蝕み始める。外見にはまだそれほど変化がないかもしれないが、間もなく体内では、脳も含めてさまざまな部分が、複雑で繊細な構造をそっくり失い、崩れ始める。一週間もすると、体内の大部分が腐敗し、一か月ほど後には、遺骸は膨れ上がり、液化していく塊と化し、誰のものか見分けがつかなくなる。遺骸の頬に再び赤みが差すところを想像するのは簡単に思えるかもしれないが、腐敗した肺が再び呼吸するところや、液化した心臓が再び搏動《はくどう》するところを想像するのはかなり難しい。

イエス・キリストの蘇りの詳細は、新約聖書には記されていない。蘇りの結果である、復活したイエスが描かれているだけで、その記述さえ矛盾を孕んでいる。

教会史を研究するオックスフォード大学教授のディアメイド・マックロックは、イエスの墓の中で本当は何が起こったかが記されていないことを、キリスト教の核心にある「空白」と称した。それは、埋めるのが非常に困難な空白だ。死と腐敗の過程は、どんな人間もとうてい切り抜けられそうにない。それに、神の子であるイエスでさえ、人間として死んだ。それにもかかわらず、イエスの物語と無数の人々の希望が意味を成すためには、身体の完全な腐乱は、永遠の生へと向かう旅の途上の一時的な挫折以上のものではありえない。

古代エジプト人はこの問題を百も承知していたので、亡くなった人がその衝撃をどのように生き延びるかについて、数多くの答えを用意していた。無論彼らは、物理的身体を保存するために、できることはすべてやり、来世で満足な存在となるためにはそれが重要だと信じていた。だが彼らは、多数の霊魂や、本人の業績、後に残された記憶、名前、家族も重要だと信じていた。たとえ搏動する心臓を持たなくても生き延びるための道を、これらすべてが提供した。だから死者は、ミイラ化の過程が完了する前でさえ、どちらつかずのような状態にありながらも、本当に死んでいなくなってしまったわけではなかった。

だが、ファリサイ派や初期のキリスト教徒といった、蘇りを信じる人々は、霊魂のような神秘的で非物理的なものの存在を想定しなかった。それどころか、霊魂が存在するという見方に反対することを自らの特徴としていた。だから、人が死んだときには、本当に死んだと彼らは考えた。

　では、死とはどのようなものだったのか？　まあ、少し眠りに似ていた。旧約聖書によれば、死者は蘇りを待ちながら「地の塵となって眠る」という（「ダニエル書」第一二章二節）。だが、永い眠りから目覚めるというのは、誰もが理解できるものの、死から目覚めるというのは、それとはまったく話が違う。

　古代エジプト人はナトロンと亜麻布の詰め物を巧みに使い、人間の身体に少しばかり似て見えるミイラを保存したものの、そうしたミイラには、本物の人体には通常は不可欠と考えられている脳や血液やその他が、もはやなかった。

　それでも、ミイラにされた人々は、ローマの迫害に遭ったキリスト教徒に比べれば、まだましだった。ローマ人は、キリスト教徒がいつの日か身体ごと蘇ると信じていることを十分認識していたので、そのような期待を嘲り、打ち砕くために、できることは何でもした。一七七年にガリアで行なわれた迫害では、殉教者たちはまず処刑され、それから遺骸は六日間放置されて腐敗するに任された後、焼かれ、灰はローヌ川に投げ込まれた、と報告書に記録されている。

「さあ、彼らが蘇るかどうか、見てみよう」

とローマ人たちは言ったとされる。これほど野蛮な行為をもってしても、キリスト教徒の布教の熱意に水を差すことはできなかった。だがそれは、初期の神学者たちにはある種の難題を突きつけた。一握りの灰から、どうして人間が蘇ることなどありうるのか？

初期のキリスト教徒は、当初、その答えは単純だと考えた。死ぬ前に本人の身体を作っていた小片(原子であれ、元素であれ、他の何であれ)を神が拾い集め、元どおりにまとめさえすればよい。神は全知全能だから、たいした苦労もいらぬはずだ、と考えた。大切な像を落として粉々にしてしまってから、破片を拾い集め、見事な技能で新品同様に継ぎ合わせるのと違いはしない。完全に修復された像を見たら、その像がちょっとした事故を生き延びたなどと思う人がいるだろうか? いるはずがない。だから、最後の審判の日に修復されたばかりの人間を目にしても、墓に入っていた日々を生き延びてきたなどと思う者はいないだろう。

蘇りのこうした説明は、イエス・キリストが墓から出てきた後、何世紀にもわたって教父たちに擁護され、今日でも支持者がいる。だがまた、イエスの時代にさえ、この見方に批判的な人もいたし、その後の科学と哲学の発展によって、問題は深まるばかりだった。

この見方は、人が死によって事実上ばらばらにされ、それからまた元どおりにまとめられると主張しているので、蘇りの「再組み立て説(Reassembly View)」として知られている。この説は、少なくとも三つの主要な異論に直面する。

その第一は、「食人問題」と呼ぶことにする。あなたが壊れた像を修復する暇がないうちに、私が破片を一つ横取りし、自分が作っている像に使ったとしよう。あなたは、もし自分の像を完全に復元したければ、私の像を壊して、その破片を取り戻すしかない。私たちは、二人揃って像を完成させることは不可能だ。同様に、異なる時代に亡くなった二人の人の身体に同一の原子が含まれていたら、私たちは(あるいは、神でさえも)その二人を揃って完全に再組み立てするのは難しいだろう。そして、このような筋書きは、けっしてありえぬものではない。

ローマによる迫害の間、多くのキリスト教徒が円形競技場で野獣の餌食にされた。そしてその野獣の一部、たとえばイノシシは、後日、催しの後の宴会で食卓に出されたかもしれない。だから、一部が人間の肉からできている動物の肉は、それを食べた人の肉の一部となるわけだ。

あるいは、それよりもなお単純なのが食人だ。もし食人者の身体の一部が、かつては別の人のものだった構成要素からできていたら、神でさえも、蘇りの日にこの二人を共に完全に再生させることはできないだろう。

今ではわかっているとおり、この主張をするときに、前述のような極端な例を持ち出す必要さえない。私たちは絶えず原子を得たり失ったりしており、そうした原子は自然によって再利用されている。ある推定によれば、私たちは毎年、体内の原子の九八パーセントを入れ替えているという。人体には厖大な数の原子（平均的な人間の身体では、七×一〇の二七乗個）があるので、たとえあなたが食人に魅力を感じていなかったとしてもなお、今あなたは部分的には、すでに亡くなった人々の一部をかつて成していた原子からできている。

神学者たちはこの問題について必死に考え、創造力に富む解決策を多数思いついてきた。だが、そのどれ一つとして、いまだに広く受け容れられてはいない。

初期の試みの一つは、人間は他の人間の肉を実際に消化して吸収できることをきっぱり否定するというもので、食人をする部族の人々が痩せているのが、その証拠だとされた。物質は、それが最も本質的な部分を構成していた人に属するとか、最初に持っていた人に属するとか主張する者もいた。そして、いずれの場合にも、不足が生じた人の欠落部分は神があっさり埋めるのだという。

だが、これらの解決策は、元の自分が蘇った自分と完全に同一であると言えるには、完全に同じ要素からできている必要があるという概念を、台無しにしてしまう。二〇〇〇年にわたってさまざまな試みがなされてきたにもかかわらず、「食人問題」には決定的な解決策が見つかっていない。

蘇りを信じる人々が手を焼いている第二の問題は、蘇った身体はいったいどのようなものになるはずか、というものだ。私はこれを「変容問題」と呼ぶことにする。「食人問題」と同様、この問題もキリスト教そのものとほぼ同じぐらい古い。それは、次のような問題だ。

蘇りを信じる人々は、「蘇った身体は、元の人間と同じ構成要素が、同じようにまとめられてできている」と主張する。なにしろ、それでこそ元の人間と新しい人間は同一の人物となりうるのだから。だがその一方で、人は死ぬとき、高齢で、衰弱し、関節炎にかかり、認知症で、癌に蝕まれているかもしれない。それにもかかわらず、これは蘇りを信じる人々が蘇りの楽園の住人として想像する人間ではない。それとは正反対で、私たちの身体は、不死にふさわしい、朽ち果てることのない輝かしいものとなると、聖パウロは約束した。実際、蘇りを信じるキリスト教徒の大半は、楽園ではまったく病気がなく、飲食の必要もなく、誰もが美しくて完璧だと確信している。

だがこれは、私が粘土で作った像を粉々にし、それから同じ形を保ちつつも、今度は金で作り直すようなものだ。果たしてこれらは本当に同じ像だと言えるだろうか？　元の像が粉々にされても生き延び、金で「復元」された、と？　むしろ私たちは、私が元の粘土の像を壊し、代わりに金の像を新たに作ったと考えるのではないか？

初期の神学者たちは、次のように主張した。歯のように完全に無用になった身体の部分の一部（ないと間が抜けて見えるもの）や、余分になった内臓さえ、依然として持っているかもしれない、だが、私たちを元のこの世の自分と結びつけるこうした部分でさえ、何らかの方法で腐敗しないように変えら

人間は「完璧な肉体」で蘇る？（ミケランジェロ「最後の審判」／ヴァチカン宮殿システィーナ礼拝堂）

れる、と。

したがって、蘇りを信じる人々は、矛盾に突き当たった。一方では、生き延びるためには、まったく同じ原子が、本人が死ぬ前とまったく同じように再組み立てされねばならない。それにもかかわらず、もう一方では、蘇った人間はけっして腐敗しない物質でできており、もはや代謝さえ必要としないほど違った形で組み立てられ、まったく異なる生き物になっているというのだ。金の像の場合と同じで、これは蘇りというよりは、代替と呼ぶほうが当たっているように思える。


これだけでもすでに大問題なのだが、人間を元どおりにできるという考え方には、なおさら深刻な問題がある。これを「重複問題」と呼ぶことにする。これにも古代版がいくつもあるけれど、哲学と神学の文献で今も依然として大いに議論されている。現代版の一つは以下のようなものだ。つい先程見たように、私たちの体内の原子は毎年およそ九八パーセントが入れ替わる。この入れ替えと更新の過程のせいで、今のあなたが五歳のときのあなたと同じ原子を一つも持っていないことは、十分ありうる。

だが、もしそうなら、仮に今あなたが死んだ場合、神は今のあなたを再組み立てできるばかりか、同時に五歳のときのあなたも再組み立てできる。そして、再組み立てされた五歳の子供は、再組み立てされた大人とまったく同じだけ、あなたであると主張する権利があることになる。どちらも、ある時点であなたを構成していた原子からできており、そのときのあなたとまったく同じようにそれらの原子が組み合わされているだろうから。

これは蘇りの「再組み立て説」にとっては大問題だ。次章で見るように、あなたの複数のバージョンが同時に現れるのを許す説はどれも、論理学の規則を破ることになる。そして、全能の神でさえ論理的に不可能なことはできない。神は、大人のあなたと子供のあなたの両方を再組み立てするような卑劣な悪戯などけっしてしないと主張することはできるかもしれないが、それは的外れであり、複数のバージョンの登場を生き残りの基準が許すという事実そのものだけでも、何かはなはだ不都合な点があることを示して余りある。

これら三つの問題は、最後の審判の日に、蘇るのが本当に本人となるような形で人間を物理的に元どおりに組み立てるのは、神にとってさえ非常に難しいであろうことを示している。

もし私たちが血と肉から成るただの身体だとすれば、死と崩壊は、不死への途上で克服しなければならぬ高いハードルとなる。だが、次章では「再組み立て説」以外にも蘇りの捉え方があることを明らかにする。だから、私たちは蘇るかもしれないという考え方は、まだ死んではいない。

イエスの死と蘇り――律法からの解放と世界宗教化の最後の一撃

「ユダヤ人から四十に一つ足りない鞭を受けたことが五度、棒で打たれたことが三度、石で打たれたことが一度、難船したことが三度、一昼夜海上に漂ったこともありました。幾度も旅をし、川の難、盗賊の難、同胞からの難、異邦人からの難、町での難、荒れ野での難、海上の難、偽兄弟たちからの難に遭い、苦労し、骨折って、しばしば眠らずに過ごし、飢え渇き、しばしば食べ物もなく、寒さに凍え、裸でいたこともありました」（「コリントの信徒への手紙　二」第一一章二四～二七節）

これは、布教中に自分が耐え忍んだ苦難の数々の、パウロ本人による説明だ。とはいえ、これを書いたとき、彼の苦難は終わりには程遠かった。行く先々で、彼に対して陰謀が企てられ、暴徒が立ち上がり、待ち伏せが仕掛けられた。

だが、敵の大半は、彼が罪深い生き方をしていると非難したギリシア人やローマ人ではなく、同胞のユダヤ教徒であり、さらには同輩のキリスト教徒たちだった。

聖パウロは今日、自ら名乗った「異邦人への使徒」（「ローマの信徒への手紙」第一一章一三節）という呼び名で知られているが、イエス・キリストの信奉者のうちでユダヤ人以外に伝道した唯一の人物でもなければ、最初の人物でさえなかった。パウロの布教のどこが独特だったかと言えば、それは、「新しい教会に受け容れられるにはイエスの蘇りを信じるだけで十分である」と主張した点だ。

生前のイエスを現に知っていた他の使徒たちとは対照的に、パウロは、改宗者は割礼を受けたり、（数多く詳細な）モーセの律法のすべてに従ったりする必要はないと信じていた。言い換えれば、ユダヤ教徒にならなくてもキリスト教徒になれるということだ。救済と永遠の生は、イエスを信じる者全員を待ち受けていた。これはイスラエルの民の特別な地位と伝統に対する宣戦布告だった。

パウロが長年の布教活動の後にエルサレムへ戻ったときには、罠が待ち構えていた。彼はそれ以前に、相変わらず自らを敬虔なユダヤ教徒と考えている他の使徒たちと激しく言い争っており、聖ペトロを偽善の廉《かど》で非難したことさえあった。表向きは停戦していたにもかかわらず、それらの使徒たちはパウロを厄介者と見なしており、エルサレムに着いたパウロに次のように告げた。

「あなたが依然としてユダヤ教徒で、モーセの律法を捨てるべきであると本当に説いてはいないことを、ユダヤ教徒たちに証明しなければならない」

と。

「使徒言行録」には次のような話が記されている。彼らはパウロに、誓願を立てた者たちを清めの儀式のために神殿に連れていくように言った。彼が従うと、怒れる暴徒が彼を殺そうとした。ローマ人の兵士たちが介入したので、パウロはその場で叩き殺されることをかろうじて免れた。

パウロはその後、死ぬまでローマ人の監督下で過ごした。だが彼は、旧約聖書の偏狭な地方性を超越できる宗教の種をすでに蒔いていた。ユダヤ教は、内に矛盾を抱えていた。自らの神ヤハウェは、部族の神、イスラエルの民の神だと主張すると同時に、唯一の真の神、万人の神だとも主張していたのだ。パウロは、ヤハウェがイスラエルの民だけに顕現していた時代は終わったと宣言することで、この矛盾を解消した。イエスの死と蘇りを通して、ヤハウェはユダヤ人と異邦人の分け隔てなくメッセージを送ったので、どちらも今や古い律法からは解放されたということだった。

これが、キリスト教をイスラエルの民の纜《ともづな》から解き放ち、今日のような世界宗教になることを可能にするのに必要な、最後の一撃だった。

聖書のパウロの話は、続きを知りたくなることでは文学史上有数の並外れた結末を迎える。パウロはローマで裁きを待っており、英雄的な殉教も、感動的な告別の辞も、最終的な啓示もない。この空白を埋めるべく、豊かな聖人伝の伝統が生まれ、それによればパウロは、西暦六四年のローマ大火に続く、皇帝ネロによるキリスト教徒の迫害のさなかに首を刎ねられたという。ローマの市民権を持っていたので、磔刑の責め苦は免れたのだろう。神の国がまだ到来していなかったことに落胆していたにせよ、少なくとも、長く待たずに済むことを確信して死んだことだろう。

それは二〇〇〇年近く前のことで、信者たちは相変わらず「終わりの時」を待ち受けている。どうすれば、最後の日々がやって来たことがわかるかについて、イエス・キリストが残した手掛かり――「民族は民族に、国は国に敵対して立ち上がり、方々に飢饉や地震が起こる」（「マタイによる福音書」第二四章七節）――は、あいにく非常に曖昧だ。それどころか、それは人間の境遇の一般的な記述だという人もいるかもしれない。だから、あらゆる時代の人が、終わりは近いと信じてきた。エホバの証人やモルモン教といった宗派は、今この瞬間にその時が訪れている、しばらく前から訪れている、と主張する。

とはいえ、最後の審判と蘇りを待つことに幻滅した人もいる。その結果、多くの人が霊魂信仰に転向した。そして、霊魂信仰は、カトリックを含む多くのキリスト教の宗派の正統的な信仰の一部となった。

それでも、誰もが蘇りという大望を捨てたわけではない。だが、これらの楽観主義者は、神の行ないを求めて祈る代わりに、しだいに科学の活動に信頼を置くようになっている。かつてなら奇跡と考えられていたであろうことを、今日ではテクノロジーが達成するのが当たり前だからだ。

次章で見るように、テクノロジーによって間もなく死者を蘇らせられるようになると信じている人がいる。そして彼らは、蘇る人間に確実に仲間入りできるようにするために、大金を払っている。

ところが、文学の不朽の名作中でも屈指の作品には、私たちが死を克服するための探求で生み出しかねぬ怪物が描かれている。一〇代の若い女性によって書かれたこの物語は、私たちの時代の恐れを、他のどの物語よりもよく捉えている。

その作品とは、『フランケンシュタイン』だ。

第5章 フランケンシュタイン——現代の蘇生者

「私の小さな赤ん坊が生き返ったところを夢に見る。身体が冷えただけで、暖炉の前で擦《こす》ってやると、命に別状はなかった」。一八一五年二月に最初の子供が亡くなってから二週間後、一七歳だったメアリー・シェリーはそう書いた。そして、こう続けた。「目覚めると、赤ん坊はいなかった。一日中、あの子のことを考える。元気が出ない」

今日に比べて、一九世紀初期には子供を失うことはよくあっただろうが、メアリー・シェリーの言葉が示しているように、それは親としてひどく心を掻き乱される経験であることに変わりはなかった。彼女が死の気まぐれに翻弄されるのは、これがすでに二度目だった。最初は自身が生まれてわずか二週間のときだったが、その喪失を彼女は一生引きずり続けることになる。母親で、当時としては過激な思想の持ち主として名高いメアリ・ウルストンクラフトは、やがて自分の名声を霞ませることになる娘を産んだときに感染症にかかって亡くなった。

メアリー・シェリーは、まだほんの一〇代のうちに、死が常に待ち伏せしており、幸福を得ようとする私たちの儚い試みをいつでも台無しにできることを改めて思い知らされる羽目になったのだ。

彼女は生涯を通じて、蘇りの夢につきまとわれていた。自分の小さな赤ん坊のように、火で温めて死者を生き返らせる夢に。それは、新しい科学が実現することを約束している夢、彼女を魅了すると同時に恐怖で満たす夢だった。彼女を通して私たち全員を魅了し、恐怖で満たすことになる夢だった。

これは、衛生学と医学における躍進が人間の寿命に対する最初の革命をもたらす、わずかに前のことだ。当時の知識人たちは、何かが起ころうとしていること――科学が彼らの世界を今にも作り直そうとしていること――に気づいており、サロンでは最新の実験がしきりに話題にされた。

そうした知識人のうちには、派手な女性遍歴ですでに悪名高かったバイロン卿と、メアリーの恋人で、間もなく夫となる、若きパーシー・ビッシュ・シェリーの二人の詩人がいた。メアリーとこの二人は、一八一六年の夏を、ジュネーヴ近辺のアルプスで過ごした。イギリス社会の激しい非難からの自主亡命生活だった。パーシー・シェリーは既婚だったが、メアリーと駆け落ちし、バイロンは姦通、近親相姦、男色の誹《そし》りを逃れてのことだった。メアリーとは血縁関係はない妹のクレア（バイロンの子を身籠っていた）とバイロンの若い侍医ジョン・ポリドリが同行した。

これは、世界各地の一連の火山噴火が引き起こした、寒く雨の絶えぬ「太陽のない夏」のことだった。北半球では作物が育たず、執拗な霧が大地にまとわりついていた。

社会から追放された作家たちは、降り続ける小ぬか雨を避けて、哲学を議論し、詩を作り、陰鬱な天候にふさわしいゴシック小説を次々に読んだ。バイロンは暇つぶしに、彼ら全員が幽霊譚《たん》を書いてみてはどうかと持ち掛けた。傑出した書き手たちに囲まれた若い娘にとっては、身のすくむような課題だった。一同は毎晩、我を忘れて重要な問題の数々を議論したが、毎朝メアリーは、「何か話を思いついたか？」と訊かれるのだった。

だが、夜ごとの「数多く長い」議論の一つに、メアリーは想像力を掻き立てられた。彼女は後に、こう書いている。「さまざまな哲学の見解が議論され、なかでも際立っていたのが、生命の原理の本質と、その本質が果たして発見される可能性があるかどうかだった」。バイロンとシェリーは、「ことによると、死体を蘇生させられるかもしれない。「ガルヴァーニ電気」がすでにその徴候を示していた。生物の構成要素を製造し、組み立て、命の温かみを授けることができるかもしれない」と推測した。

バイロンとシェリーを大いに興奮させたガルヴァーニ電気は、著名なイタリア人科学者ルイージ・ガルヴァーニの研究の成果だ。彼は、切断したカエルの脚に電気刺激を与えると痙攣させられることを発見した。

一八〇三年、彼の甥のジョヴァンニ・アルディーニ教授がイングランドを回り、電気の素晴らしい力を宣伝した。広く報じられたある公開実験で、彼は絞首刑にされたばかりの殺人者の遺骸に電気を流した。ある地元紙によると、「顎が震え始め、隣接する筋肉がはなはだしく歪み、左目が現に開いた」という。体のさらに下部に電気を流すと、「右手が持ち上がり、拳を握った。そして、両の脚と腿が動きだした」。見物人たちはこの実験に仰天し、ぞっとした。その殺人者が今にも「完全に息を吹き返す」と思ったからだ。科学は、死者を蘇らせる力を実用化する寸前まで来ているように見えた。

こうした胸躍る考えの数々が、メアリーの頭の中で、自分自身の不安や、失った赤ん坊の幻影や、蘇りの空想と一つになった。彼女はその晩、ベッドに入っても眠れず、夢想——「覚醒したままの夢」——に浸った。目を閉じると、「罪深き技を研究する蒼白の人物がひざまずいている」のが見えた。「その傍らには、彼が継ぎ合わせたもの……ひどく醜い幽霊のような男が長々と横たわっており、それから、何らかの強大な力の働きで、生命の徴候を示し、ぎこちなく身じろぎした。生物とも無生物ともつかぬ動きだった」。

その科学者は、自分のしたことに恐れをなし、「唾棄すべき自分の創造物から急いで逃げ去る……彼は、放っておけば、自分が灯したかすかな命の火が消えてしまうことを願う」。だが、そうはならず、正反対のことが起こる。科学者はくたびれ果てて床に就くが、突然の物音に目を覚ます。すると、「なんと、ベッドの脇にあのおぞましいものが立ち、帳《とばり》を上げ、黄色い、潤んだ、それでいて、物思いに耽る目で彼を見詰めていた」。

メアリーはこの幻影に恐れおののき、一晩中、それに心を奪われていた。翌日、彼女は自分の「幽霊譚」の主題を見つけたことをみなに告げ、執筆を始めた。そのとき彼女は一八歳だった。短篇として構想されたその作品は、パーシー・シェリーに励まされ、一年もしないうちに、本格的な小説に発展した。その本の題は、『フランケンシュタイン、あるいは現代のプロメテウス』だった。

このメアリー・シェリーの最も有名な作品は、自然を制御するための科学的探求の深遠な論考であり、また、その探求を推し進める主人公で神の力を人間のために敢えて求める孤独な科学者に対する容赦ない批判でもある。『フランケンシュタイン』はさまざまに形を変えて語られ、現代の神話、自分自身と世界に対する私たちの理解に必須の作品となった。それは最初のＳＦの傑作であり、私たちが絶えず新たに直面する警告だ。

だが何より、『フランケンシュタイン』は死を征服する空想を探究する作品だ――私たちの誰もが、いずれかの時点で行なうように、メアリー自身も耽った空想の。彼女の主人公は、何千年にもわたって神だけのものだった力の獲得、すなわち、「死が腐敗に委ねたらしい遺骸に、再び命を宿らせる」ことを切望する。言い換えれば、死者を蘇らせることを望む。

自然の征服——死を永遠に征服するための「生命の原理」

前章で見たように、初期のキリスト教は、神が間もなく信者を生き返らせ、永遠の幸福の中で暮らせるようにしてくれると約束することで栄えた。だが、その「終わりの時」を待つ日々が延々と続き、神の善意をそこまで確信してよいのかどうかを、さらには、神は本当に存在しているのかどうかさえも、多くの人が疑うようになった。

したがって、待ちくたびれた人や疑いを抱いた人は、独自の「蘇りのシナリオ」の構築に取り掛かった。固有の楽園を保証する、終末論伝承の非宗教版だ。そのシナリオは、途方もない力を発揮して人間の進歩を促し、今日の私たちの世界観の大半を形作っている。

その主張は単純で、神に蘇らせてもらうのを待つ必要はない、それは私たち人間が自ら獲得できる力だ、というものだ。私たちは「生命の原理」を発見しさえすればよい。そうすれば、死を永遠に征服することができる。

だが、これまたすでに見たように、蘇りを理解しようとする初期の試み、すなわち、身体の構成要素が単に元どおりにまとめられるという「再組み立て説」には大きな欠陥があった。本章では、その代替として、蘇るのが分身の類ではなく、本当に本人であることを保証できるような説を詳しく調べることにする。

だがその前に、メアリー・シェリーとその同伴者たちが、科学が生と死を制御できる寸前まで来ていると信じるようになった経緯と、その信念が私たちの世界をどのように形作ってきたかを見てみよう。


メアリー・シェリーが『フランケンシュタイン』を執筆していた頃、科学は自然界の諸法則の新たな権威としての地位を確立し始めていた。前の世紀には、入念な観察と綿密な実験という科学的方法が、錬金術師たちの蒙昧《もうまい》な手法からすっかり姿を現した。秘密の会合が公の科学団体に取って代わられ、暗号化された書物は公刊される雑誌に道を譲った。だが、方法こそ変わったものの、目的は同じで、自然の支配と死の必然性の克服だった。

メアリー・シェリーは自作の物語の中で、若き科学者である主人公ヴィクター・フランケンシュタインの経歴に、こうした展開を反映させている。彼はまず、錬金術に手を出し、不老不死の霊薬を探した後、代わりに物理学と化学の力を確信するに至った。大学では、以下のようなことを学ぶ。「顕微鏡や坩堝《るつぼ》を覗く」科学者が「本当に奇跡を行なってきた」のだし、「新しい、ほぼ無限の力を獲得してきた。彼らは天の雷を支配したり」「地震を人工的に引き起こしたりできる」。

これが新たな不死のシナリオの言語であり、それは科学に神々の力を持たせる。

第4章では、以前の文明が古い型どおりの儀礼を通して自らの運命を制御しようとしたことを見たが、科学の初期の成功は、自分の運命を管理する上で儀礼よりはるかに能動的で効果的な手段を提供した。それは制御と征服のシナリオで、メアリー・シェリーはそれを捉え、「自然の奥底まで入り込み、人目につかぬ所で自然がいかに働くかを示す」ことを目指す雄々しい科学者たちの描写に反映させた。

「私たちは意志と理性の力によって自然の支配者になれる」という、その時代の新しい気風に、フランケンシュタインはすっかり染まっている。

つまるところ、私たちが死なねばならぬことを定めているのは自然であり、そのせいで私たちは関節が動かなくなり、皮膚に皺ができ、癌に襲われる。永遠に生きるためには、私たちは神のように、こうした自然の限界を超えねばならない。

したがって、これが科学の壮大な事業であり、「死のパラドックス」に対する回答だ。自然は死と疾患を人間に対して意図しているかもしれないが、私たちは自然を征服して、その計画を頓挫させることができる。

科学的方法の創始者たちは、この点に関してじつに明確だった。たとえばルネ・デカルトは、「私たちを自然の君主と所有者たらしめる」ような知識を探し求めていると公言しており、同時代人には、寿命の延長に執着していると考えられていた。また、フランシス・ベーコンは、寿命の延長は「最も崇高な目標」であると考え、それを死ぬまで追求した。彼は一六二六年に肺炎で亡くなるのだが、遺骸の保存に雪を使う実験をしているときに、その病気にかかったのだった。科学はその歴史を通して、生命を終わりなきものにし、死を可逆的にすることを目指してきた。

第3章で、科学の進歩が、死の必然性への「工学アプローチ」を原動力としていることを見た。その取り組み方は「生き残りのシナリオ」の現代版であり、死という難題を、癌の治療や幹細胞の利用や禁煙といった、解決の可能性のある一連の問題に小分けにすることを試みる。今やそれが、自然を征服するという、より広範なイデオロギーの一部、すなわち、理性によって最終的に克服できぬような自然の限界はないという信念の一部であることがわかった。この信念は、生き永らえるという希望だけにとどまらず、その代替案である蘇りまでも含んでいる。

自然を征服したいというこの衝動は、近代性のまさに本質と見なされることが多い。社会学者のジグムント・バウマンが指摘しているとおり、科学の出現と共に、死は新たに発見された私たちの力に対する侮辱、「しだいに理性によって設計され、制御されつつある世界における、最後の、しかしながら見たところ取り除くことができぬ運命の遺物」と見られるようになった。死は、自然が課す屈辱的な制約であり、私たちはなんとしてもそれから解放されなくてはならない。

若き科学者フランケンシュタインは、この最後の足枷《あしかせ》を打ち壊す気になっており、そのため、この新しいシナリオの傲慢さと野心を体現している。今日、彼の後継者は、しだいに数を増すテクノロジー愛好家であり、科学と社会の研究の第一人者であるブラッデン・R・アレンビーとダニエル・サレヴィッツに言わせれば、彼らは「不死と、人間として完璧な状態と、自然の支配と、個人に対して時間と空間が課す限界の超越の追求を、明確に目指している」。

科学で自然を屈服させ、死を征服できるという信念は、宗教伝統の対極に位置づけられることが多いが、実際には終末論的キリスト教の「蘇りのシナリオ」を厳密にたどっている。メアリーの夫のパーシー・シェリーや、父親で急進的な哲学者・著述家のウィリアム・ゴドウィンを含め、科学の進歩の予言者たちは、人間の境遇の脆弱性が超越されるであろう理想郷が間もなく到来することを約束した。

これはもちろん、イエス・キリストと聖パウロが説いたことにほかならない。彼らは、最後の審判の日と、それに続く地上の天国の到来を予言した。唯一の違いは、神による奇跡の行為が蘇りをもたらすのではなく、私たちが科学を通して自ら蘇りを達成することになる点だった。

「私」がアバター化するとき

このシナリオが掻き立てるエネルギーの多くは、寿命を延ばすことを企てる研究、すなわち、生き永らえることの追求に費やされる。だが、ヴィクター・フランケンシュタインが気づいたとおり、自然を服従させる方法を学ぶことができるような人にとっての真の目標は、単に「死を先延ばしにする」だけではなく、「蘇りの力を獲得して死者を生き返らせる」ことだ。なにしろ、第3章で見た「寿命脱出速度」に達することを期待する人もいるとはいえ、科学が自然を征服する前に、自分が自然にやられてしまう可能性が高いことに気づく人も多い。幸い、果てしない進歩のシナリオは、死後にまで及ぶ。

第4章で見たように、死者を蘇らせるには、尋常ではないことが必要とされる。あるエネルギー企業は、

「貴重なご愛顧をいただけなくなってまことに残念です。いつの時点であれ、お戻りをご希望になることがおありでしたら、ぜひお知らせください」

という転居者向けの挨拶状を、亡くなって間もない顧客に送ってしまった。この企業が図らずも示唆したほど、死者を蘇らせるのは簡単ではない。

だが、過去数十年間におけるテクノロジーの驚異的進歩のおかげで、本当にその書状のように簡単にやってのけられるようになる、戻ってきたくなったら「ぜひお知らせください」という企業が間もなく出てくる、と期待している人は多い。具体的には、私たちの最終的な限界を超越することを期待

させる、最先端の研究を促している説が三つある。人体冷凍保存と、マインドアップローディング（心のアップロード）と、またしても超知能にまつわる各説だ。

フランシス・ベーコンは、死んだ鶏に雪を詰めることにして、それが命取りとなったあの冬の晩、正しい発想に行き着いていたわけだ。死んだばかりの生き物の身体は腐敗し、異臭を放つ汚泥のようなものの山にたちまち変わってしまうが、冷凍すればそれを防げるのだから。

それを十分承知していたメアリー・シェリーは、寒い思いをしたベーコンの死から二〇〇年後、「ロジャー・ドッズワース――蘇ったイングランド人」という短篇を書いた。一六五四年にイタリアからイングランドに帰る途中、アルプスを越えている間に雪崩に遭って凍りついた挙句、ようやく一八二六年に掘り出されて蘇った男についての話だ。彼女はまたしても現代のSFを何世代も早く先取りし、氷と雪のせいでその男は「仮死状態」になっていたと説明している。

一八〇〇年代にはそのような事例の噂が流布しており、たとえばニューイングランドの民間伝承には次のようなものがあった。厳しい冬の間、食べていくのに苦労している家庭では、老人に自家製の酒を大量に飲ませ、棺に納め、雪の吹き溜まりに埋める。ようやく春が来ると、掘り出して解凍し、（伝えられるところによると）生き返らせる――また少しばかり密造酒の助けを借りるのかもしれないが。

現代のテクノロジー理想主義者たちは、この手の伝説を信じていようといまいと、身体を冷凍して腐敗を防ぐという発想には見込みがあると確信している。摂氏マイナス一七〇度以下では、生体構造を腐敗させずに何百年も、いや、それどころか何千年も保存できるだろうと、彼らは主張する。

凍結保存（極端な低温で物を保存すること）は、卵子や精子のような、人間の組織の小さなサンプルを保管するために、すでに利用されている。だからそれは、蘇りの細部を科学者が突き止める頃まで、人が確実に存続する理想の方法であってしかるべきだ。

　したがって、未来の科学的理想郷の一流予言者たちは、自分の身体を凍結する契約を結んでいる。これが「人体冷凍保存」と呼ばれる手法で、すでに世界中の非常に多くの場所で、液体窒素に静かに浸けられたテクノロジー楽観主義者の遺骸が、金属タンクの中に納まっている。

　当然ながら、人体冷凍保存そのものは、蘇りの方法ではなく、蘇りが可能になるはずの日まで、遺骸を保存しておく手段にすぎない。ミイラ化の現代版と言ってもよいが、医師や科学者は、これらの現代版のミイラを生き返らせるはずの、さまざまな呪文の現代版は、まだ編み出してはいない。何であれその人の命を奪ったものがそもそも及ぼした危害に加えて、凍結させるときに細胞に与えられる多大な損傷を考えると、それは大変な課題だ。

　したがって、懐疑的な人は、人体冷凍保存を、単なる埋葬の風変わりな形態と見ている。だが、それにもかかわらず、この方法は世間の人々の心を捉え、無数のＳＦ物語で取り上げられ、私たちの未来への展望を形作ってきた。

　もっとも、現時点では人体冷凍保存は高くつく。永久に遺骸の面倒を見てもらうには、およそ一五万ドルかかる。蘇りを熱望する人の中には、これでは高過ぎると感じ、また、冷たい冷凍保存タンクにいよいよ入る頃には、老いぼれてガタの来た自分の体にどのみち幻滅しているだろうと考える人もいる。

　したがって、全身を保存しておく価値はないかもしれない。なにしろ、肝心なのは脳だけだと信じている人は大勢いる。人間の心、すなわち記憶や計画や希望などを支えているのが脳だからだ。というわけで、彼らは、全身ではなく、死んで切断された頭部だけを冷凍装置に入れてもらうように契約することを選ぶ。わずか八万ドルの費用で。これらのテクノロジー楽観主義者は、人間を解凍して修復できるほどテクノロジーが進歩した頃には、新しい体を培養したり製造したりすることも、必ず可能になっているはずだと結論する。

だが、肝心なのは人間の脳だけだという信念に基づいて、なおさら極端な結論を導いた未来学者たちもいる。心は本質的に、脳内にコード化された情報——記憶、欲望、夢など——の集合だと見ている人は多い。肝心なのはこの情報であり、それがどこにどうコード化されているかではない、と彼らは主張する。脳が有用なのは、ソフトウェアがコンピューターで作動するように、心が脳で作動するからだが、もしソフトウェアを作動させる何か別の方法を見つけたら、ぐにゃぐにゃしたこの灰白質《かいはくしつ》の塊は、なくても済ませられるだろう。

本人の死後数時間放置され、それから不凍剤をたっぷり注入され、過冷却され、いつの日か解凍されたら、どれほど脳が傷むかを踏まえ、頭部は含めないのが最善だと信じているテクノロジー楽観主義者もいる。蘇りへの道筋は、脳をスキャンし、心理的なデータをすべて記録し、新しい脳を作ってそれにそのデータを読み込ませることだと、彼らは主張する。ソフトウェア自体は同じで、真新しいコンピューターで作動させるようなものだ。

脳の心理的情報をすべてスキャンして記録する過程を、「マインドアップローディング（心のアップロード）」という。その提唱者たちでさえ、それが今は不可能であることを認めている。人間の脳のデータ記憶容量は、既存の最も高性能のコンピューターの記憶容量さえはるかに凌ぎ、ニューロンごとに脳をマッピングできるほど正確なスキャナーは、まだ存在しないからだ。そのため、マインドアップローディングが不死への道筋だと考えている人も、依然として自分の頭部を冷凍する契約を結ばざるをえない。現時点では、人間の心をコード化できる構造は、人間の脳しかないのだ。

だが、多くの理想主義者は、やがて状況は変わることを自信満々で予期している。一流の未来学者の一人、イアン・ピアソンは、「現実的に言って、二〇五〇年までには人間の心を機械にダウンロードできることが見込まれる。だから、死んでも、それは人の経歴における大問題とはならない」と予想している。

人間の脳に入っている情報をすべてデジタル化することが現に可能になったなら、そのときには本当に、不死へのSFのような道筋がいくつもある完全に新しい世界が拓かれるだろう。人間の心をアバターに持たせることができる。それは、人の記憶や意見や癖などをすべて持った、仮想世界に生きる仮想人間となる。

あるいは、もし人間の心をソフトウェアに変えられるなら、ロボットにインストールすることができるだろう。そのロボットに、元の人間と瓜二つの外見を持たせることさえ可能かもしれない。はたまた、不死を目指す多くの人が夢見ているように、そのソフトウェアは新しい生体――だが、老化とも疾患とも無縁の超人的身体――の中の新しい脳にダウンロードできるかもしれない。

哲学者はこれを「コンピューターによる蘇り（computational resurrection）」と呼ぶ。死んだ人間が再び生きられるように、その人の心というソフトウェアを新しいハードウェアで再度作動させることだ。アバターであれ、ロボットであれ、人間であれ、その結果誕生する存在は、心理的には元の人間と同一で、小学校での最初の日を覚えていたり、お気に入りのサッカーチームを応援したり、その人の配偶者と結婚していたと考えたりするだろう。したがって、テクノロジー理想主義者によれば、それは本人となるという。何年も死んだまま冷凍保存タンクに横たわっていた後、新しい、改善された形態で再び生きることになるのだ。

マインドアップローディングには、単に現代の不老不死の霊薬を見つけるよりも重要な利点がいくつかある。

すでに見たように、現代の不老不死の霊薬を服用しても、悲劇的な事故に遭えば、依然として命を落としうる。たとえば、乗っている飛行機が墜落したり、核爆発の爆心地にいたりすれば、助からない。だが、マインドアップローディングを行なえば、毎日自宅のコンピューターで自分自身のバックアップを取ることができる。そのコンピューターは、不死の中央工場につながっている。だから、乗っていた飛行機が墜落しても、ものの数分もしないうちに、最新のスキャンデータに基づいて製造された新しい人間がその工場のベルトコンベヤーに載って出てくる。

これがあまりに荒唐無稽に聞こえたなら、原始的な形態の人格アップローディングを提供し、そのような人格にアバターで命を与えようとさえしている企業がすでに存在することは、考慮に値する。現時点では、これらのアバターが使う情報の量と質は、人間の脳に保存されている情報の量と質には著しく劣るので、アバターが元の人間と本当に同じ心を持っている、とまで言える人はほとんどいないだろう。この隔たりを埋めることを目指して、多くの分野で研究が進められている。そして、処理能力は依然として上がり続けており、マイクロソフトのような大手企業がすでに乗り出してきているので、私たちが（比較的）すぐに、人間のもののような心理的特質を持ったデジタルベースのものを生み出すだろうという考え方を退けるのは、軽率かもしれない。

多様な蘇りの選択肢を伴う「デジタル不死」の考え方は、自然を屈服させるというイデオロギーの中にぴたりと収まる。デジタル世界は私たちの手になるものであり、したがって、私たちは必然的にその支配者となり、限界を定め、何が可能かを決める。そのような世界では、蘇りはありきたりの概念だ。

テレビゲームの中では、人は常にいくつも命を持っており、いつも好きなときに最初からやり直せる（こんな古いジョークがある。「私の心臓が打つのをやめた。自分が光の輪に向かってトンネルの中を飛んでいくような感じがしていたときに、声が聞こえた。『続けたければ、コインを入れてください。一〇……九……八……』」）。適切なプログラミングさえ行なえば、超えられぬ限界はない。

これらのテクノロジーの最先端で研究の原動力となっているのは、これが当てはまるのはパックマンやアバターのような、私たちの電子的な分身だけである必要はない、私たち自身にもそれを当てはめることができる、という信念だ。

とはいえ、デジタル時代は「蘇りのシナリオ」のなおさら極端な再解釈も約束する。超知能、すなわち、コンピューターやロボットやサイボーグなど、私たちの知的能力を大幅に凌ぐ知的能力を持つものについては、すでに取り上げた。いったんこのようなものを一つでも作り出せれば――多くの人が最終的にそれは必ず実現すると考えている――テクノロジー上のさらなる革新は、その超知能が私たちに代わって担ってくれるだろう。それは私たちよりもはるかに賢いので、さらなる発展の速度は指数関数的に増す。程なく、それ、それ、あるいはそれが作ったなおさら驚異的な超知能は、全知全能となるだろう。事実上、それは神に等しい。

未来学者は、そのような超知能（「デジ・ゴッド」と呼ぶことにしよう）は慈悲深くもあるだろう、と楽観的に推測する。つまり、デジ・ゴッドの原始的なデジタル祖先を創り出した人間たちに、好感を抱いているということだ。その場合、デジ・ゴッドはこれまでに生を受けた人間全員を、できるかぎり幸福にしたいと願うはずだ。

デジ・ゴッドは全知なので、これまでに生を受けた人間のそれぞれと同一の心理的特質を持つ存在を創出するのに必要な情報も持っているし、全能なので、実際に創出する能力も持っている。したがって、これらの楽観主義者によれば、デジ・ゴッドは私たち全員を蘇らせ、そして、私たち全員がいつまでも幸せに暮らすことができる素晴らしい楽園も作るだろうという。

これはテクノロジー理想主義の最も極端な形態で、それがユダヤ教とキリスト教の伝統に負うところが大きいことは明白だ。科学と神話と推測の断片から不死のシナリオを紡ぎ出す人間の創意を、見事に実証している。

この展望を最も明快に表現したのが、理論物理学者フランク・ティプラーの著書だ。ティプラーは、物理の法則に従えば、デジ・ゴッドのようなものの出現は必然であり、しかも、自分は宇宙の最終段階の特徴を活用して、宇宙の居住者たちに、永遠に生きているという認識を生み出せるとさえ主張している（彼はその認識が生まれる時点を「オメガポイント」と呼んでいる）。

言い換えれば、もし、伝統的な宗教の神を信じていなくても、心配無用ということだ。どのみち科学者たちが神に相当するものを作り、ちょうどイエス・キリストが約束したとおりに、それがこの世の終わりに私たちを蘇らせ、永遠の存在にしてくれるのだから。

自然の逆襲――進歩の時代を生きる向こう見ずで自己執着の強い人間による破滅

だが、科学的不死の見通しについての推測としては、ティプラーの展望はメアリー・シェリーの展望よりも説得力があるかどうか疑ってもよい。

先程ヴィクター・フランケンシュタインの話をしたときには、彼は当時の科学に駆り立てられて、「未知の力を詳しく調べ、創造にまつわる最も深遠な謎を世に明らかにする」ことを目指していた。彼はそれらの謎の調査に専念し、「天地創造以来、最も賢い人々の研究対象であり目標だったものが、今や[自分の]手の届く所にある」ことに、ついに気づく。

フランケンシュタインは、屋根裏の研究室で夜を日に継いで働き、そこを離れるのは、「納骨堂や死体安置所」から人間の身体の一部――作業を簡単にするため、なるべく大きいもの――を取ってくるときだけだった。

静かな恐怖に満ちた一節には、次のように書かれている。とうとう、「一一月の陰鬱なある晩」、彼は「[自分の]足元に横たわる命のない身体に、命の火花を吹き込む」ことに成功した。アルディーニの「ガルヴァーニ電気」実験の報告に匹敵するような言葉遣いで、フランケンシュタインは語る。「燃え尽きかけた蝋燭のかすかな光に照らされ、その生き物の物憂げな黄色い目が片方、開くのが見えた。それから、それは荒い息をし、手足に痙攣が走った」。

夢の中でとまさに同じように、メアリー・シェリーはその科学者の主人公に、自分がなしたことに対する「息もつけぬ恐怖と嫌悪」に圧倒されて部屋から逃げ出させた。彼は生命の火花が自分の創造物から消え去ることを期待しながら、精根尽き果ててベッドに倒れ込んだが、「悪魔のような死体」は両腕を伸ばして彼を追う。フランケンシュタインは、忌まわしく邪悪な怪物を生み出してしまったと思い、夜の街へと逃げ出す。

それ以後、事態はひどく悪いほうへと向かう。

見捨てられた哀れな怪物は、自分の創造者を捜し求めるうちに、フランケンシュタインの五歳になる弟を友にしようとしたが、その子が悲鳴を上げたため、誤って殺してしまう。

それから間もなく、怪物とその創造者は、アルプスの山中で対決する。怪物は、伴侶――彼とまさに同じほど忌まわしく、いくばくかの愛情と同情を注いでくれる女性――を創ってくれさえしたら、世を捨て、フランケンシュタインにはもう手出しをしないと持ち掛ける。罪悪感と哀れみと嫌悪感に引き裂かれたフランケンシュタインは、同意して、生命を生み出すという、自分にとって「この上なくおぞましい仕事」に再び取り掛かる。

だが、作業が進むうちに、彼の心に疑念が浮かんでくる。女性の怪物は、なおさら邪悪かもしれない。二人の怪物は子を儲け、「悪魔の一族が地上に拡がり」かねない。このような考えへの嫌悪感に打ち負かされ、「激情に震えながら」、彼は完成しかけていた女性の身体を引き裂く。またしても裏切られたと感じた怪物は、復讐を誓い、それを果たす。フランケンシュタインは、ジュネーヴに戻って、自分の人生を再開しようとし、幼馴染みの恋人と結婚する。だが、結婚した晩、宿の中を見回っていると、寝室から悲鳴が聞こえる。駆けつけたときには、花嫁は「息絶え、身動きしない」――殺害されたのだ。フランケンシュタインは、生命を創り出す力は獲得したものの、彼が見捨てた怪物は、依然として命を奪い去る力を持っていた。

ヴィクター・フランケンシュタインは、なんとしても怪物を亡き者にすると誓い、この、自らの創造物、自らの宿敵の追跡を開始する。怪物は自分の創造者を嘲りながら、その追撃をかわしつつ、先へ先へと導いていく。後を追ううちに、フランケンシュタインはヨーロッパを横切り、ロシアに入って北に向かい、北極圏に行き着く。とうとう、疲れ果て、浮氷に乗って漂っていたところを、探検家の船に拾われる。その探検家に仲間意識を覚えたフランケンシュタインは、自分の身の上を語る。だが、船がまさにイングランドに戻ろうとしたとき、フランケンシュタインは、力尽き、熱に浮かされ、事切れる。

その晩、探検家が船室に入っていくと、怪物が創造者の遺骸の脇に立って見下ろしながら、勝利と嘆きの板挟みになって、その死を悼んでいた。怪物は自ら命を絶つことを誓い、船から飛び降りると、闇の中へと姿を消す。

これがすなわち、メアリー・シェリーによる近代人の描写、自然を征服できると信じている、進歩の時代の、向こう見ずで、自己に執着し、自らにも、周りの人間全員にも破滅をもたらしがちな人間の描写だ。

傲慢な若き科学者ヴィクター・フランケンシュタインは、大胆にも自然の力を強奪しようとして、自らの創造の行為に囚われ、自分の創造物と運命を共にする羽目になる。死を征服するという彼の夢は、怪物という形で文字どおり独自の命を帯び、彼はその怪物を制御できなくなり、結局、その怪物に破滅させられる。

メアリー・シェリーは、この批判的作品を書くには絶好の立場にあった。父親と夫は、まさにそのような「進歩の時代の人間」であり、自己本位で、自らの信条の追求のためには進んで他者の利益を犠牲にする彼らの性向に、彼女は苦しんだ。「私たちが神のようになれる、生と死を支配できるというのは幻想であり、私たちは自然の一部であって主人ではない。もし自然を冒瀆すれば、自然に滅ぼされる」というのが彼女のメッセージだ。それは、科学的な冒険という男性優位の世界についての、見識ある若い女性の見方だ。

フランケンシュタイン同様、名もない怪物もまた、自分の創造者との関係に囚われている。それがあまりにはなはだしいため、大衆文化では、彼は誤って「フランケンシュタイン」と呼ばれることが多い。彼は不自然な生まれのせいで、親も、役割も、アイデンティティも持たない。彼は、ある種の意味や同情が見つかることを願って、自分の創造者をしつこく追い回すことを余儀なくされる。繰り返し拒絶されると、彼の目標は、自分の創造者の抹殺となる。それを達成したとき、彼にはもはやなすべきことがなくなり、彼はフランケンシュタインの遺骸を見下ろしながら叫ぶ。

「私の存在という悲惨な物語も、これで一巻の終わりだ！」

印象に残るのは、映画で伝説化した愚かな怪物ではなく、自己を探し求める理性ある生き物だ。作品を通しての彼の旅全体は、彼が言葉を発することを学ぶやいなや投げた疑問に立ち向かうことに費やされる。

「私は誰なのか？　何者なのか？　どこから来たのか？　どこに向かっているのか？　これらの疑問が絶えず湧いてきたが、それを解き明かすことはできなかった」

「私」とは、そもそもいったい何者か？――「重複問題」再び

怪物の疑問は深遠で興味をそそる。彼は死体安置所から持ってきた、腐りかけたものを継ぎ合わせて作られた。かつては人間のものだったけれど、今や死んでしまった人の身体の部分を寄せ集めて生み出された。

彼の身体にかつて宿っていた他者たちと彼との関係は、どのようなものだったのか？ 彼はどういうわけか、再生したそれらの人全員だったのか、そのうちの一人だったのか、誰か新しい人間だったのか？

これこそ、蘇りの見通しの上に漂う根本的な疑問であり、亡くなった人と蘇った人のアイデンティティにまつわる疑問だ。「蘇りのシナリオ」に少しでも妥当性があるかどうかを評価するにあたり、どうしても答えねばならぬ疑問だ。

第4章で見たように、人は、神の行為によるものであれ、科学によるものであれ、蘇りを期待して死んだなら、蘇るのは本当に自分であることを期待している。だが、キリスト教の伝統的な蘇りの形態、すなわち、神が原子を一つずつ集めて人を組み立て直すという「再組み立て説」を検討したとき、これは見た目ほど単純ではないことがわかった。

この説には大きな問題が三つあった。その人の身体の構成要素が別の人のものでもあったらどうなるのかという「食人問題」と、完全に元どおりに作り直されながら、同時にどうやって老化や疾患に無縁で不死にもなれるのかという「変容問題」と、神が同じ人の子供と大人の両方を再生したらどう

なるのかという「重複問題」だ。

これらの問題の一因は、死の床にある人を構成していたのとまったく同じ原子を集めなくてはならぬ点にある。だが私たちはどのみち、他の炭素原子や酸素原子ではなく特定の炭素原子や酸素原子を使ったところで、何の違いがあるのかと問うことができる。

蘇った身体の中の特定の酸素原子が、元の身体の中の酸素原子と同じかどうかがどうして重要なのかは、理解し難い。酸素原子はどれも酸素原子なのだから。原子は、かつてある特定の人間の一部を成していたからといって、特別な番号札がついたり、不思議な属性が備わったりはしない。したがって、蘇りを信じる人は、特定の粒子を使うという厄介な考え方を捨てるべきだと結論してもよいかもしれない。肝心なのは個々の原子ではなく、それらがどう組み立てられているかなのだ。

この見方は、人体冷凍保存希望者ら、前述の人々の展望に非常にふさわしい。

すでに見たように、自分が未来まで生き延びるのに必須なのは、自分の心あるいは心理が存続することだ、人の心理は一揃いのデータ、人の信念や記憶などについての情報と見なせる、と信じている人は大勢いる。自分の心をアップロードしたりダウンロードしたりすることを夢見ている不死希望者は、自分の新しい身体が元の身体と同じ原子を持っているかどうかなど気にしない。それどころか、彼らは炭素系の肉や骨よりもはるかに信頼できる物質でできた、まばゆいばかりの新しい身体を夢見ている場合が多いことも、すでに見た。大切なのは、新たに作り出された脳で、適切な心理的「ソフトウェア」が作動していることだけだと、彼らは考える。

したがって、蘇りに期待をかける現代人は、適切な設計図があれば、本人の元の身体が何かの恐ろしい大惨事で完全に破壊されたとしてさえ、人間を新たに作り出すことは可能だと信じている。これを、蘇りの「複製説」と呼ぼう。

これは、心を複製すれば、人を蘇らせることができ、使う物質は関係ないというものだ。だから、元の人間がライオンに食べられ、そのライオンが今度は食人者に食べられ、その食人者がその後、核爆発で粉砕されて原子になってもかまいはしない。真新しい原子、または聖パウロの不滅の物質、あるいはシリコン、その他何からでも、依然として新しい人間を蘇らせることができる。肝心なのは、その物質を適切な形で組み立て、元の人間の記憶や癖や意見を持った人間を作り出すことだけだ。

もしこの見方が、人が死を生き延びられる方法を本当に示しているのなら、楽観主義者たちに加わり、人体冷凍保存保険に入って当然だろう。死んだ人がいつの日か再び生きる上での唯一の障害は、人をスキャンしてその複製を生産する不死工場を設立するという技術上のものであり、トランスヒューマニストなら、単なる工学的問題だと言うかもしれない。

一種の設計図に単純に従うだけで蘇ることができるかどうかは、現代哲学における注目の話題であり、それは、その答えが、いったい私たちは本当は何者なのかについて、多くを語るからだ。肯定、否定のどちらの側にも、真剣な思想家たちがついている。

だが、複製が生き残りを保証できると信じている人でさえ、不快で悩ましい結果をいくつか受け容れざるをえなくなることは、認めている。ここではそのうちの一つにだけ的を絞ることにする。その結果が際立っているからだ。それは「重複問題」であり、「再組み立て説」を検討したときに出てきたものだ。

すでに見たように、「再組み立て説」では、神は、五歳のときのあなたも、八〇歳のときのあなたも、理論上は作り出すことができる。どちらも異なる粒子から作れるからだ。これは問題だが、少なくとも「再組み立て説」では、新しいあなたを作るために、古いあなたのものとはまったく別の粒子が一揃い必要とされるので、この問題は限られている。神には、八〇歳のあなたを二人作り出すことはできないだろう。なぜなら、八〇歳のあなたを構成していた粒子は、一揃いしかないからだ。

ところが、「複製説」では、この問題ははるかに深刻になる。この説では、個々の粒子は問題にならない。肝心なのは設計図だ。だから、未来の不死工場は、あなたの脳の最新のスキャン結果を保存してあるので、理論の上では、あなたの複製をいくつでも製造できる。あなたは今、自分が本物のあなただと信じているのとちょうど同じで、そのどれもが、本物のあなただと信じているだろう。

これは大問題だ。ハイテクを使った蘇りの候補者フランクについて考えてみよう。フランクは大西洋を横断しているときに、悲劇的な空中爆発で亡くなる。幸い、自動送信器がただちに地上の不死工場に通報し、工場は、彼の最新の脳スキャンに基づいて、真新しい後継者を一人製造する。フランク2だ。

フランク2はフランクとまったく同じように考え、歩き、話す。ただし、最後に飛行機に乗ったときのことについては記憶がないが、それも悪いことではなかろう。フランク2は、自分の以前のバージョンが飛行機に搭乗中に亡くなったことを告げられ、次のように思う。

「空港に行く直前に脳スキャンをしておいて、なんと運が良かったことか。だが、ひょっとしたら、しばらくは地上にとどまったほうがよいかもしれない。複製してもらうと、無事故割引が台無しになるから。さて、妻のもとに戻って、安心させてやらないと」

家族や友人は、飛行機事故があったにもかかわらず、フランクが戻ってきたこと、彼が現に蘇ったことを、すぐに受け容れる。

だが、工場で手違いがあったとしよう。新しいフランクを作るという指示が、多数ある組み立て機械のうち二つに送られ、その結果、工場は二つのバージョン、フランク2aとフランク2bを製造する。これを「重複ケース」と呼ぶことができる。

さて、この場合、どちらがフランクなのか？

二人ともフランクだと、つい言いたくなる。だが、それが正しいはずがない。まず、それは論理学の根本的な規則（同一性の推移性」と呼ばれる）に違反する。

この規則によれば、もしフランク2aがフランクと同一人物で、フランク2bもフランクと同一人物なら、フランク2aはフランク2bと同一人物にならざるをえない。それにもかかわらず、これが当てはまらない。二人の新しいフランクは、じつは二人の別個の人間で、それぞれが自分の道を進むことが完全に可能だからだ。

そして、元のフランクの視点から眺めると、彼がその二人の両方であることはありえない。飛行機のエンジンの一つが火を噴き、自分が間もなく死ぬことをフランクが見て取ったとしよう。彼は最近スキャンしたことを思い出し、大西洋のはるか上空で死んでも心配する必要がないと考える。彼の心は、新しい脳と身体にあっさり移し替えられるだろうから。一晩寝た後、目覚めることが見込めるのとちょうど同じように、自分が新しい身体の中で目覚めることが見込めると信じて、彼は安心する。なにしろ、私たちが生き続けると誰かに言われたとき、それこそたいてい予期することだからだ。

ところが、工場が二人の新しいフランクを製造してしまった。そこで、こんな筋書きが想像できる。

フランク２ｂは、工場から出てくるとすぐ、道の向こう側に自分とそっくりの人がいるのを目にしてぎょっとする。彼が見守るなか、その人は、近づいてくる自動車の前にうっかり踏み出して、重傷を負う。もしフランクがフランク２ａとフランク２ｂの両方であるというのが正しかったなら、彼が、フランク２ｂに起こったように自動車にはねられるところと、フランク２ａに起こったように、道の反対側からその事故を目撃するところの両方を経験するだろうことをこれは意味する。だが、これらの経験を両方とも持っている人などいない。それどころか、これら二つの経験は相容れない。人が、自動車にはねられると同時に、はねられないでいることなどありうるはずがない。

　だからフランクは、後継者の両方にはなりえない。

　それならば、どちらか一方にすぎないのか？　だが、どうしてそんなことがありうるだろうか？　フランクとフランク２ａとの関係は、フランクとフランク２ｂとの関係とまったく同じだ。新しいフランクのどちらにも、元のフランクである資格が同じだけあり、フランクは彼らの一方であってもう一方ではないかもしれないと考える理由はない。不死希望者は、どちらであれ先に製造されたほうがフランクだと主張してみることはできるかもしれないが、工場が両者を同時に製造することは容易に想像できるから、この主張も成り立たない。

　とはいえ、もしフランクが二人の両方でも一方でもないのなら、どちらでもないことにならざるをえない。言い換えれば、彼は本当に生き延びることはできなかったわけだ。不死工場は、実際にはフランクを蘇らせず、単に彼の複製を二つ製造したにすぎぬように思えてならない。

　焼けて灰になったフィンセント・ファン・ゴッホの絵の新しいバージョンを二枚、誰かが作ったようなもので、そのバージョンがどれほど元の絵に忠実だとしても、私たちはゴッホの作品が蘇ったと考えたりはしない。

そして、もし誰かが、新しい絵は二枚とも本当に元の絵だと主張したなら、私たちはその人を詐欺師だと思うだろう。

「複製説」が抱えるこの問題をなおさら明白にするために、わずかに異なる手違いを想像してみよう。フランクが今にも亡くなろうとしているという知らせが不死工場に送られたものの、その後、飛行機が突然、飛行能力を恢復し、フランクは結局、死を免れた。ところが工場ではフランク2の製造がすでに始まっており、フランクの最新の脳スキャンに基づいた後継者が予定どおり誕生する。

さて、フランクは亡くならずに飛行を終え、遠方の工場で自分の複製が製造されていること気づきもしない。そして、その複製の影響を直接受けてもいなかった。フランクは、自分が複製されたことに気づいていなかったが、旅を終えて帰宅すると、フランク2が妻とベッドの中にいた。もともとのフランクが依然として存在しているというこの場合には、工場が彼のコピーを製造したにすぎぬことは明らかだ。だから、これを「コピー・ケース」と呼ぶことにしよう。

このコピーと元のフランクとの関係は、一卵性双生児どうしの関係のようなものだろう。二人は非常によく似ているが、文字どおり同じ単一の人間ではない。もしフランクが死を目前にしていたら、自分の複製がペルーで幸せに暮らしているのを知れば、いくらか慰めになるかもしれない。フランクはそのフランク2に電話することさえできる。フランク2が、自分に代わって一生の仕事を継続したり、我が子の面倒を見たりしてくれることを確認して安心するために。

だがフランクは、亡くなったときに文字どおりフランク2になるわけではない。彼は、文字どおり自分のまま生き続けたりはしない。一卵性双生児の一方が、文字どおりもう一方として生き続けることがないのと同じだ。

こうした場合のすべてで、元のフランクと新しいフランクとの関係は、寸分も違わない。新しいフランクは、元のフランクの心をかたどって、新たに作られた。だが、「重複ケース」と「コピー・ケース」からは、この心理的類似性の関係だけではフランクを複製と文字どおり同一の人間にするには不十分であることがわかる。

そして、もしこれら二つのケースで、この関係が文字どおりの同一性を保証するのに十分ではないのなら、フランクが亡くなり、単一の真新しいバージョンが工場からできてくるという、元の単純なケースでも、それが文字どおりの同一性を保証するだろうと考える理由はなくなる。不死工場はコピーを製造しているだけで、それは、ゴッホの絵の複製を製造するのと何ら変わりはない。

これは、人は自分の心をハードドライブにアップロードし、アバターか新しい身体にダウンロードしても、結局、死は免れられぬことを意味する。「デジタル不死」と「コンピューターによる蘇り」と「不死工場が抱える問題」は、単にテクノロジー上のものではなく、概念上のものでもあるのだ。

この三つはどれも、人間の模造品を製造するハイテクの方法にしかならないだろう。あなたが死の床で目を閉じるときには、シリコンの形態でその目を再び開けることは期待できそうにない。この世の終わりにデジ・ゴッドがあなたの完璧なコピーを作ったとしても、それはあくまでコピー、すなわち、たまたまあなたと同じ記憶と信念を持った、まったく新しい人間にすぎないだろう。

これは、テクノロジー理想主義者やＳＦファンには凶報だ。この種の複製はＳＦではごくありふれており、たとえば古典的名作シリーズの「スター・トレック」では、それが主要な移動手段になっている。それは「転送」と呼ばれ、カーク船長と部下たちが「エネルギーに変換され」、それから目的地で「再物質化」される。実在の理論物理学者で未来学者のミチオ・カク教授は、一世紀のうちにそのようなテクノロジーは本当に実現可能だろうと予測している。

だが、一つ障害がある。「誰かをエネルギーに変換する」には、少なくとも、当人を個々の原子に分解する必要があるから、どう見ても当人の命を奪うことになる。

その原子が再び元どおりに組み立てられ、目的地で当人が本当に蘇るのなら、それも許されるかもしれない。だが、すでに見たとおり、そのようにして蘇った人間は、じつは複製にすぎない。一卵性双生児のもう一方のように、コピーであって、文字どおり同じ人間が生き返ったわけではないのだ。カーク船長は哀れにも、とうの昔に亡くなり、それ以後、彼の無数の複製も同じ運命をたどってきたというのが、悲劇的な真相だ。

何であれ蘇りの「複製説」の類を受け容れる上で、「重複問題」は克服不可能な障害だと考える哲学者は多い。

だが、もし克服不可能なら、蘇りの妥当な説明は存在しないことになる。これには深遠な理由があり、それは「重複問題」の真の教訓にもなっている。「蘇りのシナリオ」のどのような形態も、私たちが本当に死んで朽ち果てることを受け容れるところから始まる。だが、この種のまったくの消滅から誰かがどうやって戻ってこられるかを理解するのは、はなはだ難しい。

不死への第一の道筋である「生き残り」は、この問題にぶつかることはない。そして、これから詳しく調べる第三のシナリオの形態は、私たちの身体は死んで腐るものの、霊魂は生き続けるので、私たちは本当はまったく死なないと主張する。

「蘇りのシナリオ」だけが、死を耐え忍ぶことを前提としている。そして、これが問題なのだ。ほとんどの哲学者は、人が死んで腐ったり、絵が焼けたりするように、もし何かが完全に存在しなくなったなら、どのような新バージョンが作られ、それが元のものにどれほど似ていても、コピー以外の何物でもないと信じている。

私たちが全員蘇ると現に信じている、多くのキリスト教徒の哲学者でさえ、この問題は認めている。したがって彼らは、私たちが死んで腐るという、一見すると当然のような事実を否定する、想像力に富んだ説を考案しようとしてきた。

たとえば、評判の高いある哲学者は、蘇りがうまくいくために、じつは神は私たちが死ぬ直前に、本物の身体を盗み、最後の審判の日に再び目覚めさせられるように仮死状態でどこかに保存しているに違いないと主張した。腐るところや火葬されるところを私たちが目にするのは、本物の身体の代わりに神が残しておく偽物なのだそうだ。

残念ながら件《くだん》の哲学者は、死にかけている人が天の（あるいは、他のどこに存在するものであれ）保管所に運び去られるところを目撃した人がこれまで一人としていない理由も、神が一大詐欺師になりたがる理由も説明していない。言うまでもないが、この見方は広く受け容れられてはいない。もしこれが今のところ蘇りについての最善の説明だとしたら、厖大な数の人が霊魂に望みを託したのも不思議はない。

蘇った人のアイデンティティというこの問題は、「蘇りのシナリオ」の悲惨な面にも遠まわしに反映されている。

多くの映画作品や小説が、かつては優しかった隣人が、元の冗談好きな人間ではなく、よろよろ歩く、血に飢えた怪物として蘇ったときに起こる物語を紡ぎ出してきた。心も霊魂も持たず、蛆にたかられたそのような蘇生者とは、もちろんゾンビだ。彼らこそ、フランケンシュタインが真に生み出した怪物で、生と死を支配するという私たちの主張に対する、反体制文化的な嘲りだ。私たちは死を征服する力も知恵も思慮分別も欠いており、死んで埋められたものは、そのままにしておくほうがよいというのが、あの世からの彼らのメッセージなのだ。

生と死、そして再生という自然の周期に則って生きること

蘇るという夢は、人間の想像力を捉えて離さない。歴史を通じて、多くの不死のシナリオが、死は一時的なものであってしかるべきで、私たちはもう一度生きることを目指せると約束してきた。この蘇りの夢、不死のシナリオの第二の根本的形態は、新たな信仰を生み出し、私たちの現在のテクノロジー革命を推進するのを助けている。それが持つ直感的な魅力は、人間が長らく観察してきた、生と死と再生という自然の周期を、このシナリオが反映している点にある。これが、今日の世界のじつに多くを形作っているアブラハムの宗教をはじめ、無数の宗教と儀礼の基盤を与えてきた。

だが、「死のパラドックス」を克服するために蘇りが提供する独特の方策は、その弱点でもある。

「蘇りのシナリオ」は、私たちが本当に死ぬことを受け容れつつも、それが永遠に続く必要があるということだけを否定するため、概念の泥沼に頭から突っ込んでしまう。蘇りの世界が幸福な再会の楽園ではなく、分身とゾンビの国に近いものになるだろうというのが、『フランケンシュタイン』と哲学の両方の教訓だ。

こうした問題の、何らかの形の認識は、蘇りが起こるという信念そのものと同じぐらい古くからある。第4章で見たように、初期のキリスト教徒は教養のあるギリシア人たちに、身体的に蘇ることを納得させるのに大変な苦労をした。私たちも古代ギリシア人の例に倣ったらよかろう。新しい、改良されたシリコンの身体に人の心を移し替えられる日が近いと約束する、デジタル不死の話を持ち掛けられたら、ギリシア人と同じように疑ってかかるべきだ。

身体の儚さに気づいており、身体が死んでから蘇る能力に懐疑的な人の多くは、したがって、永遠の生の別の達成手段として、霊魂を頼みとしてきた。地球上の人の大半は、自分には霊魂があると考えており、そのほとんどが、霊魂が自分を死後の生へと導いてくれると思っている。そして、多くの人が、多数の古代ギリシア人が熱烈に提唱した見方を採用している。

それは、霊魂の生は肉体の不道徳で煩雑な生よりもはるかに高潔だという見方であり、それをメアリー・シェリーは、永遠の生についてのさらに別の考察の文章、「死を免れぬ不死の存在」で明確に表現している。

自由を渇望する霊魂にとっては、あまりに執拗な檻《おり》であるこの身体を、私は空気と水という破壊的な自然の力に委ね……そして、私の身体を構成している原子を四散させ、消滅させることで、生を解放する。内に閉じ込められ、この薄暗い地球から、その不死の本質によりふさわしい領域へと舞い上がるのを、これほど残酷に妨げられていた生を。

次の二つの章では、霊魂という概念がどのように文明を形作ってきたか、そして、霊魂が不死の本質を本当に提供してくれるかどうかを示すことにする。まず、天国で始め、煉獄《れんごく》と地獄を経て、再び最も現代的な研究室へと進む。そして、この旅の最初の部分では、道案内は、死後の生に精通したダンテ・アリギエーリに務めてもらおう。

第 3 部

Soul

「霊魂」シナリオ

第6章 ベアトリーチェの微笑み

——天国・楽園をめぐる問題点

若いイタリアの詩人なら誰しもそうであるように、ダンテ・アリギエーリも恋に夢中になっていた。熱愛の対象はほんの数回、目にしていたにすぎないが、むしろそれによって恋情を掻き立てられるばかりだった。

初めて出会ったとき、二人は共に子供だった。「彼女は、落ち着いた深紅色の、この上なく気高い彩の服をまとい、あどけない年頃にふさわしい形で髪を束ね、身づくろいをして、私の前に現れた」と、ダンテは後に回想している。あどけない年頃というのは八歳で、彼女は裕福な銀行家の娘のベアトリーチェ・ポルティナーリだった。ダンテは九歳だったが、明らかに、燃えるような恋情を経験するほど早熟だったのだ。

九年後、ダンテは生まれ育ったフィレンツェ（当時は独立した都市国家だった）のとある通りでベアトリーチェに出くわす。おずおずと見詰めると、彼女はちらりと視線を走らせ、礼儀正しく会釈した。その瞬間、ダンテは「あらんかぎりの至福を目にした」。ベアトリーチェのささやかな挨拶によって、恋に身をやつす青年ダンテは熱情の発作に見舞われ、自分の燃え立つ心臓を、愛の神が半裸のベアトリーチェに食べさせている幻影を見た。彼は愛する女性に夢中になるあまり、やつれていき、ソネットを書くことに唯一の慰めを見出した。

ところがその後、ダンテが一心に追っていた優雅なロマンスの台本にはなかったことが起こった。ベアトリーチェが亡くなったのだ。わずか二四歳で、別の男性と結婚したばかりのときに、「正義なる主《しゅ》が、比類なく淑《しと》やかなこの女性を天に召した」。ダンテは涙が涸れるまで泣き、愛するフィレンツェ全体がまるで「配偶者を失ったかのごとく取り残された」ように見えた、と書いた。

自分の詩神を奪われたこの若き抒情詩人にとって、これは悲劇に思えた。今や誰が彼に詩を書かせるというのか？

答えは「奇跡的な幻影」として彼のもとに現れた。ベアトリーチェは亡くなってどこかへ行ってしまったわけではなく、天なる主と共にあるのだ。彼女の霊魂は

「ダンテとベアトリーチェ」（ヘンリー・ホリデイ／Walker Art Gallery）

生き続けており、この世の束縛を解かれてかつてないほど純粋で美しくなっていた。

これは大望を抱いた詩人にとって、価値のある主題だったに違いない。生きている心象にもはや忠実である必要がなくなったので、ダンテは芸術的な想像力を羽ばたかせて、自分の崇拝の対象をまったく新しい領域にまで自由に誘《いざな》うことができた。彼は「かつていかなる女性についても書かれたためしのないことを、彼女について書く」試みに着手した。そして、その後何世代にもわたって西洋における来世の概念を形作ることになる、叙事詩による霊魂の遍歴の記述の中で、まさにそれを成し遂げたのだった。

幸せな死後の世界＝不死？

愛する人が墓の中でただ腐っていくところを好んで想像する人はいない。だが、「蘇りのシナリオ」は、神または科学によって彼らが蘇るまでは、その筋書きを想定している。とはいえ、すでに見たように、この手の物語は、ゾンビ映画のようなものが底流にあるせいで満足できぬばかりでなく、深部にまで及ぶ哲学的な難題も抱えている。

蘇りの問題は主に、亡くなった人と復活した人が本当に同一の人間になるかどうかにかかわるものだ。これらの問題の解決策が自然につながっていくのが、不死のシナリオの第三の基本形態、すなわち「霊魂のシナリオ」だ。

霊魂は、現世と来世の間の溝を埋めてくれる。霊魂があれば、身体が駄目になったときにさえ、私たちの本質的な部分は墓の外で維持され、私たちは、不運な骨の山として厄介な時期を送ることなく、来世へと直接飛んでいくことができる。

この霊魂仮説は、これまで世界中の無数の文化にとって、知的にも情緒的にも満足のいくものだった。ますます非宗教的で科学的になっている今日の世界においてさえ、その人気は相変わらず絶大だ。たとえばアメリカでは、七一パーセントの人が、自分には霊魂があると信じている。ヨーロッパの人々も、それよりわずかに懐疑的なだけで、たとえばイギリスとドイツではおよそ六割の人が霊魂の存在を信じていることを、世論調査が示している。その割合はアフリカとインドではさらに大きく、インドでは九割を超え、たとえばナイジェリアでは一〇〇パーセントに近い。そして、何十年にもわたって公式には無神論の立場を取ってきた共産主義国や元共産主義国でも、厖大な数の人が、自分には霊魂があると信じている。全体として、世界の七〇億超の住人の圧倒的多数が、この不死のシナリオに賛同しているのだ。

次章では、これらの何十億という人が正しいかどうかを見てみる。だがその前に、霊魂が密儀宗教の怪しい世界から現れ出て、ことによると西洋文明史上まさに最も影響力のある概念となった経緯を眺めてみることにする。「霊魂のシナリオ」が超越を約束することによって私たちの上昇志向的な側面に首尾良くおもねり、自己感覚を与えてくれた過程に目を向ける。その自己感覚が個人主義や民主主義を育み、さまざまな権利と平等と自由に対する要求を高め、それが近代と現代を形作ってきたのだ。

あらゆるシナリオのうち、得るに値する不死を最もうまく与えてくれてしかるべきなのが「霊魂のシナリオ」だ。このシナリオは、天国であろうが地獄であろうが、また、死の殿堂ワルハラであろうが幸福の島であろうが、永遠の生が空想的な領域で展開されることを約束する。これが予言者や詩人に、物理的な存在に伴う制約のない、理想的な死後の生を想像する機会を提供してきた。本章では、こうした想像の世界のいくつかを考察し、それらが死ぬに値する永遠の生を与えてくれるかどうか、検討する。

霊魂という概念は太古からのものであり、また、直感的なものでもある。それによれば、次のようになる。あなたの中には本質的に霊的あるいは非物質的な部分があり、それが本当のあなただ。この霊魂は非物質的なので、あなたの物理的な身体のように、朽ち果てたり破壊されたりはしない。だから、身体が死んでも、霊魂は来世へ、不死へと旅を続けることができる。

多くの文化では、人は夢や幻想の中で物理的自己から離れて自由に漂い、他の場所や時を訪れる経験のように思えるものをしてきた。彼らはしばしばこれを、自分の正真正銘の本質は、生身の身体から独立して機能することができる、何らかの霊的なものである証拠と見なした。

肉体のないこの自己にはさまざまな呼び名があり、そのそれぞれに異なる説明を伴っている。アストラル体、サトル・ボディ、エーテル体。プシケ、プネウマ、心。魂、霊。本当のあなたは身体とは別個で、身体が消滅した後も生き延びられると信じられている場所ではどこでも、「霊魂のシナリオ」が見られる。

多くの文化は、こうした夢や幻想の経験を儀式化し、霊界への旅としてその意義を高めた。霊界は、知恵と力を探求して自然の限界を超えられる場所だった。

だが、かつての霊魂の概念は、今日広く行き渡っている概念とは、必ずしも似ていなかった。たとえば古代エジプト人は、二つの霊魂が存在すると信じており、それらは微妙に異なる役割を果たして人間を形成していた。そのような、複数の霊魂や複合的な霊魂という概念は一般的だった。酸素呼吸や意識、知性、食欲といった機能は、人間の生にはみな必須でありながら非物質的に見え、したがって、自己の何か異なる霊のような側面に依存しているのは、古代の多くの民族にとっては明らかに思えた。本来、これらの「霊魂」のすべてが不滅であるわけではないので、人の死後、霊の生は、必然的に曖昧で不完全だった。

ギリシア語圏では、自己のこうした本質的に異なる要素を統合する動きを先導するものとして、特筆すべきなのが密儀宗教だ。密儀宗教は、神と一体化する機会を参加者に提供するものとして、本書ですでに取り上げている。信奉者は、暗く中途半端な在り方が非信奉者を待ち受けているのとは好対照に、自分たちの儀式が、幸福で満ち足りた死後の生をもたらしてくれると信じていた。彼らの霊魂は、暗くじめじめした冥府に行く代わりに、天空に昇っていき、神々と暮らすのだった。こうした密儀宗教は、教養のある特定の人々の間で非常に大きな影響力を持っており、その影響を受けた思想家の一人がプラトンだった。

イエス・キリストよりも約四〇〇年前に活動していたこのアテネの哲学者が練り上げた霊魂の説は、キリスト教徒たちにとってじつに魅力的なものとして受け止められることになった。プラトンは、霊魂は私たちの本質的な部分――真の自己――で、本来不滅であるという主張を明確に擁護した、西洋で最初の人物だった。彼は、より広範な自分の哲学に沿い、物理的身体は真の人間の不完全な模造品にすぎないと論じた。身体は、他の物理的な物と同じであり、変化し、最終的には消滅を免れない。一方、霊魂は神々の不変の領域に属しており、不朽であり、したがって永遠だった。

そうは言っても、この天上での不死はただ与えられるのではなく、獲得しなければならなかった。

プラトンは現代人には非常に東洋的に聞こえる見地から、価値のない霊魂は新しい身体に生まれ変わらされると述べている。より輝かしい不死を達成するためには、人はプラトンがしたこと、すなわち、真善美を熟考することが必要だった。このような形で自分の知的側面を伸ばせば、霊魂が強化され、神々に近づき、最終的には身体的存在を脱して天に昇ることが可能になるというのだ。

プラトンは霊魂の概念を、呪術的・宗教的な密儀宗教の暗闇から、理性的な論議の領域へと持ち込んだ。彼が霊魂の存在を信じていたのは、何か神秘的な経験をしたからではなく、誰もが利用できる論拠や道理に基づいた哲学的な説に導かれたからだった。私たちの誰もが、霊魂を持っているおかげで本来不死であり、生き続けたり蘇ったりするためには手の込んだ儀式も奇跡も必要ない、と彼は主張した。

後のキリスト教信仰擁護者の多くにとって、この不死の説明は抗い難かった。すでに見たように、初期のキリスト教は、死者の物理的な蘇りを約束することで成功した。人には霊魂があるというのが、当時の地中海地域の支配的な見方だったが、プラトンほど自信を持って霊魂が天に昇って神々に加わると信じている者はほとんどおらず、たいていの人はホメロスの作品に描かれているような侘《わび》しい地下の世界を予期していた。

したがって彼らは、聖パウロと仲間の伝道者たちが、地上の楽園が今にも到来することを約束すると、喜んで受け容れた。信者はその楽園を、現世の快楽を楽しむのと同じように思う存分、物理的に楽しむことになるというのだから。

だがその楽園は、パウロが期待していたほどすぐには到来しなかった。何世代にもわたって殉教者が続き、墓がいっぱいになっても、キリストの再臨はなかった。したがって、キリスト教の思想家は、

「終わりの時」を待つ間、死者がいったいどこにいて、何をしており、蘇った信者が死んだ人と本当に同じ人だとどうして保証できるかについて、納得のいく説明をすることを求められた。すでに見たように、これらの問いに答えるのは容易ではなかった。

だが、死後の生というのは、キリスト教の教えにとってあまりに重要だったので、問題含みの「蘇りのシナリオ」と命運を共にさせるわけにはいかなかった。したがって、何かしら梃入《てこい》れが必要とされ、その答えを握っていたのがプラトンだったのだ。

その梃入れの過程は自然なものだった。楽園での永遠の生を約束する初期信者の伝道への熱意は、途方もない力を発揮した。彼らはじつに多くの信奉者を獲得したので、四世紀のうちに、キリスト教はまず受け容れられ、次に奨励され、ついにはローマ帝国の国教に定められた。もはやこの新しい信仰は、ギリシアとエジプトの密儀宗教や、他の終末論の伝道者と闘って自らを差別化しなくても済んだ。今やキリスト教は、異教徒の最善の見識から選りすぐって自らの物語を強化するだけの余裕のある権力の座に就いており、ギリシアとローマの知識人階級からの改宗者が、彼らのとみに優れた学識を持ち寄って、当時の神学的難題に取り組んだ。

これらの改宗者のうちで最も高名なのが、聖アウグスティヌスだ。この傑人は裕福なローマ市民であり、古典的伝統に通じた非常に教養ある哲学者だった。若い頃、数々の宗教と哲学を探究し、快楽主義的生活を送り、

「主よ、我に貞節と自制を与えよ、ただし、今すぐにではなく」

と祈ったことでよく知られている。だが、結局は母親の導きの下、三八七年にキリスト教に改宗し

た。それはキリスト教がちょうどローマ帝国の国教になりかけていた頃のことだった。哲学の素養をキリスト教の教義に応用することで、彼はおそらく史上最も影響力の大きい神学者となった。

アウグスティヌスは、最後のラッパが鳴り響いたときに私たちの身体が物理的に蘇るという聖書の話を受け容れたが、私たちの一人ひとりに霊魂があるとも信じていた。人間としての完全な存在には身体と霊魂の両方が不可欠であるものの、プラトンが述べていたように、霊魂のほうが私たちの優れた部分であり、知性や良心と結びついている、とアウグスティヌスは信じていた。

そして、これが何よりも重要なのだが、霊魂は死後も生き続け、私たちのアイデンティティを維持する。そして、「終わりの時」が到来して墓が開かれたら、身体は蘇って霊魂と再び一つになる。その時ようやく、完全な人間として全き死後の生を送ることができる――天国で聖人たちと共に、あるいは、地獄の火の池で永遠に焼かれながら。

アウグスティヌスはキリスト教の伝統に即して、身体の収まるべき余地を見出したとはいえ、肉体的な快楽よりも永遠の知的熟考というプラトンの理想を好んだ。身体と霊魂は再び一つになるものの、彼の考えている天国には、身体的な楽しみはほとんどなかった。女性は、女性ならではの部分もすべて揃った身体を再度与えられるが、それが天国の男性の肉欲を掻き立てることはない、とアウグスティヌスは信じていた。むしろ、そのような女性の美しさを目にした男性は、神の知恵と素晴らしさを称讃するだろう。アウグスティヌス自身、改宗後は禁欲し、独身を守り、それこそがキリスト教徒にふさわしい在り方として推奨した。

プラトンの説のおかげで、キリスト教は蘇りのみのシナリオの持つ問題から救い出された。同じ単一の霊魂が、生きている人間から身体的死を経て、蘇った人間まで持続するのだから、一貫して本当に同一の人間であることが保証された。不運な複製が罪人の身代わりとして罰せられる危険はなかった。

二つのシナリオが結びついた「蘇り／霊魂のシナリオ」は、キリスト教の多くの宗派で公式の教義であり続けている。特にカトリック教会では、中世の聖トマス・アクィナスから、ドイツの大学教授で二〇〇五年にローマ教皇ベネディクト一六世となったヨーゼフ・ラッツィンガーに至るまで、神学者たちに擁護されてきた。

だが実際には、この物語における蘇りの要素の持つ重要性は、ゆっくりと薄れていった。もし亡くなった人の霊魂が、天国か地獄か煉獄で死後の運命をすでに経験しているのなら、身体と再びいっしょになるのは、せいぜい形式的な手続きにすぎぬように思える。今日、大半のキリスト教徒にとって、霊魂だけが不死への道筋となっている。

驚くほど多くの人が「霊魂」の存在を信じる理由

したがって、キリスト教における霊魂の台頭は、単一の宗教活動の内部で、一つの不死のシナリオが別の不死のシナリオを補うばかりか、おおむねそれに取って代わるという、興味をそそる物語だ。当然ながら、霊魂が存在するという信念は、キリスト教自体よりも古く、また、広く行き渡っているし、「蘇りのシナリオ」が残した溝を埋める点だけに魅力があるわけでもない。

実際、霊魂仮説の魅力は根強い。この仮説は、私たちは高潔で超越的で唯一無二であるという考え方を裏づける。私たちの不死への意志に強く訴え、「死のパラドックス」を鮮やかに解決し、その結果、これまでずっと巨大な影響力を振るってきた考え方を。概念の歴史を研究するレイモンド・マーティンとジョン・バラシが述べているとおり、この仮説は「西洋文明の思考様式全体」を形作ってきた。

「死のパラドックス」が発生するのは、人間の身体が最終的に衰えて死ぬのを私たちが客観的に観察するものの、自分が存在していないところは主観的に思い描けないからだ。したがって、死という明白な事実を言葉巧みな説明でごまかし、それが本当は終わりではないと信じることを可能にするような信念体系を私たちは探し求める。「霊魂のシナリオ」は、完璧にそれに応えてくれる。衰えていく身体が真の自己であることを否定し、代わりに人間を、あくまで不滅に見えるまさにその精神的存在と同一視することによって。

霊魂の存在を信じる人にとっては、自分の肉体的存在の先を見通し、異なる身体や異なる時、異なる世界、最終的には神々まで想像できる、ほかならぬその能力が、私たちの真の自己が物理的なものを超越しているに違いない証拠となる。

したがって、私たちの誰もが根本的には霊魂であるという主張は、「死のパラドックス」を解決してくれる。だが、それだけではない。その主張は一人ひとりを、私たちが宇宙で最も素晴らしいと信じているものと結びつける。

プラトンにとって霊魂は、真実と美を、その不変の、あるがままの状態で享受することができる、私たちの中の部分だった。キリスト教徒にとっては神から与えられた、神性を帯びたもの、神の姿に似せて作られたものであり、神との霊的な交わりができる。このシナリオは、一人ひとりが部分的に神聖であり、神々しく超越的なものである、と私たちに語っている。それは、「死のパラドックス」

を、私たちの死の認識における二重性から、私たちの本性の核心にある二重性へと変容させる。私たちは死すべき運命と不滅性を兼ね備えているように見えるばかりでなく、部分的には獣であると共に部分的には天使、部分的には動物的であると共に部分的には神のようでもあるのだ。

多くの詩人や思想家が、この二重性をまさに人間の本質と見なしてきた。そしてもちろん、この物語は、勝利するのは天使のような部分、神のような部分、不滅の部分であるとしている。

すでに見たように、儀礼は人間と神との一体感を生み出せたし、初期の宗教にとって必須だった。そのような神との一体化は、手の込んだ儀式の間に達成され、儀式は参加者が、人類学者のアーネスト・ベッカーが「cosmic significance（有意義な宇宙における存在意義や有意義な役割）」と呼んだものを束の間経験することで最高潮に達する。

だが、プラトンの霊魂の概念に従えば、そのような複雑な儀式は余分になる。私たちは本来、神性の表れにほかならず、したがって、本来、不滅であるに決まっているというのだ。だから私たちは、この本性に応じさえすればよい。哲学的な真理について熟考したり、隣人を愛したりすることを通して、私たちの持つこの優れたほうの面を育みさえすればよい。

これは非常に満足のいく話だ。死の恐怖への、見事で効果的な対抗手段となる。さらに言えば「死のパラドックス」の前半に固有の自己観、すなわち、私たちは儚い生き物であるという見方から生じるさらなる不安への対策ともなる。

私たちは儚い生き物であるという見方は、死の不安を引き起こすだけでなく、自尊心や人生は有意義であるという感覚を損ないもすることに、精神分析学者たちは気づいた。この見方が示唆するのは、私たちには、他の動物たち程度――取るに足りぬ、機能一辺倒の生を束の間送った挙句、冷淡な自然に押し潰されるミミズやカタツムリ程度――の意義しかないということだ。英雄的資質や超越を目指す探求はみな、この見方と闘ってきた。だが「霊魂のシナリオ」は、こうした見方そのものをあっさり木端微塵《こっぱみじん》にする。このシナリオは、私たちの一人ひとりが本当に本質的に特別である――不滅の人となりつつある――と主張する。私たちは一人残らず、この宇宙の中で生まれつき有意義なのだ。

このように霊魂の物語がアブラハムの宗教に採用されたおかげで、信者個人の宇宙における有意義性は、さらに強まった。霊魂は、各自が持つ内なる声である意識や心の営みと結びつけられている。そして、この内なる声は神からの贈り物であり、したがって、その創造主と直接意思疎通ができる。たとえば聖アウグスティヌスは、霊魂は知性であるという見方に賛同する意見を述べ、この能力を活用して神との個人的関係を築くことの重要性を強調した。私たちの一人ひとりが、声に出したり、心の中で独白したりして、ただ祈りの中でこの意思疎通を行なうよう努めることによって、全能の神と対話を始めることができるし、そうすべきでもあるのだ。

その後、この意思疎通はキリスト教徒としての経験の基礎となった。だが、この見方が言外に含む尊大さの度合いについて、しばらく論じる価値がある。

かつて神々は、遠い気まぐれな存在で、複雑な儀礼を通してしか接触できなかった。それが突然、唯一の真の神が呼び出しに対応できるように、常時待機してくれることになった。一方では、その神は天地の創造者にして万物の主、全知全能で、罪深き人類を滅ぼすために大洪水を見舞った存在だ。ところがその一方では、あなたのありとあらゆる願いや嘆きや短所を聞きたがり、あなたがそれについて考えただけで、その場に現れて一心に耳を傾けてくれる。王や大統領や首相さえ霞んでしまうほど、これ以上ありえぬまでに強力な存在でありながら、あなたに関心があるようだ。

アーネスト・ベッカーは、これを次のように評している。「キリスト教の世界観における最も目覚ましい偉業である。奴隷も、体の不自由な人も、愚か者も、平民も、強者も受け容れ、彼ら全員を確固たる英雄に変えることができるのだから。しかも、ただ現世から物事の別の次元へ、天国と呼ばれる次元へと一歩退くことによって」。

この新しい視点に立つと、大人も子供も一人残らず、何十億という人間の一人ひとりが、特別で重要になり、神の壮大なドラマの中でそれぞれ役割を担い、神に直接、個別に愛される。

天地の創造者が私たちの一人ひとりを知っており、慈しんでくれるという、この途方もない主張は、過去二〇〇〇年間にごく当たり前のもの、宗教的世界観におけるほぼ自明の理となった。これはキリスト教に限ったことではなく、アブラハムの宗教すべての、特にイスラム教の、主要な特徴になっている。宗教的な回心が依然としてありふれた場、たとえば刑務所や、アルコール依存症者や薬物依存症者のためのプログラムでは、これらのシナリオは、社会的には失敗と見なされている人生において他の形では得られぬような、有意義な宇宙における存在意義や有意義な役割を回心者に首尾良く提供している。

これは、死すべき者たちを無慈悲な運命の慰み者にする、古い世界観からの劇的な方向転換だ。ギリシアやローマや中東の、キリスト教以前の多神教の宗教では、神々は良くても無関心で、最悪の場合には残酷で、人を虐待したり騙したりした。有意義な宇宙における意義は、アキレウスやオデュッセウスのような人物の英雄的行為を通したり、あるいは、手の込んだ密儀の習得を通したりしてのみ、獲得可能だった。だが、そのような世界観は、私たちの不死への意志を部分的にしか満足させなかった。

だからそれらが、永遠の生を生得権とする「霊魂のシナリオ」の形態に道を譲ったのは、特別驚くことではない。


このシナリオは、抗い難いものとなった。その宗教的な枠組みを受け容れぬ人にとってさえ、そうだ。そして、近代以降の世界観、特に西洋の世界観にすっかり浸透したので、それに代わるものはほとんど想像できない。その影響の所産が個人主義の原理、つまり、ありとあらゆる個人の持つ本来の値打ちであり、それが世界の広い範囲で至上の価値を持つようになった。

その結果が全容を表すまでには時間がかかった。フランスの人類学者ルイ・デュモンが書いているとおり、それは「非常に根本的で複雑な変化」だったので、「完遂されるまでには、少なくとも一七世紀に及ぶキリスト教の歴史を必要とした」。この変化は、ギリシア哲学とユダヤ＝キリスト教という類のない組み合わせから生じたということで、学者の間では意見が一致している。


この展開を、デュモンは次のように説明している。

当初、霊的な志向のある人々が、社会という集合体に背を向け、神との関係の中でのみ自己を定義することで個人的自己を発見する。これは、ヒンドゥー教と仏教の霊的伝統や、初期のキリスト教でも見られる。ナザレのイエスは基本的には、家族や社会を捨てて、来るべきこの世の終わりを謙虚に待つように説いた。キリスト教徒は、気を散らされることの多い社会の外に身を置き、それによって、「神との関係の中での個人」としての自己に気づくことができた。

ところが、キリスト教がローマ帝国の国教になると、その超俗性が疑問視され始めた。

キリスト教は修道院という形で、社会の主流を拒絶する人々の伝統を維持したものの、急にその影響下に入った何百万もの人がキリスト教徒と一般市民の両方たりうるような方法を見つけることを、しだいに余儀なくされていった。この妥協の過程で起こった躍進を、デュモンは二つ記録している。八世紀に教会が政治の領域で積極的な役割を引き受けたときと、後の宗教改革で個々の信者が神との直接の関係を強力に主張したときだ。

一六世紀初期にこの二番目の変革を始めたのは、もちろんマルティン・ルターだ。改革の機運は何世紀も前から高まっていたが。私たちの一人ひとりが、神と直接つながる不滅の霊魂を持っており、したがって、誰もが独立した道徳的行動主体であり、キリストを信じるかどうかを自由に選ばねばならない、とルターは主張した。これは宗教の自由の要求だったが、キリスト教は影響力を保つために周囲の文化にしっかりと埋め込まれていたので、霊的な領域に収まっているわけにはいかなかった。各人が神の前に平等であるという主張は、たちまち経済的自由と政治的自由の要求へとつながり、思想の面と都市の両方で革命を引き起こした。デュモンの言葉を借りれば、社会と対立するものとして、の個人は、社会の中に存在する個人へと変化したのだった。

したがって、個人の絶対的な価値と自律を信じる個人主義は、「霊魂のシナリオ」の政治的表れだ。あらゆる倫理体系と政治体制は、人間であるとはどういうことかという、何らかの概念に根差している。私たちの一人ひとりが神性の表れであり、したがって、自らの君主であるという「霊魂のシナリオ」の主張は、人間の本性についての過激な見方だったが、いったん社会的思想や政治的思想に浸透することが許されると、広範に及ぶ、劇的な影響を与えた。

私たちは自分の部族の一員であるばかりではなく、単に斧《おの》作りのオラフでも、斧作りのオラフの息子でも、代々果てしなく続く斧作りのオラフの末裔《まつえい》であるだけでもなく、春の花のように束の間栄えて死んでいくことを運命づけられ虚弱な肉体であるにすぎぬわけでもなかった。私たちは個人であり、そうであるがゆえに、さまざまな権利と平等と自由と民主主義を与えられるに値するのだった。

霊魂の倫理が最も素晴らしい形で表出したのが、アメリカの独立宣言の有名な文言だ。「我々は、以下の事実を自明のことと確信する。万人は生まれながらにして平等であり、創造主によって、生命、自由、および幸福の追求を含む不可侵の権利を与えられている」

歴史上の大半の人にとって、これらの事実は、断じて自明ではなかっただろう。それどころか、古代ローマの貴族や、中世の農奴、インドの「不可触民」にとっては、誤っているというのが自明だったことだろうし、新しいアメリカの自由な市民によって所有されていた奴隷にとっても同様だったはずだ。だが、どの人間にも独自の不滅の本質があるという見方がいったん社会の領域に持ち込まれると、他のいっさいも、やがてはそれに続いた。

この見方はその宗教的起源の外まで拡がった後、非宗教的な語彙を獲得した。今や「自己」という単語が「霊魂」に取って代わったが、それは、私たちを独特で特別にしている、これ以上単純化できぬ核が誰にもあるという、同じ本質的な概念を表している。この主張は、精神分析学者や脱構築主義者、行動主義心理学者、神経科学者から、一世紀にわたって絶え間ない攻撃にさらされてきたものの、私たちの時代の支配的な哲学であり続けている。経済的自律を重視する資本主義と消費主義はこの概念を拠り所としており、人権と自由民主主義の政治イデオロギーも同様であり、自己実現や自己発見という現代のカルトもそうであることは言うまでもない。

したがって、不死への意志の充足に大成功を収めている「霊魂のシナリオ」は、私たちの文明の主要な価値観を提供してきた。もっと神秘的な含みをとうの昔に放棄した人々にとってさえ、そうだ。アーネスト・ベッカーは精神分析学者オットー・ランクに続いて、個人主義と、自己の拡大が、このシナリオの産物であるだけではなく、従来の不死の探求の延長でもあることに気づいた。私たちは、やがて天国に行く霊魂が自分にはあると、文字どおり信じていようといまいと、自分は唯一無二の個人であり、有意義な宇宙における存在意義や有意義な役割を持っていると考えれば、自分は単なる生物学的作用を超越していると安心できる。私たち一人ひとりが特別で、デュモンの言葉を借りれば「無限の価値」を持っており、身の回りで生きては死んでいく無数の名もなき動物たちとは違うのだと、自分を納得させることができる。キャリアを築き、潜在能力を発揮し、いっそう多くの物を蓄えるといった具合に自己のカルトを追求することで、私たちは消滅を免れられるという神話を生み出している。

天国はどこにある？——未踏の地の存在を信じる根拠

ダンテには、宇宙における自分自身の存在意義も、神の壮大な計画の中の主要な行動者としての宇宙における人類の存在意義も、疑う余地はほとんどなかった。地球は宇宙の秩序の中心に位置し、天国が有徳の人々を待っている、と彼は確信していた。それどころか、天国に行ったことがあるとさえ主張した。

ダンテは大胆にも、自分の叙事詩はルポルタージュであると言い切っている。自分の記述は、ただの思索や想像の産物ではなく、実際に目にしたものだ、と彼は主張する。それを信じた人は多かったようだ。

やはり詩人でダンテを崇拝していたジョヴァンニ・ボッカッチョは、通りでダンテとすれ違った人は、地獄の炎が燃え盛る領域での冒険のせいで、顎鬚《あごひげ》が焦げ、肌が黒ずんでいたので驚いた、と報告している。ダンテの記述は物理的な旅の報告というよりもむしろ宗教的な幻視のようなものだと見なしていたかもしれぬ人々でさえ、あまりに説得力があるように感じたので、聖書同様、少なくとも神の啓示によって書かれたに違いないと信じていた。

彼の傑作は、一三〇〇年の聖金曜日（訳注　イエス・キリストの十字架上の死を記念する日）の前日に幕を開ける。ダンテは森で道に迷い、野獣たちに苦しめられる。だが、古代ローマの詩人ウェルギリウスの霊魂に救われる。ウェルギリウスは、霊界を経由してではあるがダンテを森の外へと導いてやろうと申し出る。そして、ダンテを連れて、霊魂が「あまりの苦しみに／一人残らず再度の死を求めて叫ぶ」地獄を通り抜け、霊魂が「炎の中にありながら／……福者たちに加わることを期待しているから幸せ」な煉獄へと昇り、そこから天国の際《きわ》まで行くが、ウェルギリウスは異教徒なので、それ以上は進めない。したがって、ダンテをほかならぬ最愛のベアトリーチェに託し、彼女に天上の領域の道案内を務めてもらう。ダンテにしてみれば、ベアトリーチェは間違いなくそこに場所を占める権利がある。

ダンテは中世に考えられていた死後の世界を余すところなく描き出し、地図まで示してくれる。地獄は伝統に則り、地球の内部にある。その九つの圏は、地球の中心に向かってしだいに深くなっており、徐々に邪悪さを増す罪人たちに、いっそう恐ろしい罰が与えられる。

いちばん下の圏の、いちばん下の円では、サタンが胸まで氷に埋もれ、巨大な翼を空しくはためかせている。当時の最も教養ある人の例に漏れず、ダンテも地球が球体であると信じていたので、彼とウェルギリウスはサタンを通り過ぎ、さらに進んで地球の中心部を抜け、南半球の地表に向かって昇り始める。地表に出ると、煉獄山がある。それは島にそびえる山で、七つの冠があり、はるか上空の頂上は、エデンの園だ。ここからは、天は手の届く所にある。

ダンテによる天国そのものの描写は、当時は普通だった、宇宙論と宗教が融合したものを反映している。

ダンテの描いた「死後の世界」（ボッティチェリ「地獄図」／ヴァチカン教皇庁図書館）

多くの現代語と同じで、聖書のヘブライ語とギリシア語でも、「天」は空と神の居場所の両方を指す。ダンテやその同時代人にとって、それは文字どおりの真実だった。彼らは、次のように信じていた。地球は宇宙の中心にあり、この中心の周囲に、天体が収まっている「天球」が層を成して回っていた。これらの天球こそが、廉直な人々の霊魂の住み処である天だった。

第一天には月があり、そこはまた、有徳ではあるものの移り気だった人の霊魂がとどまる場所でもあった。また、たとえば第四天には太陽があり、トマス・アクィナスのような賢者の霊魂の居場所となっていた。さらに、いくつかの惑星が続き、第八天には恒星があり、聖者や聖母マリアがいた。その上に「原動天」があり、その動きは神が直接制御していた。そこは天使の領域で、その上には物理的空間を超越する至高天があり、ほかならぬ神自身がいた。

これはキリスト教の伝統を踏まえたものだった。使徒たちは、彼らが見守るなかで、イエス・キリストが蘇りの四〇日後に「天に上げられ、雲に覆われて見えなくなった」（「使徒言行録」第一章九節）とき、これを、空の彼方に物理的にある天へと文字どおり昇っていったと理解したことだろう。ダンテはそこに行ってきたと主張し、彼の同輩である中世のキリスト教徒たちは、その旅行談を読んで、雲を見上げ、自分の霊魂もいつの日か彼の足跡をたどるところを夢見ることができた。

したがって、数世紀後に地球が宇宙の中心ではない——それどころか、私たちの小さな太陽系の中心でさえない——ことがわかると、衝撃が走った。一五四三年にニコラウス・コペルニクスが自分の主張を公表した後、この新しい見方はあらゆる段階でカトリック教会の抵抗を受け、一世紀以上たってようやく受け容れられた。コペルニクスの見方を支持するさらなる証拠を提供したガリレオの裁判では、地動説は「聖書に明白に反するがゆえに異端」であると糾弾された。修道士で天文学者のジョルダーノ・ブルーノは、太陽はことによると無限であるかもしれぬ宇宙の、数多くの恒星の一つにすぎないという見解をそれに加えると、火刑に処せられた。

コペルニクスの見方は、有意義な宇宙における人類の存在意義や有意義な役割にとって痛手となった。ダンテの宇宙では、私たちは森羅万象の中心にあり、神と天使たちがその周囲一帯にいた。これが、ダンテやその同時代人が星々を見上げたときに抱いて安心したであろう心象だ。

ところが、コペルニクスの描く宇宙では、私たちは多くの惑星の一つに乗って漂い、果てしなく拡がる暗く冷たい空間の中で、多数の恒星の一つの周りを回っていることになる。C・S・ルイスが述べたとおり、今、私たち現代人が星々を見上げるときには、天使たちのいる天空が優しく見詰め返してはこない。そこには、寂寞《せきばく》とした虚空が際限なく続いているのだ。

望遠鏡の性能が上がり、宇宙論の知識が向上するにつれ、天使たちが見つかる見通しは暗くなった。天文学者がどれほど目を凝らしても、星々の間で天使が竪琴を爪弾く姿は見られなかった。やがて人類が宇宙に行くようになると、この幻想は完全に雲散霧消した。初めて地球を離れたソヴィエト連邦の宇宙飛行士ユーリイ・ガガーリンは、

「ここには神は見当たらない」

と述べたと報じられている。月面に着陸したアメリカの宇宙飛行士たちは、聖書を好んで引用したが、ダンテが約束した「有徳ではあるものの移り気」な人々の霊魂には出会わなかった。私たちに見通せる範囲では、現在、地球という惑星の表面を動き回る私たち人間以外は、どうやら誰もいないらしい。

聖書を文字どおりに解する人の中には、天国が宇宙のはるか彼方に物理的に存在すると信じ続けている人もいるが、科学的な証拠に照らせば、この見方は珍奇なものでしかなくなる。信者の大半は、代わりに、「別の領域」「他の次元」「平行宇宙」といった掴み所のない言葉に逃げ場を求めてきた。これらの言葉は科学でも使われるとはいえ、そうした場所に天国があるという主張は、科学的証拠に基づいていないばかりか、そうした証拠とは相容れない。

たとえば、「ひも理論」と呼ばれる、宇宙の性質についての仮説は、通常の四つの次元以外に、さらなる次元をいくつか仮定しており、この事実に期待をかける信者もいる。だが、それらの次元は、楽園が隠れているような代替の現実ではなく、この宇宙の一部で、(仮に本当に存在するとすれば)きわめて小さい。原子一個よりも何桁も小さい。したがって、「新しいエルサレム」(訳注 「ヨハネの黙示録」の中で、天から降ってくるとされる、神の都)がその中にある可能性は低い。

これは、宇宙における私たちの存在意義の感覚にとってだけではなく、「霊魂のシナリオ」自体にとっても厄介だ。コペルニクス以前、「霊魂のシナリオ」の提唱者は、自分の霊魂がどこに行くかについて、いつもかなり自信があった。太陽や星々の所へ昇っていくか、地平線の彼方へ行くか、地下に降りていくかのいずれかだった。それが、今や私たちは、これらの場所をすべて調べてしまった。そのうちの一か所に霊魂も天使もいないことがわかるたびに、信者たちは天国を、簡単には調べられぬような、次の場所に移す。そして、そこも調べられるようになると、再び別の場所へと移す。これは自信を抱かせるような実績とは言えない。

霊魂は、それがもし永遠に生きるとしたら、どこかで永遠に生きねばならないが、それがどこかを特定するのは困難を極める。超自然的な領域の存在を主張する人は、そうした場所の存在がただの空想以上のものであることを説明しなくてはならない。

利口な神学者たちは、この状況にぎこちなさを感じているようで、天国の場所についての疑問を、いつもできるかぎり避けようとする。彼らは問い詰められると、神秘的な方向へと話を持っていく傾向がある。たとえば前述の神学者ヨーゼフ・ラッツィンガー（二〇〇五～一三年にはローマ教皇ベネディクト一六世）は、天国は「私たちの世界の空間の内側にも外側にもない」、それは「イエス・キリストの身体という新しい『空間』、聖徒の交わり」であると書いている。まあ、これで万事明らかということなのだろう。

だが、コペルニクス的転回は、「霊魂のシナリオ」と、天国へ行くという私たちの期待を脅かす二つの革命のうちの最初のものでしかなかった。第二の革命は、もちろん、自然選択による進化というチャールズ・ダーウィンの理論で、この理論は人間を、類人猿やブタ、トカゲ、プランクトンなどと共に、系統樹の上にしっかりと位置づけた。これは、宇宙に私たちが占める位置に関する従来のシナリオに対して、多くの難問を投げかけた。そのうちのいくつかは、次章で霊魂の科学的探索について考察するときに検討することにする。

これらの難問のうち、とりわけ差し迫ったものの一つは、もし私たちが生命の複雑な網に含まれる無数の種《しゅ》の一つにすぎぬとしたら、自分たちは永遠に生きるように選ばれたと考えるほど私たちを特別な存在にしているのは何か、というものだ。

「霊魂のシナリオ」のおかげで、私たちは自分が半ば天使で半ば獣である――そして、天使のような部分は、より重要であると同時に、永遠に生きる運命にある、と夢見ることができる。ところが、ダーウィン革命は、それとは異なる結論を指し示している。私たちは実質的にただの獣にすぎぬというのだ。
　私たちは厖大な歳月をかけて非常に漸進的に進化してきたことを証拠が示しているときに、神が自分に似せて人間を作ったと信じるのは難しい。それに、生物学的に言って、私たちはチンパンジーに酷似しており、ネアンデルタール人のような他のホミニド（ヒト科の動物）に似ていることは言うまでもない。もし神が自分に似せて人間を作ったのなら、ホミニドも自分に似せて作ったに違いない。

　ダンテの世界観の背後には、次のような前提がある。すなわち、私たち人間こそが天地創造の主眼であり、私たちは、自らの道徳的・霊的啓発のために作られた世界に暮らしている、という前提だ。ところが、生命の進化史という壮大な流れの中で眺めると、この見方はとんでもなく傲慢に見える。生命の歴史の大半は、単細胞の細菌が主役で、今日でさえ、生存している生き物のほとんどは細菌だ。それどころか、あなたや私のような多細胞の生き物も、事実上は、細菌のような細胞のコロニーにすぎないと主張する生物学者もいる。それならば、神は地球を支配させるために細菌を作ったと考えるほうがはるかに妥当だ――ことによると、細菌は神の全知ではあるが、単細胞の姿をかたどっていると考えるほうが。

　私たちは無数の種のうちの一つにすぎないから、これまでに生きたあらゆる人間の霊魂を、なぜ神が自分の天の居場所に永遠にとどめたがるのかは、およそ明白ではない。なぜ人間の代わりに、細菌かイルカかチンパンジーをそばに置くことにしなかったのかも不明だ。
　だが、神という存在が、わざわざ私たちを選び出して、あらんかぎりの注意を向けてくれるほど気前が良いと仮定したとしても、そこで与えられる永遠とはいったいどのようなものになるか、尋ねてもよいだろう。

幸福の多様性と「万人にとっての天国」の限界

すでに見たように、古代の一部の文化では、来世には退屈で変化のない中途半端な生しかなかった。だが、他の多くの文化では、来世はこの世とよく似ていると考えられていた。ただし、この世よりずっと優るものだ、と。

たとえば、戦いで死んだヴァイキングは、ワルハラ、すなわちビールを飲みながらさらなる戦闘に備える巨大な殿堂に行くとされていた。イスラム教徒は、イスラム教が由来するアラビアの砂漠では乏しいもの、すなわち、川、泉、木陰の多い谷、樹木、動物の乳、蜂蜜、ブドウ酒など、そして言うまでもないが男性の一人ひとりに七二人の女性の伴侶といったもののいっさいがある、「庭園」と呼ばれる楽園に行くことを期待していた。

キリスト教の天国の概念を練り上げた神学者たちは、そのような世俗的な欲に眉をひそめた。彼らは知識人で禁欲主義者だったし、霊魂という概念を借りてきたプラトンと同じで、哲学者のための天国を想像していた。これは聖アウグスティヌスの楽園であり、そこでは、一生涯にわたる研究と礼拝は、神について永遠に熟考する機会を与えられて報われる。これは、キリスト教会の歴史の大半を通して、正統的な見方だった。そこに暮らす者は「神の玉座の前にいて／昼も夜も神殿で神に仕える」(「ヨハネの黙示録」第七章一五節)、輝かしい場所という、聖書に見られる控えめな描写と一致しているからだ。

これは「神中心的」天国観として知られている。他のほぼすべてを除外して、神の崇拝を中心に据えているからだ。

それはダンテの時代には正統的信念で、彼の『神曲』の第三部「天国篇」の素晴らしい詩に反映されている。ダンテの展望の中では、現世の徳は来世での神との近さで報われ、最も優れた徳の持ち主たちは、大きなバラの形の円形劇場のような場所に座り、じっと上を見上げて神の栄光について熟考する。ここで彼らは永遠の幸福と静穏を楽しむ。

とはいえ、神中心的な天国は、誰もが楽しい時と考えるものではない。民族学者のエリー・ルクリュは、キリスト教の宣教師が神中心の天国を約束することでイヌイット族の人々を改宗させようとしている様子を綴っている。楽園の説明に耳を傾けた後、イヌイット族の一人は、

「それで、アザラシは？　アザラシについては何も言いませんでしたね。あなた方の天国にはアザラシはいないのですか？」

と尋ねた。

「アザラシ？　そんなものは、いませんよ」

と宣教師は答えた。そして、

「天使と大天使……一二使徒と二四人の長老、そして――」

と続ける宣教師を遮って、イヌイット族の人は言った。

「もうたくさんです。あなた方の天国にはアザラシがいない。アザラシがいない天国など、私たちはご免だ！」

アザラシを求める人は珍しいかもしれないが、多くの人は、天国というと、讃美歌を永遠に歌い続けること以上を期待する。特に、死別した家族と再会したり、早死にした我が子と会ったり、亡くな

った祖父母と再び言葉を交わしたり、先立った夫や妻の抱擁を味わったりすることを期待する。これは「人間中心的」天国観だ。「霊魂のシナリオ」の歴史を通じて、神中心的な天国の神秘的な展望と、人間中心的な天国が約束する、生き生きしていて親近感が湧く死後の世界との間には、絶えず緊張があった。

この緊張関係は、中世の詩の顕著なテーマだった。詩人たちが、心の奥底から感じる世俗的な情と、永遠の沈思黙考という見通しとの折り合いをつけようと苦労していたからだ。程なく見るように、ダンテはこの問題に対する独特の解決策を思いついた。

西洋では、広く受け容れられていた神中心の展望は、一八六〇年代の南北戦争から一九一四〜一八年の第一次世界大戦にかけての期間に、とうとう打ち砕かれた。産業化された戦争が行なわれるようになると、夫を亡くした妻や子供を失った親が、何百万、何千万も後に残された。彼らは宗教に明白な期待を抱いていた。すなわち、夫や息子を返してほしいというものだ。これが「スピリチュアリスト運動」の発展を促した。この運動が描き出す死後の世界は、人々が趣味を楽しんだり、旧友を訪ねたりする社交的な共同体で、アメリカの小さな町かイギリスの田園地帯を理想化したような場所に、彼らはおおむね暮らす。

神中心の展望はローマ教皇ベネディクト一六世（訳注　前述のように二〇一三年に離任し、フランシスコが後を継いでいる）のような高邁《こうまい》な神学者たちが主に擁護し、人間中心の展望は自らの信徒団の維持に熱心な牧師たちが推奨するなかで、この緊張関係は今も続いている。

世間で人気のある展望は、時代と共に、ハリウッドで描かれる天国へと変容していった。それは好きなものを選び取れる楽園であり、アメリカの伝道者・牧師のジェイムズ・L・ガーロウによれば、そこでは「あなたのありとあらゆる願望が、夢にも見なかったほどに満たされる」という。これは、消費主義時代向けの展望だ。

現代人は、欲しいものを手に入れることに慣れ切っており、彼らが望むものは天使の竪琴や光輪にとどまらない。今や前例のないほど楽な暮らしをしている西洋の人々は、この世の苦しみから免れることにさえ、胸を躍らせたりはしない。だから私たちは、ガーロウの言葉を借りれば、「建物、芸術、文化、音楽……品物、サービス、大規模な催し、交通手段、通信機関」などを備えた天国を約束する教会に誘い込まれる。だが、そのような展望は魅力的（あるいは恐ろしい）かもしれぬとはいえ、そこからは厄介な疑問の数々が生じてくる。

ある日、イエス・キリストが神殿で説教をしていると、サドカイ派の人々（死後の生という考え方を退ける人々）が近づいてきて、次のように問うた。

「先生、モーセは私たちのために書いています。『ある人の兄が妻をめとり、子がなくて死んだ場合、その弟は兄嫁と結婚して、兄のために子をもうけねばならない。』／ところで、七人の兄弟がいました。長男は妻を迎えましたが、子がないまま死にました。次男、三男と次々にこの女を妻にしましたが、七人とも同じように子を残さずに死にました。最後にその女も死にました。すると復活の時、彼女は誰の妻になるのでしょうか」（「ルカによる福音書」第二〇章二八～三三節）

イエスの答えは、この問題を巧みに回避するものだった。

「次の世に入って死者の中から復活するのにふさわしいとされた人々は、めとることも嫁ぐこともない……天使に等しい者……だからである」（同章三五～三六節）

だがこの返答は、人間中心的天国を望んでいる人にとっては打撃となる。なぜなら彼らは、天国でも結婚のような関係が続くこと、あるいは、少なくともそのような選択肢があることを、現に望んでいるからだ。だが、懐疑的なサドカイ派の人々と同様、イエスもこの願望が多くの矛盾を招くことに気づいていた。

次のような例を考えてほしい。ある男性が、亡くなった愛しい妻と天国で再会することを夢見ている。楽園で実現することを期待する、もっともな願いだ、とあなたは思うかもしれない。だが、じつは妻は、夫ではなく子供時代の恋人の腕に抱かれる天国を思い描いていた。その場合、この夫と妻の両方が、いったいどのようにして永遠の幸福を見出すことができるだろうか？ 人間関係を来世に持ち越すだけでは、二人の問題が魔法のように解決したりはしない。それどころか、問題は悪化するばかりで、痛切なまでに明白となる。私たちには、どうしても相容れぬ願望があるものだ。たとえば、私にとっての楽園は、あなたに毎日会える場所かもしれないが、あなたにとっての楽園は、二度と私に会わずに済む場所かもしれない。あなたは、そこで祖父が待ち受けてくれているものと思っているかもしれないが、ひょっとすると、祖父はあなたと過ごすよりはポーカーをしていたいと思っているかもしれない。

天国の提唱者は、天国の住人がみな幸せで、善良で、とにもかくにも仲良く暮らすと主張することが多い。キリスト教徒の死後の世界についての、ある現代の手引きによれば、「嫉妬もなければ競争もなく、ごまかしも、腐敗も、スキャンダルもない……そして、そこの誰もが互いに好感を持ち、愛し合っている」という。だが、これがどうして、彼らが真の人間であるということと両立するのかは、とうてい理解し難い。人間の心理の実情を考えれば、いかなる共同体も、争いや不満や失望を、そして、数十億年過ごせば退屈をも、経験するだろう。人々が未来永劫、けっして互いに相手の神経に障らずに、いっしょに暮らすところを想像することは可能かもしれないが、そのような人々は、私やあなたとは似ても似つかぬだろう。

そして、嫌悪感や苛立ちや退屈をまったく抱かぬように、どうにか私たちを変えることが仮にできたとしたら、それは依然として本当に正真正銘のあなたや私なのか、と問いたくなる。


人間中心的な見方は実際には、天国を人間の立場から想定しているせいで、人間の問題を持ち込まざるをえない。すでに見たように、イスラム教の死後の世界は、とりわけ華やかで、乳と蜂蜜の川が流れる美しい庭園で、豪勢なクッションに座って果てしない饗宴を楽しむというものだ。

そのどれもが、休暇にはふさわしいように思えるが、永遠に満足していられるものである可能性は低い。有徳の男性イスラム教徒には、美しい目をした乙女たちというさらなる特典が待ち受けている。とはいえこれも、女性のイスラム教徒にとって来世を楽園にしてはくれそうにない――彼女たちも天への同伴者をあてがわれることを示唆する伝承もあるが。だが、ある古代の注釈が主張しているように、たとえ一人当たり七二人の乙女が与えられるとしてもなお、一〇億年の一〇億倍の一〇億倍という単位の年月にとっては薄くて味気ない粥のように思えかねない。そして、これほどの年月でさえ、永遠と比べれば、ほんの序の口でさえないのだ。

もっとも、もし配偶者どうしが互いに相手がわからないのだとしたら、そのような同伴者も必要なのかもしれない。もしあなたが亡くなったとき高齢の女性だったら、虚弱で腰が曲がり、人工股関節を入れた身体で永遠に過ごすというのは、おそらく理想の天国像ではないだろう。したがって、あなたは自分の霊魂が、若々しい一六歳の自分の姿を取ることを望むかもしれない。

だが、他の人々は高齢になって頭が混乱しているだろう。認知症で記憶と理性が台無しになって。霊魂説の擁護者の大半は、天国では誰もが、おそらく心の疾患を含め、現世の傷や疾患はすっかり癒えているものと考えている。アルツハイマー病を抱えて永遠に過ごしたいと望む人はいないから。だがその場合、天国の霊魂は、地上の人間とは姿も心も根本的に異なり、まったく一貫していないことになる。それが本当に同一の人間であるという主張は、またしてもしだいに怪しくなってくる。

霊魂に与えられる身体はどこから来るのかも問わねばならない。霊魂は非物質的なものとされている。つまり、物質からはできていないということだ。だからこそ、身体が経験する劣化を免れることができ、不滅なのだ。

ところが、これまで見てきた死後の生の心象はすべて、非常に物理的なもののようだった。たくさんの人々がいて、玉座があり、「交通手段や通信機関」さえあるのだから。実際、まったく物がなく、人々でさえ形を取らぬような来世は考えられない。キリスト教徒とイスラム教徒にとって、この問題は、大々的な蘇りが起こり、人々が自分の身体を返してもらえた暁には解決する（ただし、すでに見たように、身体を返してもらうという概念そのものが問題を孕んでいるが）。

だが、その時が来るまでは、私たちの霊魂が非物質的な性質を失わずに、どのようにして形を取るのかは謎であり続ける。ダンテの詩が示す答えは、彼が天国と地獄で見てきたという人々や、彼らのさまざまな報いや罰は、周囲の空気が集まって形作っている、というものだった。

「こうして、そこのあたりの空気が、／霊魂の力によって／付与された形を取る」

天上のティーパーティとショッピングモールという、人間中心的な天国の見方は、イスラム世界だけではなく現代の西洋でも広く普及している。だが、イエス・キリストが、来世はむしろ天使たちの世界のようなものであることを示唆したときによく承知していたとおり、この見方は問題だらけだ。

したがって、神中心的な見方は、ローマ教皇や神学者たちのお好みの天国であり続ける可能性が高い。とはいえ、この見方にも、答えねばならぬ難問はある。そしてそれらの難問が、永遠に生きるのはいったいぜんたい良い考えなのかどうかという問いに、私たちを立ち戻らせる。

「時間の超越」としての永遠性の議論

神中心的な見方は人間中心的な見方とはまったく異なる取り組み方をする。

前者は、感覚を喜ばせるシャングリラではなく、神の永遠の称讃を提供する。神中心的な見方の提唱者は、神とのこの出会いこそが愛と幸福であり、私たちが地上で経験したことの何よりもはるかに優るという。したがって、神中心的な展望は、退屈と不満を明確に排除する。天国は本質的に、果てしない喜びなのだ。

この見方のおかげで、キリスト教の天国は、東洋の宗教で人気のあるもののような他の神秘的な伝統に近づく。その強みは、「死後の世界の経験は現世で経験するもの、経験できるもののどれをも超越する。したがって、尽きることのない乳や蜂蜜やジンジャーエールにいずれ飽きるといった類の批判を免れる」と主張できる点にある。だが、この神秘主義には弱みもある。そのような超越が本当に可能か、それは人間が——少なくとも、人間と認められるような状態にとどまっている間に——できるような経験なのか、という疑問が残るからだ。

永遠に変わることなく喜びに満ちあふれ続けるためには、神中心的な展望そのものは、一連の巧みなジョークや深遠な悟りのような、何か理解を伴うものの特定の組み合わせに頼るわけにはいかない。最初に啓示体験のような形で私たちが驚いたり関心を抱いたりしたものも、いずれはおそらく効果がなくなるだろうから。たとえ、壮大な風景の崇高さや、友人との親交のような、この人生で私たちが経験した最高のものに匹敵する経験にさえも、やがて飽きが来る。

だから、神中心的な見方の提唱者は、天国での経験は驚きや関心、学習、発見、娯楽といった通常のカテゴリーに収まりえないと主張する。なぜなら、それらにはもともと、有限性が組み込まれているからだ。だから、その経験はむしろ夢心地に近く、時間が意味を成さなくなった、果てしない完璧な状態に違いないという。

ことによると、そうしたものは考えられるかもしれない。さまざまな神秘主義者や宗教実践者が、これに近い経験をしたことがあると主張する。ただしそれは、当然ながら永遠にではなく、限られた時間内にすぎないが。そうした経験はたいてい、自己あるいは自我の喪失の観点から説明されるところに特徴が表れている。個々の人間の人格に関して特有のものがすべて視界から消えていき、記憶も好みも気質も無関係に、あるいは邪魔にさえなる。

ローマ教皇ベネディクト一六世による、天国の最終状態の説明も、それに非常に近い。「それは単一の行為で、個人はその間に自己を忘れ、存在の限界を突き破って全体の中に入り込み、全体はその個人の中に落ち着く」。

教皇や他の教養ある神学者が気づいた――そして、東洋の諸宗教がとうの昔から知っていた――のは、永遠の生が耐えうるものとなるのは、個人の生の儚さや小ささからはるかに離れたときのみ――実際、断じて個人の生ではなくなったときのみ――であるということだ。

この見方を支えるために、永遠は果てしない時間ではなく、むしろ、時間の超越として理解すべきだ、と主張する神学者もいる。したがって、永遠の生は、永遠に続く生ではなく、時間がもはや当てはまらなくなった生、時間の外の生と見るべきだというのだ。聖アウグスティヌスのような神学者にとっては神そのものが、時間を超越しているという考え方を反映していた。ダンテは、至高天で光の流れが川のようなものから永遠性の象徴である円に変わる様子を記述することで、この考え方を捉えようとした。神学者のパウル・ティリッヒは、霊魂の未来のこの展望を、「主の永遠なる存在下での安息」と評している。

これは、神秘的な神中心的展望の論理的延長で、その見方の欠陥もそっくり暴露する。なぜなら、時間のない死後の生は、本当はまったく生ではないからだ。経験や学習、成長、意思疎通、さらには讃美歌を歌うことまでも含め、人間の生を構成しているものはすべて、時間の経過を必要とする。時間なしでは、何一つ起こりえない。それは静止状態で、思考と活動の停止だ。霊魂という見方の魅力は、霊魂が各個人の生に与える独特のオーラだったが、その論理的帰結は、生が完全に無効にされた、無の永遠だった。

このような困難に直面すると、多くの人が「私たちは知らないし、知ることもできない」という決まり文句の陰に引き下がる。だがこれらの難点は、天国や霊魂の死後の世界についての考え方ならどれであれその正統性に疑問を投げかける、概念的なものだ。

問題は単に、どの形態の天国の物語が正しいかを私たちが知らないということではなく、それらの物語のどれ一つとして、首尾一貫した、満足のいく説明を提供するようには見えないということだ。だが、少なくともダンテは、詩的な説明を提供した。

ベアトリーチェは微笑んでいるか？

ダンテにとっての難題は、神への敬虔な愛とベアトリーチェへの情熱的な愛との折り合いをつけることだった。彼はベアトリーチェを天国における案内役にし、天球を順に昇って彼を至高天まで送り届けさせることで、これをやってのけた。したがって、彼の愛する女性は、弱い男性を高潔さから引き離す誘惑となる代わりに、神のもとへと導いてくれる恩寵《おんちょう》となった。

ベアトリーチェの霊魂は生き続け、彼女の美しさを通して、ダンテは天国の栄光が具現化するところを目にしたと考えた。彼女への愛の中で、自分があらゆる愛の根源、すなわちキリストに近づいた、と彼は信じていた。ベアトリーチェを通して、ダンテは教会や、神の母たるマリアや、父なる神そのものの栄光を見ることができる、霊的な段階に到達する。

これは現世と来世との緊張関係を解消するための、大胆不敵な試みだった。ダンテはベアトリーチェの霊魂を聖人たちの列に加えることで、冒瀆すれすれのことをしていた。彼女はこれといった名声を持たず、徳で名高いわけでもなく、特筆すべき業績もない女性であり、そのような神聖な高みに引き上げられる資格は、ダンテの目を奪うほど愛らしかったことだけだ。それにもかかわらず、彼女は聖アウグスティヌスや洗礼者ヨハネらと並んで、至高の天に座す。これは彼女の重要性の途方もない誇張であり、自分の最愛の人をそれほど神に近い所に置くことで、ダンテ自身の重要性の途方もない誇張にもなっている。

そしてそれは、性的衝動――美しい女性へのダンテの熱烈な恋――とキリスト教の信心との、途方もない、きわどい融合だった。それでも、ダンテはたいした力強さと様式でそれをやってのけたので、彼の作品は聖霊に導かれたものとして受け容れられた。

最後にベアトリーチェは、ダンテを独りで地上に戻し、話を語らせるのに先立ち、彼のために神中心的な天国の見方と人間中心的な天国の見方の折り合いをつけた。

当然ながら、ダンテの楽園は当時の神中心的な正統的信念に従っており、「永遠の光」の果てしない崇拝という、究極の満足状態を提示する。だが彼は、ベアトリーチェへの自分の人間としての愛が認められも報われもしない不死は想像できなかった。だからベアトリーチェは、神を取り巻く巨大な円形のバラの中の座に戻ったとき、地上での満足に必要としていたもののいっさいをダンテに与える最後の仕草を見せる時間があったのだ。

私はそう祈った。すると彼女は、あれほど遠くに見えながら、微笑み、私を見た。
それから、永遠の泉へと目を逸らした。

本章では、天国を覗いてみたが、ダンテの壮大な詩が示すほど簡単に楽園を見つけることはできなかった。次章では、自らの内面を眺め、霊魂そのものを探すことにする。

第7章

「生まれ変わり」と「科学」——霊魂の消失

チベット高原の北東の果て、山々や大草原地帯《ステップ》の中にある小さな農家で、一群の僧が足を止めた。彼らはある男の子を探していた。ただし、その子がどのような外見をしているかも、何という名前なのかも、皆目見当がつかなかった。彼らは何か月にもわたって山道や雪道をたどっていたが、ついに、ネズの木（訳注　ヒノキ科の常緑樹）をくり抜いた変わった雨樋《あまどい》のせいで、この家に惹き寄せられた。その樋を見た上師《ラマ》は、遠いラサにいるチベットの摂政に現れたという幻を思い出した。それと一致する。僧たちが調べてみると、果たして、そこに暮らす質素で敬虔な一家には二年前に男の子が生まれたという。

その家を訪ねるにあたり、セラ僧院出身のラマは羊皮をまとって召使のふりをし、別の僧が指導者であるかのように振る舞った。彼らは、小さな庭で雪掻きをしていたその家の主に、道に迷ったので一夜の宿を探していると告げた。すると、表に面した居間に案内されたが、召使のふりをしていたラマは、その家の母親と幼い子供と共に台所にとどまり、お茶を淹《い》れたり薪を運んだりするのを手伝った。ラモ・ドンドゥプというその幼い男の子は、優し気なその見知らぬラマにたちまち懐き、膝によじ登った。そして、ラマの首に掛かった古い数珠を掴もうとした。

「私が誰か言えたら、掴んでもよいよ」

とラマは言った。すると幼子は、

「セラ・ラマ！」

と大きな声で言った。

ラマはひどく驚いた。二人はそれまで会ったこともなかったのに、その幼い男の子はどうやら相手が誰かわかったらしい。そして、数珠に心を奪われているようだった。

それは、亡くなって間もないダライ・ラマ一三世のもので、その新しい化身を僧たちは探していたのだった。翌日、一行が旅立つ支度をしていると、小さな男の子は連れていってくれるようにせがんだ。僧たちは、また訪ねてくると約束して、ようやくその子を宥め、数週間後、公式の代表団として約束を果たした。


このときには、ダライ・ラマ一三世の遺品と、それに似た品を大量に携えていた。幼いラモ・ドンドゥプは、亡き指導者の遺品を選び、自分がその指導者の生まれ変わりであることを証明しなければならない。黒い数珠や黄色い数珠、杖、太鼓といった品々が、低い卓に並べられた。まず、ラモ・ドンドゥプは遺品の数珠を手に取り、首に掛けた。僧たちは、期待を込め、固唾を呑んだ。ラモ・ドンドゥプは杖のほうに腕を伸ばし、偽物に手を置いた。見守っていた僧たちは、激しい落胆を覚えたが、ラモ・ドンドゥプは唐突に手を引っ込め、遺品の杖をしっかりと掴んだ。僧たちの目には嬉し涙があふれた。ダライ・ラマ一四世が見つかったのだ！

あらゆる仏教徒が生まれ変わりを信じている。人は死ぬと、その霊魂が新しい身体に生まれ変わるという考え方を。その新しい身体は、男性にも女性にも、ノミにもタコにもなりうる。どのような身体になるかはたいてい、前世での振る舞いの直接の結果だ。これが、「カルマ（業《ごう》）」という、因果の周期（輪廻）だ。

だが、チベット仏教徒は、霊的に非常に発達した人のなかには、自分の来世の身体を選べる者もいると信じている。チベットのラマの最高峰であるダライ・ラマは、そのような、悟りを開いた人物の一人だ。一九三三年に一三代目の化身が亡くなると、その頭が北東を向いたと言われる。自分が再び現れる場所として選んだのがそちらであることを示したというのだ。

ダライ・ラマ一三世の新しい化身が見つかったのは、一九三八年のことだった。チベットは五年にわたって、暫定的な摂政によって統治され、その間、ダライ・ラマの霊魂は、この世での次の身体を見つけるまでの「中間状態」を経ていると考えられていた。山の高原の下に広がる世界では、戦争が勃発しかけており、考え抜いた上でのチベットの孤立に程なく異議を唱えることになる新勢力が台頭しつつあった。

チベットは名目上の指導者を必要としていた。素朴な国民にとって、ダライ・ラマは神のようなもので、観音菩薩の化身であると言われていた。観音菩薩とは、悟りを開いた後、人々を導くためにこの世に戻ってきた者だ。

ラモ・ドンドゥプは五歳で見習い僧となり、ダライ・ラマ一四世テンジン・ギャツォという名を与えられた。彼は実家から連れ出され、巨大で寒々とした宮殿で、修道院のような禁欲生活の中で育てられた。長く色彩豊かな行列を伴って稀に宮殿を出ると、人々は彼の前にひれ伏した。

一九五〇年、彼は一五歳でチベットの君主の地位に就いた。折しも、中国の大軍が国境を越えつつあった。

「ダライ・ラマ一四世」の誕生が示すこと

第6章では、プラトンからローマ教皇ベネディクトに至る西洋の伝統における霊魂を取り上げた。「霊魂のシナリオ」の驚くべき成功は、それが提供する情動的・知的満足感の直接の結果だ。このシナリオによると、私たちのそれぞれには、純粋で不滅の核、いわば神から与えられた、神性を帯びたものがあるという。したがって、物理的な死は、私たちの霊が自由になれる、より良い場所への移行にすぎない。

だが、詳しく考察すると、このより良い場所は、どうも捉え所がないことがわかった。それはどこにあるのか、どのような場所なのかという疑問のどちらにも、矛盾することなく答えるのは難しい。「霊魂のシナリオ」の東洋版は、生まれ変わりに的を絞っているので、これらの問題を部分的に解消できる。すなわち、あなたが死んでも、霊魂は現に生き続けるが、新しい身体に宿ってこの地球上でそうする――少なくとも、悟りに至るまでは。

本章では、これらの東洋の伝統、特に仏教とヒンドゥー教を、両者が共有する生まれ変わりの教義と共に詳しく調べることにする。生まれ変わりが「霊魂のシナリオ」の範疇《はんちゅう》に入るのは、身体的死を生き延びて生まれ変わると考えられているのが、何か霊魂のようなものだからだ。あなたが前世でナポレオンあるいはクレオパトラだったというのは、ナポレオンの身体あるいはクレオパトラの身体に宿っていて、ナポレオンの人生あるいはクレオパトラの人生を生きたのと同じ霊魂が、今やあなたの身体に宿っていて、あなたの人生を生きているということにすぎない。したがって、生まれ変わるためには、あなたの現在の物理的身体よりも長生きできる霊魂を持っている必要がある。あなたの現在の生身の体がいつの日か蘇って再び生きると主張するような「蘇りのシナリオ」とは、そこが違う。

本章では、生まれ変わりの教義が、現代科学の領域と遭遇する場所にも目を向ける。すなわち、世界各地の研究所や病院の巨大な脳スキャナーの中だ。霊魂の科学的探索が行なわれているのはこれらの機械の中であり、心の性質についての最新の発見から、生き続ける見通しについて何がわかるかを見てみる。

古代の知恵と現代の科学との出合いを、これ以上ないほど見事に代表しているのが、ダライ・ラマ一四世だ。中世以来ほとんど変化していない文化で生まれ、キリスト教よりも古い宗教の修業を積んだ彼は、それでも子供時代からテクノロジーに魅了されてきた。

一〇代のときには、一三世が遺した三台の自動車（チベット全土で、自動車はこの三台しかなかった）のうちの一台を試しに運転してみた――そして、衝突事故を起こしてしまった。その後、腕時計の修理でそうとうの評判を得た。成人すると、主要な分野のすべてで、一流の科学者との対話の機会を求めた。

ダライ・ラマは、自分の信仰の教義を最新の発見に照らして再評価するときに、ブッダの教えを頻繁に引き合いに出す。ブッダその人が、次のように言っている。

「僧たちよ、賢者は、熱したり、切ったり、擦ったりして試してから金《きん》を本物として受け容れる。それとちょうど同じように、私の言葉も、私への敬意からではなく、吟味してから初めて受け容れなくてはいけない！」

だが、ブッダは他者に自分で考えるように熱心に勧めたとはいえ、彼自身の生涯の物語は、ダライ・ラマのような信奉者たちにとっては、創立神話のようなものであり続けている。そして、この物語はそのような神話として、死の恐怖に向き合うことに明確な関心を示している点で、キリスト教に比肩する。

ゴータマ・シッダールタ（釈迦）は、紀元前六世紀頃に、現在のインドとネパールの国境にあるヒマラヤ山脈の麓《ふもと》に暮らす貴族の一家に生まれた。誕生にまつわるさまざまな前兆は、この子がいずれ偉大な霊的指導者か偉大な王となることを意味していると解釈された。父親は、ゴータマを必ず偉大な王にするために、人を出家させかねぬ人間の苦しみを、彼が目にせずに済むように努めた。

だが、運命の計らいによって、父親の目論見《もくろみ》は崩れた。ある日、珍しく宮殿の外に出た若きゴータマは、一人の老人を見掛けた。乗っていた車の御者に、誰もが老いねばならないと説明されたゴータマは愕然《がくぜん》とした。次に出掛けたときには病気の人を見掛け、生きていく上で病は避けては通れないと御者に説明され、衝撃を受けて狼狽《ろうばい》した。三度目に外出したときには、遺骸が火葬場に運ばれていくところを見掛けた。誰もが死なねばならぬことを知ったゴータマは、打ちのめされた。四度目に宮殿を出たときには一人の修行者を目にし、死の必然性という、人間の境遇における大問題を克服する術を見つけることを決意した。

仏教徒のなかには、この話を文字どおり信じる人もいるが、多くはそれを寓話として読む。宮殿でのゴータマの保護された暮らしは、自己欺瞞《ぎまん》と、人間の存在に伴う厳しい現実——人はみな、老い、病み、死ぬという現実——の否定を象徴しているというわけだ。四回の出会いのうち最初の三回は、厳しい三つの現実に目覚める過程を象徴しており、これは私たちがそれぞれ、成長するなかで経験することだ。そして四度目の出会いは、これらの真理に対処するために宗教に目を向けることを象徴している。したがってこの話は、「死のパラドックス」の前半、すなわち、私たちはみな、いつの日か死なねばならぬ脆弱で有限の生物であるという認識と、この認識が不死のシナリオの探索へと私たちを導くことの完璧な寓話なのだ。

ゴータマはさまざまな聖なる師の下で急速に学びを深めたものの、苦行者の生き方を取らなかった。飢え死にしかけた後、そのような極端な苦行は、現世の苦しみを免れる道ではないことに気づいた。

そこで彼は、木の下に座して、悟りを開くまで瞑想することを決心した。そして、四九日後に悟りを開き、それ以後、ゴータマ・シッダールタはブッダとして知られるようになった。ブッダとは、「覚者（悟った者）」を意味する。

ブッダの悟りに伴っていた具体的な認識は、「四聖諦《ししょうたい》」として知られる。すなわち、生は苦しみであること、苦しみは私たちを儚い世界に縛りつける利己的な欲望の絶え間ない激動が引き起こすこと、この苦しみには終わりがありうること、この終わりは、こうした利己的な欲望を捨て、慈悲に満ちた平穏な暮らしを送れば達成しうることだ。

これを成し遂げる人は、涅槃《ねはん》という、現世の苦難から解放された状態に至ったのだ。それは、ブッダが「不死の境地」と説明する状態だ。

キリスト教がユダヤ教から現れて独自の命を帯びたのとちょうど同じように、仏教は、今日ではヒンドゥー教として知られる、はるかに古いインドの一群の宗教伝統や哲学伝統から現れた。ブッダの四聖諦は、すでにヒンドゥー教の内部でかなり進んでいた展開を利用した。

ヒンドゥー教は当時、手の込んだ儀礼や供犠に基づくもともとの宗教から、各人が真の自己である自分の内なる本質、純粋な霊魂、「アートマン」を探し求めることに基づく哲学へと移行しつつあった。仏教がヒンドゥー教から受け継いだ教えのいっさいのうちで最も重要なのが、インドのあらゆる哲学の中心的な概念である生まれ変わりだ。

ヒンドゥー教徒は、私たちの中の意識がある部分──「アートマン」と呼ばれる心／霊魂／自己──は、宇宙の本質的な部分だと信じている。

「それは生まれることなく存在し、永遠不変で、古来のものである。身体が殺されても、滅びることはない」と、ヒンドゥー教のとりわけ重要な聖典『バガヴァッド・ギーター』は説明する。これは言うまでもなく、「死のパラドックス」の後半、すなわち、自分自身が存在していないところは考えられないことの表明に非常によく似ている。霊魂は破壊できないという主張から、それは、その器である身体が死んだときにはどこかに行くに違いないという考えが導かれる。そして、その行き先は、別の身体であると考えるのが最も自然だ。「人が擦り切れた服を捨てて新しい服を受け取るのとちょうど同じように、肉体を与えられた霊魂も使い古した身体を捨てて異なる身体の中に入る」と、『バガヴァッド・ギーター』にはある。

だが、どの身体の中に入るのか？　王子として生まれるか、乞食として生まれるかでは大違いであり、それも、あなたが人間として蘇ることができるほど幸運ならばの話だ。あなたはシロアリかネズミになることとさえ十分ありうるのだから。

すでに述べたように、ほとんどの人にとって、これはたった一つのものによって決まる。普遍的な因果の法則であるカルマだ。善い行ないをすれば良いことが起こり、邪《よこしま》な行ないをすれば悪いことが起こるというのがカルマだ。そうした良いことや悪いことはさまざまな形を取りうるが、なかでも最も重要なのが、食物連鎖のずっと上のほうで、見栄えが良くて健康な身体を持って生まれるか、踏み潰される運命にある何か不快なおぞましい虫けらとして生まれるか、だ。カルマは至高の存在の意思次第だと考えるヒンドゥー教徒もいる一方、仏教徒は特に、重力と同じように免れることが不可能な、ただの自然法則だと考えている。

ヒンドゥー教徒にとって、生まれ変わりとカルマの証拠は私たちの周囲一帯にある。明らかに知能や富や容貌に恵まれて生まれてくる人もいれば、生まれつき愚鈍な人や貧しい人や醜い人もいる。これは前世における振る舞いの結果としてしか説明のしようがないと、彼らは信じている。

彼らはまた、不自由な脚、虫歯、虚弱な体質はみな、以前の罪業の当然の報いにすぎないと考えている。そして、身体的能力や精神的能力も重要なのだが、どのカーストに生まれ、人生においてどのような地位に就けるかはカルマが決めると思っている。汲み取り作業人の息子として、汲み取り作業人に生まれついたら、それは（前世の）自分のせい以外の何物でもないというわけだ。

生まれ変わりの教義を、それ自体が素晴らしい不死のシナリオだと見る人がいるかもしれない。だが、高い地位に生まれ変わるのは十分楽しいことでありうるにしても、いずれ老いて、再び死ぬという見通しに、相変わらず直面することになる。したがって、賢者はこの生と死の周期をそっくり超越することを願う。彼らの至上の目的は、王子あるいは絶世の美女に生まれ変わることではなく、ヒンドゥー教徒が「モークシャ（解脱《げだつ》）」と呼ぶものを達成することだ。

モークシャの状態では、アートマンは自らの本性を発揮しているので、現世に戻ってさらに生を重ねる必要はなく、身体的生活の苦難から解放され、永遠の至福の中で生きることができる。仏教徒にしてみれば、この解放によって涅槃に導かれ、そこでは世俗の心配事が消滅し、（理論上は）完璧な幸福を得ることができる。

生まれ変わりは、一つの身体を捨てて別の身体に宿る霊魂という考え方を拠り所としているが、アートマンというインドの概念は、第6章で取り上げた、プラトンとキリスト教の伝統と同一であるわけではない。

西洋では、霊魂はたいてい、少なくとも心と人格のあらゆる側面に及ぶと考えられている。もし人が死んで、霊魂となってキリスト教の天国に昇っていったら、自分の記憶や信念、苦労して獲得した知恵や経験も、いっしょに持っていかれることを見込む。

一方、ヒンドゥー教徒の霊魂が負っている心理面の荷ははるかに軽い。生まれ変わったときに、霊魂は前世の記憶の名残を少しばかり保持しているかもしれないが、たいていは何の記憶も持っていない。そして、赤ん坊の身体に生まれ変わったときに、前世に積み上げた知恵を示し始めたとしたら、少しばかり早熟に見えるだろう（ミミズや魚に生まれ変わったときには、なおさらだ）。したがって、ヒンドゥー教徒と仏教徒は、次の身体へであれ、涅槃へであれ、記憶や信念をすべて持っていくことは期待していない。人の霊魂は、どちらかと言えば純粋な自覚のようなもので、意識の主体である人は、独自の特性や弱点をすべて剥奪されている。

仏教徒は、この霊魂に対する剥奪を極限まで推し進めるので、霊魂というものが存在することをそっくり否定するとまで言われる場合が多い。だが、これは完全に正しくはない。もし人のいかなる部分も死を生き延びなかったなら、生まれ変わるべきものがなくなってしまう。生まれ変わりの教義とカルマの教義は、あらゆる形態の仏教にとって不可欠であるにもかかわらず、まったく意味を成さなくなってしまう。だから、自己あるいは霊魂などというものはないと仏教徒が主張するときには、あなたには、「本当のあなた」と言えるような不変の中核的人格があることを否定しているのだ。

だが、身体が死んだ後も、それを通して生き続けられるような何か精神的／霊的なものは依然として存在する――ダライ・ラマが「自覚するための能力、一種の聡明さ」と呼ぶものが。

この切り詰められた霊魂が私たちの経験のいっさいを支えているが、思考や印象の絶え間ない流れにすっかり覆われてしまっているので、死ぬ過程の最後の段階で、現世の儚いものが視界から消えてしまうまで、その霊魂に気づくことができない、と仏教徒は信じている。その最後の段階には、私たちの意識はこの純粋で、自己のない状態まで切り詰められ、来世へと進む準備が整う。

この考え方は理解するのが難しいし、明確な言葉で表現することさえ困難だ。だが、一つはっきりしていることがある。この形態の霊魂は切り詰められているとはいえ、とても頑丈なので、生まれ変わることができ、何であれ人が現世でやらかした善《よ》からぬことを、来世で罰せられる羽目になる、と仏教徒は信じている。

善と正義と亡霊信仰

したがって、仏教とヒンドゥー教にとってのカルマと生まれ変わりの教義の意味合いは、天国と地獄がキリスト教とイスラム教にとって意味することや、「心臓の重さの測定」が古代エジプト人にとって意味したことと同じであり、それはすなわち、宇宙の正義の提供だ。これらのシナリオのすべてで構造は共通しており、送り甲斐のある永遠の生は、善行を通して獲得すべきものであるのに対して、邪悪な行状は、その定義の仕方はさておき、消滅、あるいは苦しみに満ちた死後の生につながる。

そのため、高齢の女性が道を渡るのを手助けしたり、慈善団体に寄付したり、隣人を愛したりするときでさえ、私たちは不死を目指していることが非常に多いわけだ。少なくとも、永遠の罰を受けることにおびえたり、永遠の報いを得ることを見通したりしてそのような道徳的行動をする気になっているのなら、そう言える。

そして、この行動と動機の結びつきがどれほど一般的かを考えれば、私たちは罰や報いを考えて、道徳的な行動を取る気になっていることが窺われる。集団の倫理規範を遵守させるために、幸せな永遠の生を得たいという私たちの欲望を利用しない文化は稀だ。たとえば古代エジプト人は、来世で居場所を確保するために、耕作地を奪ったり、水の流れをせき止めたりすることを含む、四二種の罪のどれ一つとして犯さなかったことを証明しなければならなかった。

私たちは、永遠に生きるという利己的な見通しを高めるためにのみ、倫理的な行動を取ると考えたくはないかもしれないが、大半の文化や宗教的世界観は、私たちはまさにそのように振る舞うものと決めてかかっている。特にエリートの間では、不死への意志を利用して規律を強化しなければ、大衆に性的暴行や略奪を思いとどまらせられないという思い込みが、ずっと以前からある。節度ある人々には永遠の生、暴行者や略奪者は地獄行きというふうに教えるわけだ。

たとえば、一九三四年になってさえ、ウィリアム・マクドゥーガルという著名な心理学者が、霊魂の教義に対する科学の攻撃に応えて、わざわざ次のように書いている。

「この信念が消滅すれば、我々の文明にとって悲惨な結果になる可能性が非常に高い」

この信念が集団にもたらす秩序と団結は、その集団の存続にとって非常に有用であることは疑いない。だが、宇宙の正義を信じれば、不死のシナリオそのものにとっても、卓越した防衛手段が得られる。ある世界観で、何が報われることになるのかについての説明に頻繁に組み込まれるのが、その世界観を助長する行動であり、その一方で、その世界観を損ないうるような行動は、地獄の火によって罰せられるとされる。

たとえば、ユダヤ＝キリスト教の十戒のうち三つは、そのシナリオの擁護にはっきりと関係している（「あなたには、私をおいてほかに神々があってはならない」「あなたは自分のために彫像を造ってはならない……それにひれ伏し、それに仕えてはならない」「あなたは、あなたの神、主の名をみだりに唱えてはならない」）。

同様に多くの宗教が殺人を禁じているものの、信仰を守るための聖戦は例外とされ、それはイスラム教のジハードの概念やキリスト教の「十字軍」という概念に見て取れる。そのような規範は、集団内の団結に貢献する一方、自らの世界観を守るためには進んで死んだり殺したりする若者の安定した供給を確実にし、不死のシナリオを永続可能にするのを助ける。

だが、これを単にアメとムチの未熟な体制と見なしたら間違いになるだろう。そこには、ただ悪魔に腸《はらわた》を焼かれるという話で脅かして善い振る舞いをさせる以上のものがある。

私たちには公正さの感覚が生まれながらにして備わっていることを、最近の多くの研究が示している。すなわち、私たちは善が報われ、悪が罰せられるのを見たがるように進化してきたのだ。だが、この世界は公正でないことが往々にしてある。利己主義や偽りで頂点を極める人もいれば、無私無欲や良識が他人につけ込まれることもある。これらの不死のシナリオが持つ倫理的な面が約束するのは、誰もが最後には適正な報いを受けるということだ。弱い者いじめをする人は、今は良い目を見るかもしれないが、明日は地獄で、あるいは回虫に生まれ変わったときに、自らの行ないを悔いることになるだろう。

したがって、そのようなシナリオは、見掛けとは裏腹に、生は結局、公正であることを請け合う。これは、「霊魂のシナリオ」が有意義な宇宙における存在意義や有意義な役割を与えてくれるのと似ている。すでに見たように、「霊魂のシナリオ」の場合には、神から与えられた、神性を帯びたものである不滅の霊魂を誰もが持っているというメッセージのおかげで、私たちはそれぞれ唯一無二の重要性を持っていると信じることができる。

同様に、宇宙の公正さを信じていれば、安心できる。私たちの行ないは見過ごされないだろうし、迫害者が今はどれほど強力に見えても、私たち弱者を不当に扱った罰をいずれ受けるだろうから。これはとても満足のいくメッセージだ。

カルマの体系を通して宇宙の公正を請け合うことが、ヒンドゥー教の世界観に並外れた安定をもたらしてきた要因であるのは確実で、この世界観は二〇〇〇年を優に超えた今もなお人気を博している。だが、この安定は保守性を意味する。特に、社会構造の面でそれが顕著だ。高い地位に生まれた人は、前世の行ないによってその地位を獲得したのであり、低いカーストに生まれた人は、自らを責めるしかない、とこの教義は説く。したがって、社会的流動を許す動機がない。それどころか、社会的流動を許せば、正義が行なわれるのを妨げることにすらなりかねない。

なお悪いことに、奇形や病気、その他の障害は、前世の悪事に対する宇宙の罰と見なされ、そうした障害などが正当な根拠となるように思える同情や支援を大幅に減じている。これはまた、厳しい正義としか言いようがない。

それにもかかわらず、宇宙の正義という信念はしっかりと確立されているので、一部の思想家は議論を逆転させてきた。彼らは、まず不死のシナリオの正当性を立証してから、それを使って宇宙の正義を説明する代わりに、まず宇宙はどうしても公正でなくてはならないと主張し、その結果、私たちは不滅に違いないと言い切る。宇宙の正義が可能であるためには、それ以外の道がないから、というのだ。

したがって、不死のシナリオの副産物だったものが、そのシナリオの論拠になる。こうしてこの推論は、完全な堂々巡りと化す。永遠の生が宇宙の正義を保証し、宇宙の正義が永遠の生を保証するわけだ。啓蒙主義の偉大なドイツの哲学者イマヌエル・カントのような高名な思想家たちまでもが、この怪しげな考え方に魅せられてしまった。

道徳家たちにとって、「霊魂のシナリオ」の魅力は、その陰の面、すなわち亡霊信仰にまで及ぶ。おとなしく来世に行かず、この世にとどまって生者に取り憑く亡霊の物語は無数にある。それらの亡霊物語にも教訓的な目的がある。亡霊の出没は、何らかの道徳違反の結果として描かれることが非常に多いからだ。

その違反はしばしば、亡くなった人に対して行なわれた悪事だ。多くの文化では、埋葬が不適切だと、それだけで霊があてどなく漂い始めるし、凶暴な殺人は亡霊の出没に確実につながる。たとえば、ハムレットの父親がそうで、彼は仇討ちがなされるまで、この世をさまよい続ける。

だが、霊が来世に行かれぬ原因は、本人が行なった邪悪な行為のせいであることもあり、そのような場合、亡霊は償いをしたり、永遠に現世に出没し続けたりする羽目になる。チャールズ・ディケンズの『クリスマス・キャロル』に出てくるジェイコブ・マーレイの亡霊がその一例で、彼はあまりにけちだったため、死後の世界に収まるべき場所が得られなかった。どちらにしても、こうした物語は、この世で善良でなければ来世で当然の報いを受けるというメッセージをいっそう強力なものとする。

亡霊信仰はこれまで、さまざまな社会や世界観の中で見られたので、多くの人類学者が普遍的文化現象と考えている。現代の非宗教的な環境においてさえ、この信仰は強固に残っている。たとえば、最近の世論調査によると、アメリカ人の四二パーセント、イギリス人の三八パーセントが亡霊の存在を信じているという。そのような亡霊信仰は、あらゆる証拠に反して、身体的死は終わりではないという意味合いを持っているのだから、これほど多くの人が信じているとは驚きだ。だが、「死のパラドックス」の後半ですでに見たように、私たちには自分の霊魂が無期限に生き続けると考えやすい傾向がある。私たちが他の人々について考えるときにも、同じような認知の仕組みが働いているのではないかと、心理学者はしだいに考えるようになっている。

私たちは家族や友人がその場に物理的に存在していないときにも、彼らのことを想像するのに慣れており、通常の生活で非常に有用なまさにその能力のせいで、彼らが死んでも彼らのことを想像し続けるのだ、と心理学者は主張する。言い換えれば、私たちが持っているこの世界の高度な心象には、こうした家族や友人が含まれており、彼らを一夜にしてその心象から簡単に消し去ることはできない。彼らが私たちの人生で重要な役割を果たしてきたのであれば、なおさらだ。

その結果、亡くなった人々が何らかの形で相変わらず私たちといっしょにいるという強い感覚が生じ、幻覚さえ起こる。要するに、亡霊が現れるわけだ。

しっかりと確立した宗教は、そのような信念に眉をひそめると、つい思いたくなる。たしかに聖職者は、邪悪な霊と闘っている姿がよく描かれる。だが、賢い聖職者ははるか昔から、「霊魂のシナリオ」を信じる気持ちと、出没し続ける霊を信じる気持ちが切っても切れぬ関係にあることを認識していた。

早くも一七世紀にはイングランドの聖職者ジョーゼフ・グランヴィルが、亡霊の存在への疑念を非難する論文を書き、それは無神論への第一歩であり、したがって、既知の文明の終焉への第一歩でもある、と主張した。

今日、ディーパク・チョプラのような東洋の伝統における現代の指導者と、第6章で触れたジェイムズ・L・ガーロウ牧師のような西洋における現代の宗教指導者の両方が、霊魂が実在する証拠として、亡霊の話を相変わらず引き合いに出す。

霊魂と科学――霊魂の住み処は心か身体か？

証拠にまつわる疑問は、「霊魂のシナリオ」で中心的な役割を果たす。「蘇りのシナリオ」を信じる人は、神の奇跡的な行為を期待する。したがって、不死への希望を正当化しうるものは、神への信仰だけだ。

だが、霊魂に対する信仰は、常にそれとは異なるものだった。霊魂の存在は、理性で分析できる仮説であり、古代ギリシアの論理学者と古代インドの論理学者の両方が、霊魂は数多くの経験的現象や存在に関する難問の最善の説明になると考えていた。だから、蘇りに期待をかけていたイエス・キリストが十字架から自分の神に大声で叫んだのに対して、自分の真の自己は不滅で間もなく解放されようとしていることを理性的に証明したソクラテスは、完全に落ち着き払って毒杯を呷《あお》ることができた。

だが、霊魂の存在はいったい何によって証明されるというのか？

第一に、生命そのものにまつわる事実がある。生きているものと生きていないものとの間には、埋めようのない溝があるように見える。古代ギリシアのものをはじめとする多くの文化にとって、生き物には、それに生気を与えている何か特別の要素があるのに対して、岩や塵や水にはそれが欠けていることは明らかに思えた。その生気を与えるものが霊魂であり、生きているのと霊魂を持っているのは、まったく同一のことだった。

第二に、意識にまつわる事実がある。生き物のなかには、動いたり成長したりできるだけではなく、考え、想像し、信じることもできる者がいる。手で掴んだり、測ったり、目で見たりできる物質的な物と、私たちの心の中に漂っている概念の領域との間にも、大きな隔たりがあるように見える。心は明らかにこの世の他の物と異なり、その存在については特別な説明が必要とされる。そして、多くの人にとって、霊魂こそがその説明となる。

第三に、もっと限られた人々だけにまつわる証拠がある。たとえば、幼いラモ・ドンドゥプは、かつてダライ・ラマ一三世のものだった数珠と杖を選ぶことができた。前世を覚えているというインドの子供たちのよりいっそう詳しい話が、しばしば報じられ、多くの人がそれを、霊魂が前世から現世へと生まれ変わった証拠と考えている。そして、先程述べたように、亡霊の目撃は、霊が存在することと、霊が死後も存続することの証拠だと信じている人もいる。

今やこれら三つの主張は、二〇〇〇年前や二〇〇〇年前と比べても、わずか二〇年前と比べたとしても、もうそれほど明らかな説得力を持っていない。第3章で見たように、生命を説明するためには、何か生気を与えるものが必要であるという考え方に背を向けるのが、科学界ではとうの昔から総意となっている。生き物から個々の臓器、微小な細胞やDNAに至るまで、生命がどのように機能するかに関する現代の理解には、霊的なものの入り込む余地はない。したがって、霊魂の存在を支持する古来の主張の第一は除外できる。

亡霊や、その他の不気味な目撃談に基づく第三の主張も、除外するのが最善だ。有意義な結論を導くためにこれらの現象を詳しく調べようとした人々は、きまって落胆する羽目になった。亡霊の話や前世の記憶が少しでも精査に耐えることは稀であり、不正や作り話を伴わぬものさえも、起こった出来事に対して、霊が盛んに活動する世界が存在するという説明と、たいていは少なくとも同等以上の妥当性を持つ説明が他にある。

これではあまりに簡単に片づけ過ぎていると感じる読者がいるといけないので、次の事実は指摘しておく価値があるだろう。すなわち、超常現象を前向きに探究するために、一八八二年に当時の指折りの思想家たちによってロンドンで設立された心霊現象研究協会は、一〇〇年以上にわたって偏見のない調査を行なったにもかかわらず、超自然的な現象の大いに説得力のある証拠を一つも見つけることができなかった。

それでも、霊魂の超自然的な証拠と称するものの情報源の一つには触れておく価値がある。いわゆる「体外離脱体験（ＯＢＥ）」だ。典型的な例は、心臓の搏動が一時的に止まった患者が、自分の身体を離れ、場合によってはその身体を見下ろしたり、光のトンネルを進み、亡くなった家族や慈悲深い存在に迎えられたりする、というものだ。こうした経験は、本人にとって人生を一変させるものでありうる。そして、自分の信仰を強めるものと解釈されることが多い。

光のトンネルを進んでいくといった経験を人がときどきすることには、議論の余地がない。とはいえ、そうした経験の世間一般の認識は歪んでいる。たとえば、先述のような典型的な事例は、その種の経験のうちほんの一部を占めるにすぎぬことに気づいていない人が多い。経験は、詳細や強烈さの点でじつにさまざまだし、患者が臨死状態のときだけに起こるわけでもない。それどころか、OBEに酷似した経験は、特定の薬物や脳の一部への電極による刺激によっても引き起こすことができる。したがって、体外を漂っているという主張が真実かどうかを検証する試みがなされてきた。たとえば、病院の救急処置室で、患者の上方からしか見えぬ場所に掲示板を置くという方法が取られた。これまでのところ、人が本当に自分の身体を離れたという確かな証拠は得られていない。

体外離脱体験――あるいは、幽霊屋敷や、チベットの子供が一方ではなくもう一方の数珠を選んだこと――の説明として、霊魂の存在が本当に最善であると結論するためには、霊魂とは何であり、どのようにして身体の死を生き延びるのかについての妥当な説明が、まず必要となる。証拠が曖昧であることを踏まえると、霊魂に関する確固たる説がないかぎり、自然科学的説明のほうが常に望ましい可能性が高い。

したがって、霊魂は心であるという、第二の主張の擁護論に行き着くことになる。

今日、霊魂の存在を信じていると公言する人は厖大な数にのぼるとはいえ、霊魂とはいったい何だと思っているかと問い詰められると、多くの人が曖昧になる。だが、もしあなたが霊魂のおかげで不死を達成できるのならば、霊魂は何らかの根本的な本質、すなわち真のあなたを捉えているに違いない。だからこそ、身体が死んだ後も霊魂が生き続けたなら、あなたが生き続けるのだと、安心できるのだ。

西洋では、「真のあなた」はたいてい、あなたの心を意味すると解釈される。考えたり、感じたり、思い出したり、夢を見たりする、あなたの意識のある部分のことだ。死にゆく身体から漂い出したり、天国に着いたりするとき、あなたは少なくとも、意識的自覚と、元のままの記憶や信念や夢は持っていたいだろう。

したがって、不滅の霊魂が存在することを証明するには、身体から独立し、身体的死を生き延びられる何らかの霊的本質を拠り所とする心が存在することが前提となる。逆に、心が完全に身体を拠り所としていたら、心は身体が死ぬときに死に、霊魂と呼べるようなものは何も残らないと結論せざるをえなくなる。したがって、「霊魂のシナリオ」の妥当性にとって決定的に重要な疑問は、沈没していく船の船長のように、心あるいは意識が、死にゆく身体を離れて存在し続けられるか、それとも、ソクラテスの懐疑的な友人の一人が言ったとおり、竪琴が壊れれば竪琴の調べも止むのとまったく同じで、身体が死を迎えれば心も滅するのか、だ。証拠を見てみよう。

霊魂が存在するという教義は、近代科学の知見が得られる以前に端を発しており、当時の哲学者(たとえばアリストテレス)は、脳は血液のための精巧な冷却装置にすぎないと信じていた。身体は不完全で信頼できぬ構造物で、神々が大ざっぱに成型した土塊《つちくれ》のように見えた。この物質が、記憶の豊かさや創造的思考の神秘や宗教心の深遠さを生み出しうるとは考えづらかった。むしろ人間の心の輝かしさは、頭蓋骨の中の茹《ゆ》で過ぎたカリフラワーのようなものの働きよりは、神から与えられた、神性を帯びたものである霊魂に帰するほうがはるかに道理に適っているように思えた。

それにもかかわらず、アリストテレスを含む一部の思想家は、身体が死んだ後も心が残るという考え方には懐疑的だった。すでに見たように、初期のユダヤ教徒やキリスト教徒も、血肉のいっさいを含めて人間を完全に元どおりに組み立て直して初めて、不死を達成しうると信じていた。

科学と医学が進歩するにつれ、心と脳の非常に緊密な関係を裏づける証拠が積み重なっていった。たとえば、懐疑的で不敵なヴォルテールは、人の心的能力が脳よりも後まで残ると言われたら、笑いを禁じえない、と言っている。カトリックの国だった一七三〇年代のフランスでは、これほど歓迎されない反応はなかった。彼は、死後に初めて刊行された論文の中で次のように書いている。

「神は考えを持つ能力を脳の一部と結びつけたので、脳のこの部分を維持してのみ、この能力は維持することができる。その部分なしでこの能力を維持するのは、人間や鳥が死んだ後まで笑いや鳴き声を維持しようとするのと同様、不可能だ」


心が脳を拠り所としていることを示す初期の非常に有力な証拠は、脳に損傷を負った人々の事例から得られた。おそらく最も有名なのが、アメリカのヴァーモント州で働いていた鉄道工事監督のフィニアス・ゲイジの事例だろう。

一八四八年、爆発事故で鉄の棒が彼の頬から頭頂部へと突き抜けて二五メートルほど先まで飛び、左前頭葉と呼ばれる、脳の前部の大きな部位が損なわれた。驚くべきことに、ゲイジは一命を取り止め、身体的には完全に恢復した。だが、少なくとも当時の科学界にとってはなおさら驚くべきことに、この事故のせいでゲイジの人格は意外で劇的な変化を見せた。それまでは信頼できる、勤勉で、評判の良い働き者だった彼は、「気まぐれ」で「落ち着きのない」「不敬」な人間に変わり、定職に就いていられなくなった。脳の局部的な負傷が、ゲイジの道徳性に変化を引き起こしたように見えた。人格のうちでも、神から与えられた霊魂と、これ以上密接に結びつけられている部分は他にないだろう。

じつはゲイジの事例については、それだけで確固たる結論を導けるほど詳細が明らかではない。だが、幸い私たちは、その事例から結論を下す必要はない。その後の年月に、脳損傷を抱えた人の生命を維持する医学の能力と、そうした事例を体系的に研究する科学の能力の両方が指数関数的に向上したからだ。その結果、脳の特定の部位の損傷が、心の中核的な側面を除去したり大幅に変えたりしうるというデータが、豊富に得られた。

特定の脳損傷のせいで、たとえば情動や記憶、創造性、言語、そしてゲイジの事例のように、社会規範の尊重や意思決定、さらには光景や音といった感覚器による知覚を処理する能力が損なわれることが、今では十分に立証されている。これらはみな、かつてなら霊魂のものとされていたであろう能力の模範的な例だ。

霊魂信仰に突きつけられた疑問の核心は、次のようになる。死んで脳が完全に破壊された後も霊魂がこうした能力を維持できると信じている人は、脳のほんの一部分が破壊されただけで、霊魂はこうした能力を維持できなくなる理由を説明しなければならないのだ。

この点を明確にするために、視覚を例に取ることができる。もし脳内の視神経がある程度の損傷を受けたら、もう見ることができなくなる。盲目になるわけだ。視覚という能力は、視神経が機能していてこそ維持されることが、ここから歴然とする。それにもかかわらず、不思議にも多くの人が、霊魂が身体を離れても、自分の目が見えるところを想像する。たとえば、自分の遺骸や葬列を見下ろしているところを想像する。したがって、非物質的な霊魂には視覚の能力があると信じているのだ。だが、もし脳と身体がすべて機能を停止したときに霊魂には物が見えるのなら、視神経が機能を停止しただけのときに、なぜ見えなくなるのか？　言い換えれば、もし盲目の人に霊魂があるのなら、なぜ彼らは盲目なのか？

この疑問に対して、納得のいく答えはない。実際、トマス・アクィナスのような思慮深い神学者たちは、身体を持たぬ霊魂には物が見えないことを認めている。見るというのは、目と視神経が正常に作動しているときに、身体と脳によってなされることなのだ。

だが、視神経の損傷によって視覚という能力が損なわれうるのとちょうど同じように、脳の他の部分の損傷によって記憶や論理的思考のような能力も損なわれうることが、今ではわかっている。心と人格のすべての側面がこのような形で脳を拠り所としていることを示す証拠が、しだいに増えている。だから、盲目の人についての問いに倣って、脳に損傷があって理性的に考えたり情動を感じたりできぬ人について、次のように問うことができる。

もし彼らは理性的に考えたり情動を感じたりできる霊魂を本当に持っているのなら、なぜ理性的に考えたり情動を感じたりできないのか？　脳と身体がすべて破壊されたときには何の差し障りもないのに、なぜ脳に局部的な損傷があるだけで差し障りが出るのか？

長い間、脳の研究者は、ゲイジのような事例しか扱えなかった。だが、過去数十年間に、完全に新しいテクノロジーが神経科学に大変革をもたらした。生きた脳が活動しているところを画像で捉える機械が登場したのだ。それに伴う技術を総称して、「神経イメージング」といい、そのおかげで科学者は、思考という実体のない世界と、計測可能な脳という物質との相関を詳しく研究できる。今では世界中の研究室で、人が母親の顔を思い出したり、テニスをしているところを想像したり、単に白昼夢に耽ったりといった典型的な精神活動を行なっているときに、大脳のさまざまな部分が活性化するのを、生で見ることができる。

その結果は、どの心的作用にも脳の何かしらの作用が伴うことを示している。「霊魂のシナリオ」にとってさらに悩ましいことに、そうした結果は、物理的な脳の作用が始まった後に、意識のある心がそれを自覚することを示している。だから、たとえば誰かがあなたの脳活動を観察していれば、あなた自身が意識的に知る前に、あなたがどのような決定を下したか（右か左か、コーヒーか紅茶か何か別の物か）を、知って伝えることができる。もし本当のあなたが意識のある霊魂なら、これはまったく筋が通らない。だが、もしあなたの心が、複雑な物理的脳の働きの所産なら、完全に辻褄《つじつま》が合う。

当然ながら、私たちの誰もがある意味では心と脳の密接な関連を自覚している。たとえば、アルコールを摂取すれば酔いが回り、危険に対する態度や、社会規範を尊重する度合い、その他、人格の多くの側面にはなはだしい影響が出る。

だが、アルコールはただの物質にすぎない。もし心が非物理的な霊魂を拠り所としているのなら、炭素と水素と酸素から成る特定の分子のせいで、なぜそれほど根本的に変化するのか？　同様に、ヘロインやコカインのような薬物は言うまでもなく、一杯のコーヒーあるいは紅茶でさえも心的状態に影響を与えうることがわかっている。体内の水分の量さえもが、人格に影響を与えうる。私たちの根本的な生物学的特性についての理解が深まるなか、心と身体と脳の間のこうした緊密な絆は、神経科学によって説明され始めている。

世界的に有名な神経科学者のアントニオ・ダマシオは、空腹感を例に取って、これを次のように説明している。「食後数時間すると血糖値が下がり、視床下部のニューロンがその変化に気づく。それに関連した生得的なパターンが生じ、脳は修正の可能性が高まるように身体的状態を変える。するとあなたは空腹を覚え、その空腹感を止めるための行動を始める」。

たとえば、何も考えずにもう一枚、クッキーに手を伸ばすなど、あなたが空腹感を止めるために取る行動のうちには無意識のものもあるかもしれないし、メニューのどの料理を選ぶかを決めたり、料理本のレシピに従ったりといった、意識的なものもあるかもしれない。だが、そうした心的作用はみなそれ自体が、血糖値の低下で始まった、より大きな生化学的活動の過程の一部にすぎない。

血糖値が下がり過ぎたらどうなるかを見ると、精神的なものと身体的なものの結合が、なおいっそう明白になる。まず、不安を感じ、腹を立てやすくなり、集中力が落ちる——少なくとも、食べ物に関連していないことについては。

糖尿病患者なら知っているように、血糖値が突然大きく下がると、情緒が著しく安定を欠き、喧嘩腰になり、混乱する。一方、空腹が続くと、やがてやる気を失い、落ち込む。これはみな、人格という、霊魂の領域であるはずの部分の根本的な変化であり、脳と身体の中の化学的変化が引き起こしたものだ。精神的なものと物理的なものの古来の区別は、現代科学の厳重な検査の下で崩れ去り、思考や感情は生物学的作用にしっかりと根差しているように見えてくる。

脳が単なる「物質」ならば、なぜ「思考」しうるのか？

心には霊魂が必要であると信じることを支持する主要な論拠は、思考の繊細で霊妙な世界がただの物質ごときから生じるとはとうてい思えない、というものだ。

このように主張する二元論者として知られる人々は、想起したり夢を見たりといった心的出来事は、脳のような物理的なものの働きとは根本的に種類が異なる、と断言する。たとえば、物理的な物は長さや重さを測ったり、位置を示したりすることができるが、初めてのキスの思い出や、太陽の中のある場所の夢は、そうはいかない。物理的な物は誰もが観察できるのに対して、心的作用は何物にも還元しえぬほど主観的な特性を持っているように見える。自分であることがどのようなものなのかは、本人にしか知りえないのだ。

一〇〇年余り前、『カトリック百科事典』はこの見方を要約し、「心的事実を物質的現象から隔てる溝は、知的にまたぎ越えることはできない。したがって、思考を単なる『脳の所産』と書き記す者は……あっさりと無視できる」と主張している。

一世紀前やそれ以前には、そのような主張は抽象的な原理に基づいて神学校や大学で盛んになされた。だが当時でさえ、心の神秘は霊魂によってのみ説明可能であるという主張に、誰もが納得していたわけではない。

たとえば、アメリカの第三代大統領で啓蒙主義の万能人トマス・ジェファーソンは、次のように書いている。「不可解なことを二つ鵜呑みにするよりも、一つ鵜呑みにするほうを選」ばざるをえない。「物質に思考が授けられるという、不可解な事柄を一つだけ受け容れるのには、一苦労するだけで済むが、第一に、霊と呼ばれる、証拠もなければ正体の見当もつかぬものの存在をまず信じ、続いて第二に、範囲も実体もないその霊が、物質でできた臓器を始動させうることを信じるには、二倍の苦労が必要になるから」。

脳のような「物質」が思考を生み出せるのは不可思議であることを、ジェファーソンが否定していない点に留意してほしい。彼はそれを否定するのではなく、霊魂に基づく代替の見方のほうがなおさら不可思議だと言っているのだ。

その見方を取るには、第一に、意識のある心を生み出せる、何らかの非物質的で霊的なものの存在を受け容れなくてはならない。それが存在するという証拠も、それがどのようにして思考を生み出すかの説明も、霊魂説の擁護者は一つとして示していない。霊的なものは、物質的なものには不可能な形で意識を生み出せることは、自明とされている。だが、それは自明ではない。自明ではないという点では、脳が意識を生み出しうることと、何ら変わりはない。

第二に、もし霊魂に基づく心の説明を受け容れたら、この霊的なものがどのようにして途切れなく物理的身体と相互作用し、それを制御することができるのかまで説明しなければならぬことを、ジェファーソンは指摘している。あなたが起き上がると決めたら、あなたの身体はたいてい、起き上がることで応じる。これはどう見ても物理的な出来事だ。だが、完全に非物質的なものが、この物理的な出来事を引き起こすために、どうやって脳と身体の原子や分子や細胞を動かすのか？　もし心自体が物理的な脳の一部なら、不可思議さは大幅に減じる。

すでに見たように、このような理論的考察は、今や神経科学研究で得られた証拠によって補足されている。ジェファーソンや『カトリック百科事典』の執筆陣とは違い、私たちは人間の脳の真の素晴らしさを理解し始めている。私たちの一人ひとりが頭蓋骨の中に一〇〇〇億ほどのニューロンを持っており、そのそれぞれが、平均すると七〇〇〇のシナプス結合で他のニューロンとつながっている。脳が意識のある心をどのようにして生み出すのか、私たちには想像がつかなくても意外ではない。なぜなら、そのような複雑さは、私たちに想像できることの範囲を文字どおりはるかに超えているからだ。

人間の脳は既知の宇宙で最も複雑なものであるというのは、けっして誇張ではない。もし、何百万もの相互接続したネットワークを形成する何兆もの接続から成る、途方もなく入り組んだシステムが私たちの心を生み出していないとしたら、そのシステムはいったい何をしているのか、知りたいものだ。

したがって、人の人格が本人の身体的死を生き延びるかもしれないという考え方にとって、状況は絶望的に見える。これは、心と脳にまつわる謎がすべて解消したということではない。まだ解消してはいないのだ。神経科学は依然として揺籃期にあり、脳の入り組んだ働きや、意識のある心の生成についいては、まだ解明されていないことが山ほどある。

ひょっとすると、心がどのようにして生じるか、けっして正確には理解できぬかもしれない。だが、これまでに蓄積してきた、今や厖大な量の証拠のすべてが、心が身体に完全に依存していることを示している。心理学者のジェシー・ベリングは、次のように総括している。「心は脳の所産だ。死に際して脳は機能を停止する。したがって、心は死を生き延びるという主観的な感覚は、生者の脳の中で起こっている心理的錯覚である」。

その錯覚は当然ながら、「死のパラドックス」が引き起こす。錯覚であるという科学的な証拠があるにもかかわらず、それが西洋世界で依然としてこれほどの人気を博し続けているのは、「霊魂のシナリオ」がこのパラドックスを解消して、私たちが抱く死の恐怖を和らげるのに大成功を収めたことの証だ。とはいえ、特にヨーロッパでは、この信念は衰退していると考えられている(以前の正確な数字は、めったなことでは手に入らないが)。もっとも、たとえばインドではそのような傾向は見られない。人々が依然として非常に信心深いからだ。だが、すでに見たように、霊魂についてのヒンドゥー教と仏教の考え方は、西洋では一般的なアブラハムの宗教の考え方よりも抽象的で限定的だ。特に仏教徒は、記憶や信念、夢、気質もそっくり含めた全人格が身体的死を生き延びるという考え方を厳しく退ける。彼らは昔から、人格は身体を拠り所としていると信じてきたからだ。

ダライ・ラマは一九八九年に、脳科学の意味合いについて話し合うシンポジウムで一流の神経科学者たちと会ったとき、次のように説明した。

「一般的に言って、仏教の見方に即せば、私たちに馴染み深い、日常的な心的作用という意味で、自覚は脳と別個に存在することも、脳から独立して存在することもない」

全人格を支える独立した存在という西洋的な意味での霊魂は、「完全に間違いであることが証明」されたことを彼は受け容れている。だが仏教徒は、カルマの法則に従って生まれ変わるために、人の何らかの本質的部分が身体の死を生き延びると信じている。それが純粋な意識で、その意識は、記憶や信念、その他一生にわたって蓄積してきたもののいっさいを剥奪されている。ダライ・ラマはそれを、「脳に依存しない……自覚の連続体」と説明している。この切り詰められた霊魂、この「自覚の連続体」は、神経科学の猛攻撃を生き延びることができるだろうか？

霊魂仮説をノックアウト

意識あるいは「自覚」が何らかの形で身体の死を生き延びることができるという考え方には、一つ大きな問題がある。じつは、その問題は私たちの誰にとってもじつに馴染み深いもので、それは無数のハリウッド映画に負う所がとりわけ大きい。

一定以上の強さで頭に打撃を加えると、人は意識を失う。周りの世界の自覚がなくなる。明かりが消えたようなものだ。打撃を加えること自体は物理的な行為で、計測可能で物理的な影響を脳に与え、その結果、意識が一時的に途絶える。同様に、全身麻酔薬——注射器を満たしている化学物質——を注入されると、自覚がなくなる。意識が身体的死を生き延びると考えている人なら誰にとっても、これはなんとも困った事態だ。

その理由は以下のとおり。霊魂は切り詰められた形態であるときにさえ、最低限の意識は保っているはずだから、身体から独立した完全に非物質的なものであってしかるべきで、それでこそ、初めて身体の死を生き延びることが可能になる。

さて、誰かの頭に強烈な一撃を加えれば、その人の身体が機能を停止すると考えるのは自然だ——その人は地面に倒れ、外からは意識を失っているようにさえ見えることが考えられる。だが、もし意識が完全に非物質的なものによって維持されていたなら、その人はそれでも意識を保ち続けると思ってよいだろう。

もしあなたが非物質的な霊魂を持っていたら、そのような目に遭った後、身体が機能を停止してしまってどれだけもどかしい思いをしたかや、身体が恢復するのを待つ間、何を考えていたかを語ることができるはずだ。だが、そうはならない。

ここでまた、たとえ話をしよう。もし船が損傷し、しばらく海で身動きが取れなくなったとしたら、修理が済んで港に戻ってきたときには、この苦難の間の様子を船長が語ることができて当然だと、誰もが思うだろう。もし、船長と船とがまったく別個のものなら、船が機能を停止しても、船長の機能に影響が出るはずがない。だから、もし意識と身体との関係が、船長と船との関係と同じようなものであり、意識が非物質的で、身体の破壊を生き延びられるのなら、身体に不具合が生じても、意識は機能を停止するはずがない。だが、実際には機能を停止する。

霊魂の存在を信じる人は、この厄介な事実について、言い訳を見つけることが可能だし、現に見つける。たとえば、全身麻酔をしているときなどにも、本当は意識があるが、脳が機能していないので、新しい記憶を生み出せず、後から振り返ると、無意識だったように思えるのだ、と主張することができる。これは恐ろしい考えだ。たとえば私たちは、侵襲的な手術がもたらすに違いない苦痛を、本当は経験していることになるのだから。闇の中に落ちていって、ほんの数秒後に(そう思えるものの実際には何時間も過ぎてから)、そこを抜け出してきたという、薄気味悪い感覚は、ただの記憶の悪戯だったというわけだ。

イスラム教は、これとは別の見方をする。クルアーンによると、「神は、死者の霊魂と睡眠中の生者の霊魂を召し、自らが死を定めた者の霊魂はとどめ、それ以外の霊魂は、定められた時が来るまで送り返す」(第三九章四二節)という。この主張は、無意識にも拡張できるかもしれない。全身麻酔を施されているときには、睡眠中と同じで、霊魂が神のもとに戻っている、というふうに。これはまた見事なまでに詩的な反駁だが、アッラーのもとに行ったり、そこにとどまったり、そこから戻ったりする記憶がいっさいない理由は説明していない。

その手の説明は他にも多くが可能で、そのどれにも三つの共通点がある。その共通点とは、その場凌ぎであり、検証不可能であり、答えるのと同じぐらい多くの疑問を提起する、ということだ。そしてこれは、哲学者や科学者なら誰もが知っているとおり、強く疑ってかからねばならぬことを意味する。次のような基本的な事実は、相変わらず手つかずになっている。頭を強打されたときや、全身麻酔薬を注入されたときに起こることは、意識が脳に完全に依存していたら見込まれることにほかならず、意識が非物質的な霊魂を拠り所としていたら見込まれることでは断じてない。

したがって、大幅に切り詰められた霊魂という仏教の見方さえもが、妥当な教義ではない。生まれ変わりの場合にも、天国に行く場合と同じように、人の何かしら本質的な部分が遺骸から分離できて、何か別の形で継続できる必要がある。だが、科学の圧倒的な証拠が教えてくれるように、そして、多くの人がずっと以前から思っていたように、身体に完全に依存していないような本質的な部分は、私たちにはない。

もし霊魂があっても、その霊魂が心も人格も意識もいっしょに持っていかれないのなら、身体の死後も生き延びたところで、足の爪が生き延びるのと同じ程度の関心しか集めないだろう。

このように、これまで詳しく見てきたかぎりでは、「霊魂のシナリオ」の問題点は、科学がまだ霊魂を見つけていないことでも、適切な場所をまだ探していないことでもない。これまで多くの科学者がじつは霊魂の信奉者で、自らの存在には不滅の中核がある証拠を必死に見つけようとしてきた。たとえば、ダンカン・マクドゥーガルという名のアメリカの医師は、精巧な病床兼重量計を作り、死の直前と直後に患者の体重を量った。彼は、この計測値に差があれば、それは霊が身体を離れたことが原因であると推測し、一九〇七年に霊魂は二一グラムあると結論した。その後、X線検査装置を使って、霊魂が身体を離れるところを撮影できればという希望を表明した。言うまでもないが、彼の研究結果も希望も、その後の研究によって裏づけられてはいない。

だが問題は、科学者がまだ十分に調べていないということではない。思考、意識、生命そのものといった、霊魂で説明できるはずだったもののいっさいが、身体を拠り所としていることが示された点が問題なのだ。したがって私たちには、記憶から情動や最も基本的な形態の自覚まで、これらの機能はすべて、身体が機能を停止すると同時に停止すると信じるに足る十二分の理由がある。霊魂に残されているものなど、まったくないのだ。仮説としては、霊魂はもはや不要だ。

それに対して、次のように主張する人もいる。「人には霊魂はない」という言明は否定文であり、否定文の内容は証明しえない——したがって、人には霊魂があるかないかはけっして知りえない、と。だが、これはもちろん誤った議論であり、私たちは日々、否定的なことを証明している。冷蔵庫には牛乳のパックが入っていないというのは否定文だが、それでも証明するのはたやすい。私たちは、何が冷蔵庫に牛乳パックが入っている確かな証拠となるか、承知している（目で見たり、手で触れたりできることなどだ）。だから、そのような証拠が存在するかどうかは、迅速に確証できる。

同様に、何が精神的活動を支える霊魂の存在の証拠となるか——たとえば、心のさまざまな面が脳の機能から独立していること——や、何がそのような霊魂の存在を否定する証拠となるか——頭を叩かれたときに意識を失うこと——を定めることもできる。そして、すでに見たように、霊魂の存在を否定する証拠が圧倒的に多い。

私たちは自分について知れば知るほど、霊魂を持っていないことが意外でなくなる。私たちは、精神的活動をまったく行なわない単純な生物から——そしてその前は、まったく生物ではないものから——何十億年もかけて進化してきた。私たちの一人ひとりは、精子と卵子の物理的な出会いから生じ、細胞の分裂を繰り返しながら発達する。そこから生じる精神的活動は、常に身体の状態と緊密に関連している。実際、意識についての現代の説のうち、優れたものはみな、心は物理的な生き物が、非常に物理的な危険に満ちた複雑な世界で生き延びる助けとするために、自らと環境について生み出す表象にすぎないとしている。そして、情動から芸術、理性から宗教に至るまで、ありとあらゆるものを生み出す、この途方もなく複雑な脳は、プラトンや神学者たちが考える単純な霊魂よりもはるかに素晴らしいことも、証拠は物語っている。

霊魂の消失

ダライ・ラマは、現代的であると同時に、自分が体現している伝統に忠実でもあろうと努める。良き仏教徒であるために、彼は毎日、自分の宗教の実践の一環として、予期される自分自身の死について考える。そして実際、彼にはそうすべき理由がたいていの人よりも多くある。この最高位のラマが死ねば、彼の次の生まれ変わりを探す作業が始まるのだから。チベットの統治権をめぐる紛争を考えると、それは非常に政治色の強い行為となる可能性が高い。

だが彼は、チベットの人々がもはや彼を必要としなければ、二度と戻らぬかもしれない、とも言っている。そして、いつの日か、科学教育が行き渡り、唯物論的な世界観を支持する証拠が積み重なり続ければ、彼はきっと戻ってこないだろう。

ブッダは、宗教の教義は証拠に照らして吟味すべきである、と言った。そして、私たちはそうしてきた。霊魂の存在が非常に妥当な仮説であり、生と心がほとんど理解されていなかった時代があった。だが、その時代は過ぎ去り、霊魂仮説はその座を奪われた。それでもなお、これほど大勢の人が霊魂の存在を信じ続けるのは、それが道理に適った主張という資格を持っているからではなく、不死のシナリオとして満足感を提供するからにほかならない。

本章と第6章で見たように、「霊魂のシナリオ」は永遠の生への道筋を約束するだけではなく、私たちの一人ひとりに、自分は唯一無二で特別であり、しかも、公正で秩序のある宇宙に生きていることを請け合うという、大きな特典ももたらした。そして、このすべてが、身体は死ぬにしても、心は生き続けるという「死のパラドックス」の直感と完璧に一致するパッケージに含まれていた。そのおかげで非常に魅力的な物語ができ上がり、それがじつに重要な考え方として私たちの世界を形作ってきたのであり、非常に捨て難いものとなっている。

それにもかかわらず、この物語は守勢に立たされている。私たちはすでに、ヨーロッパでそれを見てきた。霊魂という考え方は、かつては霊魂が持つとされていた機能を科学が次々に削ぎ取るにつれ、徐々に痩せ細ってきている。こうして、霊魂は、生気を与えているものであると主張する権利を失った。そして、心の担い手であると主張する権利も失いつつあり、いかなる種類の意識あるいは自覚の維持者であると主張する権利も、間もなくすっかり失うだろう。そのときには、この第三の不死のシナリオは、完全に力を失ったことになる。

ヒンドゥー教と仏教には、個人の心は身体なしには持続できないという認識の底流がある。過去の罪業に対して罰せられるほど丈夫な霊魂を必要とする、生まれ変わりの説の先には、より極端なものの手掛かりがある。

たとえば、涅槃は、文字どおりには「消滅させること」あるいは「吹き消すこと」を意味する。だが、蝋燭のように吹き消されるものというのは何なのか？　現世の欲望だと言う仏教徒もいる。だが、さらに踏み込み、消滅させるのは自己だと信じている者もいる。ヒンドゥー教と仏教の苦行の伝統に属する人の一部にとっては、現世の苦しみの根源は、単にこの世にいることだけではなく、存在すること自体だ。したがって、苦しみから解放されるには、個人であることを完全にやめねばならない。あるいは、ヒンドゥー教徒に言わせれば、宇宙全体の根源であるブラフマンと一つになることだ。

霊魂は、ぼろぼろの古い服のように身体を脱ぎ捨てた真の自己のはずだった。ところが、すでに見たように、身体と脳以外に真の自己は存在しない。

さらに言えば、第一の不死のシナリオである「生き残りのシナリオ」を探求したときに、これまたすでに見たように、人の身体と脳には、永遠に存在する見通しはない。そして、「蘇りのシナリオ」の考察から、いったん死んだ身体を再び組み立てたら、それは本人ではなく、ただの複製に命を与えたものにすぎぬことがわかった。だから、「霊魂のシナリオ」が破綻すると、人が現在の在り方のまま本人として永遠に生き続けるという望みも奪われる。

後に残されるのは人の本質的に異なるさまざまな部分であり、それがてんでに散っていくかもしれない。死という消散を生き延びる、本人の断片、あるいはこだまだ。これは、何かしらの宇宙の霊と再び一つになる、名もなきエネルギー、あるいはことによると、人が他者の心に残した記憶を意味するのかもしれない。

それを依然として「霊魂」と呼ぶ人もいるかもしれないが、それならば、それは非物質的ではあっても、もう意識のある人を意味しなくなっており、代わりに、この世界にその人が残した足跡のようなものを意味する。この地点まで到達したときには、私たちはすでに「霊魂のシナリオ」を離れて、不死への第四の道に入っていることになる。すなわち、「遺産（レガシー）のシナリオ」だ。

第 4 部

Legacy

「遺産（レガシー）」シナリオ

第8章

不朽の名声
――「心の中で生き続ける」の不死性と欺瞞《ぎまん》

新たにマケドニアの王座に就いたアレクサンドロス三世（アレクサンダー大王）は、差し迫った、強大なペルシア帝国への攻撃を是認するような予言がどうしても欲しかった。したがって、紀元前三三六年にギリシア南部の反乱を鎮圧しての帰途、数ある神託所のうちでも最も有名な、デルポイのアポロンの神託所に立ち寄った。あいにく一一月も末で、神託所は冬の間、閉ざされていた。だが、それで引き下がるようなアレクサンダーではない。巫女《みこ》を見つけ出して神殿に引きずり込んだ。抵抗しても無駄だと悟った巫女は、機転を利かせ、

「若者よ、お前にはかなわぬ！」

と宣言した。アレクサンダーはただちに彼女を放した。それは立派な予言ではないか、かなわぬとは無敵という意味だから、と解釈したのだ。それ以後、彼は「無敵」を自分の称号の一つにした。

そして、現に彼は無敵の王となった。いい加減な予言を受けてから一〇年のうちに、当時世界最大の国だったペルシア帝国を打ち負かし、そのはるか先まで進出していた。彼は、実戦に出た歴史上の軍事指導者のうちで、一度として敗れたことがないと文句なく断言できる稀な人物だった。

彼の征服にようやく終止符が打たれたのは、配下の歴戦のマケドニア兵たちが、故郷からおよそ五

〇〇〇キロメートル離れたガンジス川を渡って、さらに新たな外国の領土に侵入するのを拒んだときだった。東への進撃をやめ、踵《きびす》を返してバビロンに新たな都を建設したとき、彼の帝国は、今日のトルコ、エジプト、イスラエル、シリア、レバノン、イラン、イラク、アフガニスタン、パキスタンの大半にまで及んでいた。

彼が三〇歳になる前に成し遂げたこれらすべての並外れた偉業は、一見すると、今日彼がアレクサンダー「大王」と呼ばれ、彼の物語が映画や小説、無数の歴史書で語られている理由を説明するに足るもののように思える。

だが遠い昔から、偉大な将軍や征服者や皇帝は他にも大勢いたのに、注目度では、アレクサンダー大王というこの好戦的で短命の支配者の足元にも及ばない。しかも、彼の永続的な名声は、ただの流行とはわけが違う。アレクサンダーの征服以来の二三〇〇年間に、洋の東西を問わず、彼が有名でなかった時代は一度もないのだから、恐れ入る。

彼の話には、何か特別なものがあるようだ。そのおかげで彼は、死すべき定めの他の人間たちによる苦闘を超え、神々や英雄たちの領域に到達した。

それこそまさに、彼が望んでいたことだ。これほどの年月を経てもなお、アレクサンダーの物語がここまで高い人気を博しているのは、そうなるように、彼ができうるかぎりのことをしたからにほかならない。彼は、軍事戦略家として秀でていただけでなく、神話作者としても卓越していたのだ。偉大さとは単に本人の行動の総計ではなく、他者による評価の総計も加えたものであることを彼は理解しており、だからことさらに心を砕いて自分の功績を壮大な言葉で語らせた。「未来のアジアの王によってしか解けない」とされたゴルディアスの結び目を断ち切ったときのように、ここぞというときには必ず、詩人や年代記編者のための題材をたっぷり残すのだった——まず、過去の伝説を手本とし、次に自分独自の伝説を生み出すことによって。

アレクサンダーは、壮大な野心を抱くように育てられた。父のマケドニア王フィリッポス二世は、ゼウスの息子で半神半人のヘラクレスと人間の王女の子孫と称し、彼自身も軍事指導者として大成功を収めた。だが、それ以上に重要だったのが母親のオリュンピアスで、彼女はギリシア随一の戦士で英雄であるアキレウスを先祖に持つと称していた。そして、自分の血管には英雄の血が流れていると信じるようにアレクサンダーを育てた。一〇代の頃、アレクサンダーはホメロスの『イリアス』に謳われたアキレウスの物語を暗記し、何年も後、出陣したときには、かつて家庭教師だったアリストテレスが自ら注釈をつけた『イリアス』を枕の下に入れて寝た。

アレクサンダーが王となったとき、マケドニアは日の出の勢いであり、エーゲ海一帯でペルシアに挑むところまで来ていた。アレクサンダーは艦隊を率いて出港した折、一〇〇〇年前にヘレンをトロイアから奪い返すためにアガメムノンがギリシア軍を率いて出陣して以来初めて、ギリシア軍を引き連れてアジアへと向かっていることを意識していた。彼はトロイア戦争で最初に命を落としたギリシア人の墓で生贄《いけにえ》を捧げ、それからトロイアの遺跡に直行し、アキレウスの墓に花輪を供えた。そこで、アキレウスのものとされる楯を取り上げ、自らの楯と取り換えた。

そのメッセージは明白だった。すなわち、アレクサンダーは先祖の足跡をたどっており、その英雄的偉業に匹敵する働きをするだろう、というものだ。

そして、彼は現にそうした。それも、驚くべき速さで。ペルシア軍を打ち負かすことで、彼は古代トロイア軍の何倍もの軍隊に勝利を収めたのであり、それによって、アキレウスの偉業を凌駕した。

そのため、新たな目標が必要となり、自分にとってもう一人の伝説的な先祖であるヘラクレスに目を転じた。ヘラクレスは、アジアの奥深くまで冒険に出たと言われていた。やがてアレクサンダーは、この伝説の英雄さえも凌いだ――インドへの遠征のときに、ヘラクレスでも陥落させられなかった、巨大な岩の上の砦のことを耳にした彼は、ただちにその砦を包囲し、確実に自分が一番乗りするように計らった。

いかなる人間も、昔の英雄たちでさえも、アレクサンダーに匹敵することはないように思えた。彼の偉大さは、ただの人間の偉大さを超えていた。増え続ける彼の臣民には、そのように見えたに違いない。そして、彼はそのような信念をしきりに助長したがった。

ペルシアとの最後の戦いに赴くときには、わざわざ大きく遠回りをしてエジプトに入り、ギリシア人がゼウスと同一視していたエジプトの主神アメンの大神殿で神託を受けた。神殿の神官は彼におもねて、はるか以前に王の母が植えつけていた考えを募らせた。アレクサンダーの実の父はフィリッポスではなく、ほかならぬ神々の王であり、したがって、あらゆるものの征服者たる彼の息子は、神々の列に伍《ご》するというのだ。

征服を終えたアレクサンダーは、ギリシアの他の国々に、自分のことを神として認めるように指示し、諸国は喜んでそれに応じ、彼の栄誉を称えるカルトを創始した。

皮肉なことかもしれないが、程なくして彼は、三二歳の若さで熱病に冒され、死すべき者たちすべてと同じ運命をたどった。死の床にあったアレクサンダーは、自らの大帝国を誰に遺すかと訊かれた。すると彼は、「最強の者に」と答えたので、以後五〇年にわたる血なまぐさい争いを招き、後継者たちが戦いに明け暮れ、神のような王が生前に征服した領土を切り分けた。

アレクサンダーは、自分の帝国を持続させたり繁栄させたりするための手をまったく打っていなかったし、安定した統治を保証することも、遺した子供たちが遺産を確実に受け継げるように手配することも、まったくなかった。彼には終始一つしか目的はなく、結局そのためにあらゆるものを犠牲にし、それを果たした。すなわち、不朽の名声を得たのだ。

英雄――絶えることなき名声が肉体の寿命を超えるとき

第7章では、人の心が文字どおり身体よりも後まで残り、天国へと漂っていくという希望にとどめを刺した。人を忘却から救い出してくれるような霊魂はないというのが、科学の結論なのだ。

さらに私たちはその前に、死神をかわして生き永らえる可能性はないに等しく、物理的な蘇りという考え方自体が根本的な欠点を抱えていることも確認した。これら最初の三つの不死のシナリオと相まって、道教からカトリックまで、世界のあらゆる宗教の核を提供すると共に、多くの物質的・経済的・科学的進歩のインスピレーションともなっている。だが、これらのシナリオは、不老不死の人が住むという山に向かっているにしても、三つとも頂上にははるかに及ばない。

したがって、十全の人間として永遠に生きる見通し、すなわち、今のものと同じような暮らしを無期限に楽しむ見通しは、少しも明るくない。

だが、個々の人間そのものの存続を必要としない、他の不死の概念もある。私が「遺産」という名称の下に一まとめにしたその種の概念は、最初の三つの不死のシナリオと比較してもまったく遜色のないほど古くからあって、広く普及しており、今日でもその人気は少しも見劣りしない。それどころか、今やその概念の真に爆発的な流行が起こっていると考える有識者が多い。

私は「遺産のシナリオ」の二つの形態を区別し、一方を「文化的遺産のシナリオ」、もう一方を「生物学的遺産のシナリオ」と呼ぶことにする。

本章では前者、すなわち、文化的不死の追求に的を絞る。その影響は至る所で目に入り、物質的進歩の成果と並んで、その所産は現代文明の在りようを特徴づけている。絵画と詩歌、ポップ・ミュージックと政治――これらはすべて、不滅の文化の領域に居場所を確保しようとする個人の努力に由来する。そして、アレクサンダーの偉業は不朽の名声が絶え間ない追求の成果であることを示しているとはいえ、現代では映画やテレビでの礼讃、大衆雑誌や即時通信のせいで、そのような追求はエリートの務めから、大衆のものとなった。

映画監督、そして俳優として文句なしの有名人であるウディ・アレンは、それでもなお、不滅性の達成手段としては、名声に対してそっけない評価を下している。

「私は同胞の心の中で生き続けたくはない。自分のアパートで生き続けたい」

「遺産のシナリオ」はただのメタファーにすぎないと見る傾向にある人は多い――すでに有名になった人さえ含めて。本人が生き延びないのなら、それは正真正銘の不死であるはずがない、と彼らは言う。

だが、この懐疑的な態度は理解できるものの、「遺産のシナリオ」は意外で精緻な答えを持っている。それに、遺産は自分のアパートで生き続けるほど良くはないにしても、他の不死のシナリオがみな行き止まりなら、これ以上のものはないかもしれない。

これこそまさに、アレクサンダーを発奮させたギリシアの英雄たちの見方だった。もし永遠に生きる、もっと確実な道筋に出くわしていたら、彼らはそれを選んでいたことだろう。トロイアの戦場に立ち、トロイア人たちの側で戦っていたある高貴な人物は、仲間に次のように認めている。

「我が良き友よ、我らがこの戦争から生きて帰り、老齢と死を永遠に免れることができるのなら、私は戦闘の中、無理やり突き進んでいきはしないし、君にもそうすることは求めまい」

と『イリアス』にある。

「だが、死は一万の形を取って常に我々の頭上に垂れ込めており、それを免れることができる者は一人としていない。それゆえ、前へと進み、栄光を勝ち取ろうではないか」

彼の言わんとするところは明白だ。もし永遠の若さを達成したり、死からうまく逃れたりする道があったなら、喜んでその道を進む。だが、そのような道はない。したがって、この戦士が到達した立場は、私たち自身の立場と酷似している。今や私たちは、最初の三つの不死のシナリオを考察して、それらが目的を果たさぬことがわかったのだから。

それでもこの戦士は、自分の死の必然性を現実的に評価したにもかかわらず、この束の間の生を超越したいという願望に、依然として思考を突き動かされている。そして、次のような結論に至る。もっとましな選択肢がない以上、永遠の生へと続く残された唯一の道筋は、栄光を勝ち取ることによるものだ——たとえ戦場で倒れるという代償を払ったとしても。

とはいえ、一見すると、これははなはだ奇妙な結論だ。なにしろ、戦争で若くして死ぬというのは、他の不死のシナリオに見切りをつけた人間に残された唯一の選択肢ではないからだ。逆に、与えられた貴重な命を大切にするほうがはるかに優る、と主張する人もいるかもしれない。ギリシアの英雄のうちで最も偉大なアキレウスは、戦いの前日、この実存的選択肢を比較評価した。
「私が死を迎える日に向けて、二種類の運命が続いている。もしここにとどまり、トロイア人の町の傍らで戦えば、故郷に戻ることはないであろうが、私の栄光は不朽のものとなる。その一方で、もし故郷に、我が父の愛する土地に戻れば、栄光は手に入らぬであろうが、そこには長い人生が待っている」

　戦いに出掛ける若者の多くは、自分が首に槍を受ける羽目になるとは、心から思ってはいない、と主張することもできるかもしれない。だがアキレウスは、戦士の道を選んだら、永遠の栄光に輝くとはいえ、短命に終わることを知っていた——なぜなら、そう予言されていたからだ。一方、もし軍務に背を向ければ、狩りをしたり、ご馳走を楽しんだり、子を儲けたりしながら過ごす、長い幸福な人生が待っている。彼は生を「トロイアのありとあらゆる富よりも」愛すると言うが、それでも栄光のためにとどまり、異国の戦場に自らの血を流すことを選ぶ。

　アレクサンダーも自分が崇める英雄のアキレウスと同じ選択肢を天秤にかけたに違いない。故郷にとどまり、小さいものの強力な国の王でいれば、長く幸せな人生を送れる見通しが非常に強かった。だがアレクサンダーは、アキレウスのように栄光への道を選んだ。アーネスト・ベッカーが述べているとおり、「人は自分の命よりも不滅性を保ちたがる」。自分のアパートで生き続けることを望むウディ・アレンのような人々とは対照的に、アレクサンダーは二一歳のときにペルシア帝国に侵入するために出帆して、二度と故郷の土を踏むことがなかった。

　それはなぜか？　死んでしまえば、永遠の栄光に何の意味があるというのか？　有名な死者は、そうでない死者よりも、死んでいる度合いが低いというのか？　アキレウスらの英雄はそう考えた。彼らは幸福や愛や富よりも、命そのものよりもなお、名声を尊んだ——なぜなら、それが肉体を超えた存在への道を拓くと信じていたからだ。

だが英雄たちは、そのような存在を独力では達成できぬことも知っていた。だからアレクサンダーは、船を出したとき、ホメロスがアキレウスのためにしたことを自分のためにやらせるべく、随行者に筆記者や歴史家や彫刻家を加えることを忘れなかった。彼は、永遠の生の守護者は彼らであって、神官や錬金術師ではないことを知っていた——彼らこそが象徴的なものの領域を支配しており、不死が見つかるのは唯一その領域だからだ。

シンボルとして永遠に生きる——アレクサンダー大王の功績

アレクサンダー大王の業績は、早過ぎる死を通してまさに文字どおり、自然の領域の外に踏み出し、自らを伝説の領域に完全に移行させたことであり、その伝説の領域で、彼は今日も依然として大いに存在感を示している。古代ギリシア人にとっては、これが永遠の生のための処方箋だった。死と腐敗へと続く自然の流れを免れ、文化の象徴的領域に場所を確保するのだ。その領域は、次から次へと世代を生き延び、ひょっとしたら、永遠に存続するかもしれぬから。

前に指摘したように、自然は腐敗と分解をもたらす。だから私たちは、自分の自然な限界を超えようと、これほど懸命に努力するのだ。もし自然の成り行きに任せれば、私たちは死んで腐り、土に帰り、すぐに跡形もなくなる。だが、私たち人間は自然の生き物だけであるわけではない。私たちは二つの世界に生きている。一方は、他の生き物たちと共有している自然の世界だが、もう一方は、私たち独自のもの——象徴の世界だ。そしてここ、私たちが自ら作り出したこの世界で、私たちは切望してやまぬ永続性を達成できる。

象徴的世界は私たちが集合的に作り出した世界ではあるものの、砂漠や山にもまったく劣らぬほど現実味を持っている。成功、地位、さらにはお金さえも含め、私たちの行動を支配するものの多くが、この領域に属している。机に向かって、あるいは、スタジオや図書館やオフィスの中で日々を過ごしている人は、自分の人生を象徴的なものに捧げている。象徴は、言語や文化の構成要素であり、私たちのそれぞれを異なる存在にしているものや、それと同時に私たちが種として共有しているもの、他のあらゆる生き物から私たちを分け隔てているものの構成要素でもある。ドイツの哲学者エルンスト・カッシーラーが述べているとおり、ホモ・サピエンスは象徴的な動物なのだ。

オフィスの中やコンピューターの前で働く人など誰もおらず、食物は依然として頻繁に狩猟で手に入れていたアキレウスの社会やアレクサンダーの社会は、最初は私たちには単純に見えるかもしれない。ところが、じつはまるで違う。私たちのものに引けを取らぬほど複雑な地位の体系や、詩歌と音楽の伝統、信仰、歴史や世界の中での位置についての考えを、彼らは持っていた。自然のリズムに私たちよりも敏感だったかもしれないが、それは自然の領域と象徴の領域の区別について強い自覚を持っていただけに思える。

一方で彼らは、普通の人間の寿命には限りがあることを十分承知していた。トロイアのある戦士が言っているとおり、人の各世代は木の葉に似ている。一枚が育つと、別の一枚が弱り、散る。そして、それとは対照的に、以下の事実も同じぐらい明白だった。象徴の領域はこのパターンに従わない。

王国や称号、富、名誉は存続して、一つの世代から次の世代へと受け継がれる。物語は消えずに残り、新しい世代の吟遊詩人によって語られる。文化は、衰退と死という自然の作用を受けぬように見えた。

ハーヴァード大学の古典教授グレゴリー・ナジが言うとおり、古代ギリシア人にとって「死と不死は、それぞれ自然と文化の観点から提示される」。自然の道をたどれば、単に死ぬだけだ。一方、不死は人が自らを文化という象徴の領域に完全に移すことにある。

これこそまさに、アキレウスやアレクサンダー、その他のギリシアの英雄たちが成し遂げたことであり、彼らはそれによって西洋文明に進むべき道を示した。私たちは無邪気にも、そのような英雄は私たちの間で最も勇敢な人間だと考えたくなる。彼らは大胆に身の危険に立ち向かったように見えるからだ。

だが、その正反対だ、と人類学者のアーネスト・ベッカーは言う。「英雄的行為は、何よりもまず、死への恐怖による反射行動である」。英雄は、完全な忘却への恐れによって、自分の寿命を犠牲にするように動機づけられる。そして、英雄的な偉業によって、忘却の代わりに、文化の一部としての、より永続的な存在が可能になる。

著名な歴史家のレオ・ブロディの言葉を借りれば、英雄的行為は「個人が人間の時間の外に歩み出ることを可能にする」となる。

ヨーロッパではキリスト教が長らく権勢を振るったため、栄光の探求は勢いを削がれたことだろうと思った人もいるかもしれない。「霊魂のシナリオ」は、神との個人的な関係を通じて、名もなく卑しい人々にさえ、有意義な宇宙における存在意義や有意義な役割——一種の英雄的資質——を与えてくれる。だが、キリスト教が支配するヨーロッパの文学は、それとは異なる現実を示唆している。たとえばダンテの『神曲』は、死後の世界では誰が子孫の記憶に残るのが真にふさわしいのかという疑問にこだわっているし、ジェフリー・チョーサーは一三八〇年の詩の主要作で、もっぱら「誉《ほまれ》の館《やかた》」の住人たちを吟味している。天国に行かれるという見通しでさえも、死後の名声に対する欲望を減じることができなかったのだ。

無論、これらの作品は名声に、ついてのものであるばかりでなく、名声を勝ち取る試みでもあったと考えられるかもしれない。スペインの詩人で哲学者のミゲル・デ・ウナムーノは、歯に衣着せず、次のように書いている。「自分は名声を見下すと言う文筆家は、嘘つきの卑劣漢だ」。後世の人々を感心させたいという衝動に基づく試みが強力で生産的であることは明らかで、その衝動があればこそ達せられた人間の偉業の極みでもある。

文筆家の一人で『失楽園』の作者であるジョン・ミルトンは、毎朝何に促されて床を離れるかを、はっきり認識していた。「名声こそが、明晰な精神を目覚めさせ……享楽を蔑ませ、刻苦の日々を送らせる拍車である」と、彼は一六三七年に記している。

私たちは象徴の領域のおかげで、生物学的なものを、そのあらゆる欠点もろとも乗り越えて、その先まで到達することができ、だから、その領域を目がけて苦労して進み、映像や芸術作品を量産し、文化の世界での場所を争う。これが文明を前進させ、モナ・リザやタージ・マハル、『市民ケーン』やいわゆる偉大なアメリカ小説を生んだ。後世での場所は、発明や起業家精神や教え——何であれ、例外的に見えるものや、個人の寿命を超えて持続して未来を形作るもの——を通しても得られる。哲学者で歴史家のコーリス・ラモントが書いているとおり、「この志向の経済的・社会的効果は……今も昔も絶大で計り知れない」。

科学界では、不死について語ると、おおむね眉をひそめられるものの、歴史に名を刻む大発見ができるかもしれない、うまくすれば、自分の名を冠した理論さえ残せる、あるいは、「ノーベル賞受賞者」という、不朽の名声をもたらす称号さえ得られると思うからこそ、研究に邁進する人は多い。

フランスの思想家たちはもっとあけすけで、卓越したフランスの学者たちの団体であるアカデミー・フランセーズの標語は「à l'immortalité（不滅）」であり、会員は「不滅の者たち」として知られている。


当然ながら、名声への希求がすべてこれほど立派なものであるわけではない。映画、テレビ、ラジオ、インターネットといったマスメディアは、怪しげな才能を持つ人々が、たちまちグローバルなスターの地位を獲得する可能性を大きく拡げた。その結果、私たちの社会は、過大な規模の名声業界が生み出した有名人の洪水に溺れている。それらの有名人の輝かしい生活様式を伝えるメディアにそそのかされて、無数の人が名声を価値の唯一の判断基準と見なす。

歌手のモリッシーは、厖大な数のポップ・スター志望者の憧れを反映して、「人生でやる価値があるのは、有名になることだけだと、いつも思っていた」ことを認めている。もちろん、名声には多くの特典が伴いうるが、映画スターのジェイムズ・ディーンは、次のように言って、有名になることの真の目的を明確にしている。

「私にとって唯一の成功、唯一の偉業は、不滅になることだ」

ジェイムズ・ディーンは、その人生の短さと強烈さにおいてアキレウスやアレクサンダーの人生と肩を並べ、文化的な不死のシナリオが、純粋に生物学的な存続とは正反対の形の行動を人々に取らせうることを証明している点でも特筆に値する。アキレウスとアレクサンダーも若くして亡くなったばかりではなく、後に遺した子供たちの安泰を確実にするような手もまったく打たなかった。以後多くの人を奮い立たせてきた彼らのいかにも英雄的な行動は、自らが生き続ける見通しにとっては、はなはだ有害だったように思える。だが不死への意志は、これらの英雄たちの場合、喜んで若死にしたがるほどまで奇妙に弱かったわけではない──むしろ、並外れて強く、彼らはそれに追い立てられて、私たちの文化の領域に名を刻んだのだ。永遠に生きたいという私たちの渇望は、あらゆる本能のうちでも最も自然なものに根差しているが、象徴的なものの領域に移し替えられたときには、まったくもって不自然な道筋をたどりうる。

したがって、「遺産のシナリオ」を通しての永遠性の追求を考慮に入れれば、兵士が戦場で片道攻撃の任務を引き受けることから、画家が屋根裏部屋で衰弱するのも顧みずに制作に没頭することまで、人間が行なう、不可解で、しばしば非生産的に思えるじつに多くのことの説明がつく。

後世に場所を確保するために、人が犠牲にしなかったものは一つとしてない──自由であれ、富であれ、幸福であれ。あるいは、ソクラテスが師で恋人のディオティマの言葉を是認しながら語ったとおり、「人間の野心について考えてみるとよい。そうすれば、その無意味さを不思議に思うだろう。それが名声の不滅性への愛着に掻き立てられたものであることに思いが至らぬかぎりは。人は、後に名を残し、それが永遠のものとなるのであれば、子供のために冒すだろうよりもはるかに大きな、ありとあらゆる危険を進んで冒し、お金も費やせば、いかなる種類の労苦も惜しまず、命さえ投げ出すものだ」。

「ヘロストラトス」という人を知っているか？——抹消されるはずだった記憶

とはいえ、文化の領域における場所を巡る熾烈な競争の中では、ディオティマが単なる無意味と見たものは、邪悪な色合いを帯びることもありうる。誰もが価値あるものや美しいものを生み出す技能や根気を持ち合わせているわけではないし、他者が作ったものをただ破壊するほうがはるかにたやすい。

したがって、不埒《ふらち》な振る舞いで文化の領域に名を刻み、その邪悪な行為を通して伝説の存在になろうとする誘惑が存在する。実際、後世へと続くこの道筋はあまりに魅力的なので、独自の名称すら持っている。すなわち、「ヘロストラトス症候群」だ。

紀元前三五六年七月二一日、アレクサンダー大王が生まれた日の晩、それまでは無名の男、取るに足りぬ人間が、イオニアのエフェソスにあったアルテミスの神殿に火を放った。建設に一二〇年を費やし、後に世界の七不思議の一つに数えられることになる神殿である。

巡礼者や王や旅人が訪れたこの建物は、奥行きが九〇メートル以上、高さが一五メートル以上あり、幾千年にもわたって聖地とされてきた場所に建っていた。だが、このときの火災によって、完全に焼失した。犯人は罪を隠そうともせず、進んで名乗り出た。ヘロストラトスという名の男で、なぜこの恐ろしい行為に及んだのかと訊かれると、有名になるため、と答えた。

真似る者が出ぬようにするために、エフェソス人たちはヘロストラトスを拷問にかけて処刑しただけでなく、「ダムナティオ・メモリアエ」の刑、すなわち、本人の名前を口にすることを禁じて（違反すると死刑）、その人物の記憶を抹消する刑にも処した。それにもかかわらず、二〇〇〇年以上過ぎた今、私は彼について書いている。あの神殿を設計した人々の名前は、とうに忘れ去られてしまったというのに。

名声に取り憑かれていた当時の社会では、冒瀆や国王殺しや背信などの邪な手段で名声を獲得しようとする誘惑は強かった。そして、有名になることに取り憑かれている私たちの社会でも、大統領やポップ・スターを暗殺したり、建物を爆破したり、高校の同級生を撃ち殺したりといった、邪悪ではあるが劇的な行為で名前を不滅にしたいという誘惑は強い。

古代の書き手たちは、ヘロストラトスの動機は不公平感だったのではないかと推測した。自分の偉大な才能を世間が見過ごしているという不公平感ではなく、それとは正反対で、「運命が彼に何一つ才能を与えてくれなかった」という不公平感だ。芸術家の目や、雄弁家の弁舌の才や、戦士の剛腕を、ただの幸運のおかげで持って生まれた人間にだけ社会が不朽の名声を与えるのは、公正ではないという理屈だ。才能ある人を殺害したり、彼らの作品を破壊したりして名を売る人の間では、この不公平感と能力の不足感の組み合わせがよく見られることを、心理学の研究が示している。

これは意外ではないはずだ。文化的不滅性を求める競争は非常に熾烈なので、必然的に、尋常でない人物だけが報われる。「多数の人が顔を持たぬからこそ、少数の人の顔に意味が与えられる」と社会学者のジグムント・バウマンは言っている。大衆が無名の夜空を形成し、それを背景にして星々が輝くのだ。

名声の天空に場所を占める等しい権利を持っていると信じていながら、その場所を勝ち取る才能を欠いている人々は、苛立ちを覚え、情緒の安定を失い、はなはだしく危険になる可能性が高い。燃え上がりながら地球に墜ちてくる流れ星のようなものだ。私たちの誰もが英雄になるわけにはいかない。ほとんどの人がこの事実を受け容れるが、なかには悪者になることを選ぶ者もいる。

それでも、名声への探求の邪悪な面を例証するにあたって、偉大なアレクサンダーと対比させるために哀れなヘロストラトスのような人物を持ち出さねばならぬとは皮肉な話だし、それは私たちの英雄崇拝の傾向の証でもある。つまるところ、ヘロストラトスは建物をたった一つ燃やしたにすぎない。この非道な破壊行為は、強大な征服者の所業と比べたら児戯に等しい。アレクサンダーが突破していった国々の人は、栄光の探求の邪悪な面について、たっぷり話を聞かせることができただろう。彼らにしてみれば、アレクサンダーは破壊者、呪われた者、死と破壊のもたらし手であり、恐怖の大王なのだ。

アレクサンダーの経歴はギリシアの「平和恢復」で始まったが、その事業には、古代からの都市テーベの完全な破壊も含まれていた。その折には、男はみな斬り殺され、女子供は一人残らず奴隷に売られた。以後、彼に逆らう者に対するときには、これが常套手段となった。無慈悲な若き王は、刃向かう多くの歴史ある都市を略奪し、徹底的に破壊し、無数の兵士を即座に処刑し、女性を凌辱して奴隷にし、一般市民を大虐殺し、神官を殺害し、神殿で金品を奪い、見せしめの裁判を開き、暗殺を手配し、敵対者を拷問にかけ、いくつもの地域の住民を皆殺しにした。彼の遺産は、他者の血で綴られている。

悪名を轟かせたいという欲望を、罪のない人を一握りばかり殺すことで満たす人間を、私たちは見下げ果てた輩だと感じるのに、何十万もの命を犠牲にし、敵を打ち破り、焼き払いながら大陸を突き進んでいったアレクサンダーのことは、「大王」と呼ぶ。フランスの生物学者で哲学者のジャン・ロスタンが一九三九年に書いているとおり、「人を一人殺せば殺人者。一〇〇万人殺せば征服者。皆殺しにすれば神だ」。

無論、文化的な成果を遺したいという欲望は、文明のためになるものにも、多大な貢献をしてきた。多くの人は、橋を架けたり、病気を治したり、絵を描いたりして後世に場所を得ようとする。だが、ヘロストラトスとアレクサンダーが理解していたとおり、聖人のような振る舞いをすることは、名声の殿堂に入るための最も重要な要件では断じてない。むしろ、尋常でないほどの善行であろうが、尋常でないほどの蛮行であろうが、とにかく何か尋常でない振る舞いをすることがカギなのだ。

肖像画・写真・ＳＮＳ……私たちが「自己複製」をやめられない理由

これを、アレクサンダーやアキレウスよりも早くから承知していた有名な夫婦がいる。彼らによる不滅性の希求には、文化的なものも含め、これまでに考案されたありとあらゆる形態が含まれており、彼らが尋常ならざることをなす天賦の才に揃って恵まれていたことは疑いようもない。その二人とは、アクエンアテンとネフェルティティだ。象徴の領域への移行を成し遂げるための二段階について、二人の例は素晴らしい手引きを提供してくれる。

アクエンアテンの経歴を初めて詳しく調べた学者の一人で、アメリカのエジプト学者ジェイムズ・ヘンリー・ブレステッドは一九〇五年、明敏にも彼のことを「人類史上初の個人」と言い表した。

どのファラオも特別だ、神でさえあると称讃されてきた――だが、彼らの特別性は、神王の永遠の役割を果たしたことに由来していた。彼らが特別だったのは、けっしてその個人性のおかげではなかった――それどころか、彼らの人格は、太古からの儀式と入念に定められた務めを果てしなく執り行なうことに完全に埋没してしまっていた。

彼らを記念する建造物を見ると、それが明らかになる。ピラミッドの匿名性から、巨大な花崗岩《かこうがん》の像に至るまで、強調されているのは類型への一致だ。どのファラオも肩幅が広く、顎は角張り、際立った特徴を欠いている。

そこへアクエンアテンが現れた。彼の像は、彼一流の特徴を描いているばかりか、誇張してもいる。胸は薄く、腹は突き出ており、腕は弱々しく、顎は女性的だ。フレスコ画には、彼が自分の宮殿でネフェルティティや子供たちとくつろいでいる写実的な場面さえ描かれている。

そして、すでに見たように、彼は古来の儀式を廃し、ネフェルティティと共に独自の儀式を定めた。その対象は抽象的な神で、彼だけがその神と意思を疎通することができた。アクエンアテンはファラオの力を使い、ファラオの役割に伴う伝統的な束縛のいっさいから脱し、ファラオの基準に照らしてさえ尋常ならざるものとなった――したがって、唯一無二の個人となった。こうして彼は、象徴的不滅性への最初の段階を踏んだ。

生物学的な次元では、私たちは個人として生まれる。誰もが別個の生き物だ。だが象徴の次元では、共有している言葉や概念の領域で独自のアイデンティティを確保するために闘わねばならない。この闘いは、名前から始まる——そしてアクエンアテンが、父親の意図していた次の代のアメンホテップ（四世）にあっさりとなることを拒み、自分のためにこの唯一無二の名前を選んだことは特筆に値する。

私たちは今なお、声望を得ることを「名を成す」と言う。名前は象徴の領域に場所を確保する役割を果たし、それを土台にして伝説を築くことができる。前述のスペインの哲学者ミゲル・デ・ウナムーノは、これを「自らを個別化する途方もない闘争」と呼び、「この闘争こそが、私たちの社会に音色や色彩や気質を与える」と考えていた。

だが、自らを個人として確立するのは、第一段階にすぎない。人の名前と個人性は、その人の生物学的作用が停止したら、依然としてその人と共に死ぬことが完全

顎などの個性が強調されたアクエンアテンの像（写真左）と、それ以前の典型的なファラオの像（アメンホテップ2世／写真右／写真：Gérard Ducher、Jean-Pierre Dalbéra／エジプト考古学博物館）

にありうる。多くの奇人変人がこの道をたどってきた。したがって、第二段階は、この個人性を文化という不死の領域にまで及ばせ、そこに定着させることだ。

アクエンアテンは、これも尊敬に値するほど精力的に試みた。彼とネフェルティティがアマルナに建設した新しい都の遺跡から発見された証拠を見ると、彼らの絵や像や業績が、公私共に空いている場所を一つ残らず飾っていたことが窺われる。南北に走る「王の道」には、この異端のファラオの巨大な像が並び、ファラオとネフェルティティの二人だけが、彼らの神に捧げられた神殿には描かれている。個人の住宅や墓にも二人は登場し、忠実な信奉者たちに富と永遠の生を約束していた。

これらの像や絵や記録はみな、心理学者のデイヴィッド・ジャイルズが「自己の複製」と呼ぶものだ。自分や有名人、練り歯磨きの宣伝をするモデルのものなど、今や画像が周囲一帯にあふれている私たちには、こうした複製がかつて持っていた力の真価を理解するのは難しい。歴史を通して、文化的複製のテクノロジーを利用する機会は怠りなく制限されており、複製する権利は絶え間ない論争の種だった。たとえば、アレクサンダーは自分の顔を公式の硬貨に刻ませた最初の人間だった。それまでは、それは神々の特権だった。後に、ユリウス・カエサルもこれに倣った。一五世紀と一六世紀に肖像画が急増すると、支配階級のエリートたちは、このテクノロジーの利用を統制しようとして争った。そのテクノロジーが自らに応用されるときにはなおさらだった。

たとえばイングランドのエリザベス一世は、王者の威厳と敬虔さと権力の象徴的表現と、自らが唯一無二でかけがえのない個人であると宣言する要素とを混ぜ合わせた人物像を通して、自分自身を再定義した。その一方で、一般人は女王の肖像を不適切な形で複製したら、釜茹でにされかねなかった。

今日では、象徴を複製する機会は、もはやファラオや皇帝だけのものではない。私たちのそれぞれが、赤ん坊のときの写真や、休暇で撮ったスナップショット、ホームビデオなど無数のものの中で複製されている。それどころか、デジタル革命の到来で、今では一五世紀に印刷機が発明されて以来、最も開かれた文化の領域に暮らしている。象徴の共有空間に足跡を残すのがこれほど容易だったことはかつてない。わずかな情報通信機器とノウハウがあれば、ものの数分でそれをやってのけられる。

二〇一一年の初めには、一億五八〇〇万のブログ（少なくとも理屈の上では、ブロガーの見解が定期的にアップデートされる、個人のウェブページ）があり、日々、何万も増えている。それに加えて、個人のウェブサイトは他にも何十万もあり、そこに人々が写真や考え、話、製品などを表示している。だがそれでさえ、オンラインのSNS（ソーシャルネットワーキングサービス）を利用している人の数の前では影が薄くなる。SNSのおかげで、ユーザーはデジタル領域に個人用の空間を生み出し、それを友人や知人の同じような空間とつなげることができる。たとえばフェイスブックは二〇一一年春までに、六億人を超えるアクティブユーザーを抱えており、その数は依然として増え続けている（編集部注　二〇二二年七月末時点の月間アクティブユーザーは二九億人）。二〇一〇年のある消費者報告書によると、アメリカの子供の九二パーセントが二歳までにインターネット上に足跡を残しているという。

これらのページのうちには、作り手しか知らぬものもあって、それはいちばん下の引き出しの中で色褪せていく休暇のときの写真のデジタル版であり、象徴的な不滅性を獲得するには十分ではない。だが、何十万もの訪問者やフォロワーを惹き寄せるページもあり、資源は乏しくても優れたアイデアを持つ人は、厖大な数の閲覧者とつながることができる。

文化的領域へのアクセスがこうして容易になったことに伴うパラドックスは、存在意義を獲得するためには、今までにない規模の自己の複製と露出が必要になったことだ。名声は今や、念入りに描かれた肖像画の二、三枚よりはるかに多くを必要とする。有名人の仲間入りをするためには、仮想空間で何千回も、あるいは何百万回でも複製されねばならない。この規模には、アレクサンダーでさえ仰天したかもしれない。

もちろん、このような活動のすべてが現世での満足をもたらすし、ソーシャルメディアは日常のやりとりの一部になった。だが、その根底には、デジタルの領域が後世に向けた新たな一面を切り拓いたという認識がある。ほとんどのソーシャルネットワーキングサイトは、ある種の「記念施設」を提供する。この施設は、ユーザーの活動を、彼らが身体的に現世を去ってからさえも保存する。より高度なサービスは、ブログや写真、動画、フェイスブックの投稿、その他、デジタル化されたいかなる思考をも検索して、人のデータをインターネット上から収集し、包括的な「記念サイト」を作り出す。ある企業は、このデジタル遺産を本物の物理的な墓石に埋め込み、通りがかりの人が関心を持てば、その人に送信することさえ可能にする。こうしたサービスの人気は高まっており、時間をかけて自分の思考や画像をデジタル形式に変換している人は、そのうちの何かが彼らの儚い肉体よりも後まで残ることを願っている。今日、アレクサンダーのような地位を獲得しようと決意している人には、デジタル複製の方法を習得する以外の選択肢はない。

あらゆる形態の文化的複製の主要な利点は、一種の理想の自己を生み出す可能性があることだ。初期の肖像画家たちは、有力なパトロンを実物以上に良く描くべきことを十分心得ていた。モデルが自分の最高の面をカメラに示したり、ユーザーがよく考えた上で自分のウェブサイトに何かを投稿したりするのと、ちょうど同じだ。

そして、ここが重要なのだが、これらの画像は、いったん文化的な形態で永続的なものになったら、けっして老いることはない。無論、それが肝心な点であり、古代ギリシア人も認識していた――象徴の領域は生物学的なものに固有の衰弱や腐敗とは無縁でいられる、と。

したがって、アキレウスやアレクサンダー、ジェイムズ・ディーンやマリリン・モンロー、ジム・モリソンやジミ・ヘンドリックスはみな、始皇帝とライナス・ポーリングには達成できなかったもの、すなわち永遠の若さを、それぞれのやり方で成し遂げたのだ。

「寄せ集め」のアレクサンダー――「人が生き永らえる」ことの意味

「なぜ後世のことを気に掛けなければいけないのか？　後世の人々が私のために何をしてくれたというのか？」

とコメディアンのグルーチョ・マルクスは問う。これは重要な疑問だ。文化的不滅性への二段階を踏むために あまり多くを犠牲にする前に、果たしてこの二段階が、獲得する価値のある不滅性に導いてくれるかどうか、確認しておくべきだろう。

アレクサンダーやエルヴィスやマリリンを目指す人は無数にいるものの、名声や栄光が永続的な生を本当にもたらしうるという考え方の徹底的な擁護を試みた思想家はほとんどいない。この道がいったいどのように不老不死の山へと続くのかを明確に示してくれる、プラトンや聖パウロに相当する人はこれまでいなかった。

ホメロスの描いた英雄たちとその後継者は、説得力のある論拠ではなく強力な直感に基づいて戦場に出掛けたように見える。だが、哲学的な主張をしようとすれば、以下のようなものが考えられる。

私たちはすでに、人には霊魂がない、不変の本質も、変えようのない内なる核もない、という結論に至った。さらに一歩踏み込んで、じつは、「真の自分」と呼べるものもないと言うことさえ可能だ。人は、本質的に異なる思考や記憶や感覚印象などの寄せ集めにすぎず、私たちはそれらを一つのパッケージにして、便宜上、人というラベルを貼っている。そのうえ、忘れられるものもあれば、新たに学習されるものもあり、意見は変わるし、新しい記憶も形成されるので、そうした異なる部分は絶えず変化している。というわけで、問うべきなのは、もし人がそのようにひっきりなしに変化するものの寄せ集め《バンドル》であるならば、「人」が生き永らえるとは何を意味するのか、だ。

これらの異なる部分のうち、十分な数が生き永らえれば、人は生き永らえる、というのが一つの答えかもしれない。であれば、私が先週のスティーヴン・ケイヴと同一人物なのは、先週の私の考え方や記憶などのバンドルのうち十分な量を受け継いでいるからだ。哲学の伝統に則り、これを自己の「バンドル理論」と呼ぶことにしよう。

さて、文化的不滅性を追求している人は自分のさまざまな構成要素を選んで、象徴の領域で複製している――たとえば、自分の行為や思考や発言が、宮廷のお抱え歴史家に記録され、自分の姿が像の制作者によって描写されるように取り計らうことで。

これは、その特定のバンドルのさまざまな構成要素の存続を確実にする方法と見ることができる。そして、バンドルの構成要素のうち、十分な数が存続すれば、本人も生き続ける。ただし、完全に象徴の世界においてではあるが。

もしアレクサンダーが紀元前三二三年にバビロンで（生物学的に）死んでいなかったなら、それまでのアレクサンダーとおおむね連続した考え方や記憶を持つ人間が存在し続けただろうし、私たちは彼が生き永らえたということだろう。とはいえ、物理的な、人間であるアレクサンダーは実際には亡くなった——だが、アレクサンダーのバンドルの多くの面が、たとえば彼の言動の記録や、多くの彫像や、彼が影響を与えた何十万もの人の心の中で、存続した。実際、アレクサンダーの姿や考えや評判はしきりに複製されたので、彼が元の生身の人間として生き永らえていた場合とほぼ同じぐらい完全に、彼のバンドルは存続したと言えるほどだ。

そして、これらの肖像や考えや評判は、今日まで存続してきた。したがってアレクサンダーは、世界中の図書館や博物館、動画コレクション、ウェブサーバーなど——そしてもちろん、他の人間の心の中——に拡がって、ひどく分散した形でではあっても、生きている。だから、不滅性への道筋は、現在の自己のバンドルのできるだけ多くの構成要素が、生身の人間よりも確固たる形で存続するのを確実にすることであり、存続する部分が多いほど良い。

これは、本当に生き続けることには程遠いように思えるかもしれないが、この見方の支持者は、日々生き続けることと比べて遜色はないと主張しうるだろう。なぜなら、日々生き続けること自体も、そのような重複する連続性の寄せ集めなのだから。

形而上学志向の有名人は、そう主張するかもしれない。無論、大半の有名人はおそらく、あまり形而上学志向ではないだろうが、それでも、彼らが頻繁に口にする経験の一部は、自己のバンドル理論とよく合致する。

名声を研究する前述の心理学者デイヴィッド・ジャイルズが指摘しているとおり、有名人は自分のアイデンティの断片化について、しばしば語る。自分の公的な自己と私的な自己、本当の自己と作られた自己の区別がしだいに難しくなるように感じているからだ。彼らはテレビで自分自身の姿を目にしたり、雑誌で自分の見方——あるいは、ＰＲ担当者にこうあるべきと言われた見方——を読んだり、自分の肖像をアルバムのジャケットで見たりしているうちに、自分ただ一人が所有権を持っている、これぞ自己というものを持っている、という感覚が急速に蝕まれていく。

アーネスト・ヘミングウェイをはじめ、一部の人にとって、これは自分の真正性に疑問を投げ掛ける問題だ。したがって、ヘミングウェイの自殺は、断片化していく自己を取り戻し、まとまりを与えるための最後の試みだった。だが、ピカソをはじめ、別の人々にとっては、自己と現実についての見方の、このように果てしない増殖こそが、芸術を可能にして人生を興味深くするものにほかならなかった。

肖像や記録が何か本物で生きたものを捉えるという考え方は、古くからある。立像という形態の肖像は、何かしら神の側面を含んでいるという信念に基づいて、ずっと昔から崇拝されてきた。アブラハムの三つの主要な宗教のすべてで、そのような肖像を作る行為は、深刻な問題を孕んでいた。なぜならそれは、神による人間の創造行為を真似るものであり、その行為は神の特権だからで、神に対する不遜と、偶像崇拝の両方を意味するからだ。

それでも、キリスト教においてさえ、肖像は崇敬の対象であり続けている。同様に、映画や写真といったテクノロジーが浸透する前も、それらやその他の肖像制作技術が現に人の一部を捉えるという考え方は、広く受け容れられていた。中国からアメリカ先住民のものに至るまで多くの文化では、写真は当初、人の自己の表皮を剥ぎ取って紙に閉じ込めものと考えられていた。

したがってバンドル理論は、一見したときほど奇妙ではない。それどころか、首尾一貫した不変の自己という概念は、一世紀以上にわたって執拗な攻撃を受けてきた。攻撃の口火を切ったのが精神分析学者たちで、彼らは意識を矛盾するさまざまな部分に分け、それに続いて、神経科学者たちが脳には多数のシステムや構造があることを明らかにした。

それならば、アレクサンダーのバンドルは、私たちの間に依然として存在しているのだろうか？

文化・芸術は「生」たりうるか？

そうではないと考える、有力な理由があれこれある。バンドル理論は立派な考え方ではあるが、異論は多く、批判者は引きも切らない。

たとえば、多くの哲学者が、思い出したり信じたり欲したりする人が誰かしらいなければ、記憶も信念も欲望も存在しえないと主張する。欲望は、バンドルの中をただ漂っていたり、他のどのような形でも存在していたりはしない。だが、私の記憶を思い出したり、信念を持ったり、欲望を抱いたりしている人がいるのなら、私はその人に違いなく、ただの記憶や信念や欲望ではない。

それならば、私は所詮、記憶や信念や欲望などが集まったものではなく、記憶や信念や欲望などを持った人間だ。その人は、霊魂か、生物有機体か、何か他のものかもしれない。だが、本や像ではない。どんな本も像も人ではない。だとすれば、結局アレクサンダーは歴史書の中で本当に生き続けてはいない。

たとえ私たちが非常に異論の多い自己のバンドル理論を受け容れたとしても、象徴の領域だけで生き永らえようとすると問題が生じる。

バンドル理論によれば、人の記憶や信念や欲望などが十分存続していれば、その人も生き続けることになるが、記憶は書物に記されているというだけでは、文字どおりの意味で存続するかどうか、はなはだ疑問だ。つまるところ、記憶と欲望は心的状態であり、書物には心的状態はない。本は実際には思い出したり欲したりしない。本には単に心的状態の記述があるだけで、物事の記述は物事自体と同じではない。アレクサンダーの野望の記述は、アレクサンダーの実際の切なる思いと同じものではなく、それは硬貨にかたどられたアレクサンダーの顔が、本当にアレクサンダーの顔であるわけではないのと同じだ。象徴の領域で私たちが作り出す自分の複製は、人を構成する種類のものとしては、どう考えても不適だ。ハンバーガーの写真を食べても腹の足しにならないのと同じで、自分の写真を通して生き続けることはできない。

したがって、文化的遺産が文字どおりの存続に少しでも近いものを提供できると主張するのは非常に難しく見える。人の自己はただのバンドルであると主張するだけでも異論が出てくるが、たとえそれが本当にバンドルであっても、そのバンドルを構成しているもの自体は、文化の領域で本当には存続しない。

だが、この種の不滅性の追求に関する最大の謎は、追求している人々がおおむねこれを認めるであろうことだ。彼らは外国の領土を征服したり絵を描いたりすることによっては、通常のやり方と少しでも似た形で本当には生き続けていないことを知っている。ところが、それでもなお、彼らはそうするのだ。

デイヴィッド・ジャイルズは、名声を求める人の動機を探究するにあたって、有名な人には何かしらの心理的特質あるいは遺伝的特質があって、それで彼らが卓越を求める理由が説明できるという可能性を退けている。そのような特性はいっさい見つかっていないのだ。そして、私たちはただちに富と地位がもたらされるから名声を求めるといった、その他の説は、「名声への長期に及ぶ凄まじい欲望を十分説明するには不適切」である、と彼は結論している。

名声がそれなりに現世への恩恵をもたらしうることは言うまでもないが、すでに見たように、象徴の領域に名声を残すには、長い幸福な人生を犠牲にしなければならないことが多い。アレクサンダーや、生き急いで若くして亡くなった無数のポップ・スターや映画スターの場合がそうだ。西洋の英雄の模範たるアキレウスは、栄光を追い求めれば命を落とすことを知ってさえいた。だからこの追求は、現世の利益を得るための手段とはなりうるはずがなかった。

では、歴史に名高い人々は、自らの人生を永遠の名声に捧げることで、何を期待していたのか？そこには「死のパラドックス」――いや、その後半、すなわち、自分自身が存在していないところは想像不可能であること――の影響が及んでいる可能性が非常に高い。英雄志望の人々は、片道攻撃の任務に出れば、生きて栄光に浴せないと、理性的に考えたときにはわかっていると口では言うものの、それでも自分の記憶の上に栄冠が積み上げられるところを思い浮かべずにはいられない。

そのように想像すれば、本人は観察者としてその場に身を置くことになり、将来、自分が依然としてそこにいて、背中を叩かれて祝福され、拍手喝采を浴びるかのように思えてくる。だから、たとえアキレウスは、栄光への途上で自分が死ぬだろうことを意識の上では知っていると主張したにしても、強力で非理性的な認知作用のせいで、彼は未来にも依然として存在していて、その栄光の恩恵に浴すように思えただろう。

私たちは潜在意識の次元で、あるいは情緒の次元で、物質的な領域と象徴の領域とを本当には区別していないことも、つけ加えておいてよいかもしれない。

私たちは象徴の動物であり、周りの世界の象徴的な理解に完全に浸っているので、自分の不死への意志を物理的なものから文化的なものへと直感的に移し替える。これは、ジャイルズが後世への存続の追求のための「進化の原理」と呼ぶもので、私たちは、自らを将来に向けて複製したいという衝動があまりに強いため、その複製が雑誌の写真にすぎなかったとしても、それが満たされるのだ。

したがって、文化的遺産が満足のいく不滅性をどのようにしてもたらせるかを示そうとする、プラトンや聖パウロに相当する人物がこれまでいなかったのは、有力な論拠が見つからないからだ。栄光を追求する動機は本能的・直感的なものであり、それらの本能と直感は、間違った方向に導かれている。

自分が存在しないところを想像できないことから、私たちは未来にも存在して栄光を獲得できることが示唆されるが、理性はその逆を示唆する。アキレウスとアレクサンダーは、首尾良く尋常ならざる者となり、自分の名を文化の領域に刻印することに成功したが、二人の犠牲になった無数の名もなき人々と同様、死んでしまったことに変わりはない。

文化的遺産への切望に対して決定的に水を差すものは、バンドル理論とはまったく無関係で、記憶は永遠ではないという、完全に実際的な点だ。事実、長く記憶される人はほとんどいない。

心理学者のロイ・バウマイスターの推定では、たいていの人が覚えておいてもらえることが見込める期間は、七〇年だそうだ。多くの人が、曾祖父母の名前すら言えぬことを、彼は指摘する。そして、もし血のつながった曾孫たちが彼らのことを何も知らないのなら、誰であれ他の人が知っている可能性は低い。

無論、アレクサンダーのように大いに名声を博す人もいる。だが、彼らを尊敬している文化も、永遠には続かない。ギリシアの栄光は依然として輝いているが、他の無数の古代文化の英雄たちは、とうの昔に忘れられてしまった。

マルクス・アウレリウスはそれを認識していて、西暦一九〇年に『自省録』にこう書いた。「汝は程なくこの世のことを忘れ去るであろう。そしてこの世も程なく汝のことを忘れ去るであろう」。しかも彼はローマ皇帝であり、永続的な名声をたいていの人よりも見込む理由がよほど多くあったというのに。

それでも私たちはアキレウスとアレクサンダーを依然として覚えているし、マルクス・アウレリウスでさえ、本人の予測に反して記憶にとどめている。だが、彼らもいつの日か、彼らの偉業を重んじる西洋文明の終焉を甘受せざるをえなくなるし、その後には人類の終焉やいずれは世界の終焉も受け容れねばならない。文化は一人の人間よりも後まで残るかもしれないが、人類の後まで残りはしない。私たちの栄光がどれほど偉大なものであっても、それはあくまで忘却の先延ばしにしかなりえない。

それを何よりも的確に言い表したのが、メアリー・シェリーの夫で詩人のパーシー・ビッシュ・シェリーによる、一八一八年の詩「オジマンディアス」だ。ある旅人が、砂漠の中で見つけた壊れた巨像について報告する。

そして、その台座にはこうあった。
「我が名はオジマンディアス、王のなかの王。
我のなせる業をご覧ぜよ、汝ら強者ども、そして絶望せよ！」
その傍らに残るものは一つとしてなく、巨大な残骸の
朽ち果てたる周囲には、際限なく、剥き出しの
人跡稀な平らかなる砂が、はるかに広がるのみ。

冥府に堕ちたアキレウスの嘆き

多くの人がアレクサンダーを、古代ギリシアの価値観の輝かしい化身と見なしてきた。先に見たように、彼は英雄伝説を聞いて育ち、アリストテレスの個人教授を受け、どこへ行くにも『イリアス』を携えていた。だが、アレクサンダーは古典の素養があったにもかかわらず、ホメロスの作品をあまりじっくり読んでいなかったと結論してもよいかもしれない。

ホメロスが英雄文化の代償を記す『イリアス』と『オデュッセイア』は共に、悲哀に満ちている。『イリアス』の物語の冒頭では、アキレウスがギリシア軍の総大将アガメムノンに冷遇され、その結果、戦うことを拒み、神々にトロイア側に味方するように求めさえした。アキレウスの癇癪《かんしゃく》のぞっとするほど皮肉な結果として、無二の親友パトロクロスがトロイの王子ヘクトルの槍にかかって倒れる。友を失ったアキレウスは荒れ狂い、トロイアの若き戦士たちをなぎ倒す。

「長い日照りの後、山間《やまあい》の谷で草木が燃え盛るように……アキレウスは激しく怒り、神のごとく槍を

振るって、敵を追いかけては屠り、ついには黒い大地が血の海と化した……だが、ペレウスの息子［アキレウス］はさらなる栄光を勝ち取ろうと突き進み、無敵の手を血糊で汚した」

激高したアキレウスは慈悲の心をすっかり失い、武器を持たぬ相手を殺し、哀れみを乞う者も手にかけ、ついにヘクトルを討ち取ると、遺骸を辱める。ホメロスは彼について称讃の気持ちを持って書いておらず、アキレウスが死体で埋める川の神に、次のような言葉を突きつけさせる。

「アキレウスよ、汝は力において誰にも優るが、邪悪さにおいても然《しか》りだ」

後に、『オデュッセイア』では、ようやくトロイアが陥落した後、オデュッセウスは故郷への航海の途中で冥界に降りていき、影たち、すなわち死者の陰鬱な霊たちを訪ねる。そのなかにアキレウスがいる。彼はヘクトルの弟パリスの放った矢でついに倒され、もし彼の生が栄光に満ちたものなら、短いものとなるという予言が成就したのだった。

アキレウスが「身体から離れ、心を持たぬ亡霊たち」に囲まれた冥府での惨めな境遇を語るのを聞いたオデュッセウスは、衝撃を受ける。彼はアキレウスを諫《いさ》める。あらゆる戦士のうちで最も名高く、英雄たちのなかで最も称讃されているアキレウスたる者が、栄光のために長命を犠牲にするという、自らの選んだ道を嘆くことなど、ありえようか、と。するとアキレウスは応える。

「死を侮ってはならぬ、傑出したオデュッセウスよ。これらの活気のない死者すべての王であるよりも、土地を持たぬどこかの貧乏な小作人の奴隷として土を耕しているほうがましだ」

というわけで、結局すべて無駄だったのだ。トロイア周辺の土地にあれほど若者の血を流し、あれほど多くの女性を未亡人にし、あれほど多くの親を悲嘆に暮れさせ、パトロクロスやヘクトルを倒し、アキレウス自身も命を失いながら——これほどの犠牲を払いながら、この偉大な英雄は、他のあらゆる人と同じように、暗く空疎な死の領域へと追いやられてしまったのだから。

ホメロスは、流血によって栄光を求めることの無益を見て取った。アレクサンダーも、その点に留意すべきだったのかもしれない。

ソクラテス（その教えを受けたのがプラトン、その弟子がアリストテレス、さらにその教え子がアレクサンダー）も、自分の時代の虚栄心をつぶさに観察した。彼は「愛の技巧における師」だった賢女ディオティマの言葉に納得していた。英雄たちのこうした偉業は、自分の死後に生きる象徴的な子孫を残す必要性を「孕んだ霊魂」を持つ男たちの行為である、と彼女は言っている。

だが、女性は「身体で孕む」ことができ、「将来に欲する至福と不滅性を我が子に与えられる」。言い換えれば、男性が戦ったり本を書いたりするのは、子供を産めぬからにすぎぬというわけだ。

これで話は、「遺産のシナリオ」の後半へと、すんなりつながる。

第9章 遺伝という不滅

――DNA、都市、生態系、ガイア、そして宇宙へ

マケドニアのアレクサンドロス三世が非凡な男性だったことは疑いようもない。だが、彼に劣らず非凡な女性がいなければ、彼がアレクサンダー大王として知られるようにはならなかっただろう。その女性とは、彼の母親オリュンピアスだ。

オリュンピアスについては、断片的な情報しか知られていない。そのほとんどが、彼女の傑出した息子の偉業を詳述することにもっと関心があった男性の歴史家たちによる、主に批判的な挿話だ。だが、そこから浮かび上がってくる人物像と比べると、アレクサンダーも見劣りするほどに思える。巫女にして妖術師であり、権力闘争に明け暮れ、忙殺に手を染めるのだから。

夫の、武人で王のフィリッポス二世でさえ、彼女が大蛇と寝ているのを見つけてからは、彼女を恐れたと言われている。その大蛇は、神が姿を変えて訪ねているのに違いないと考えたのだ。アレクサンダーに英雄となるべき運命を信じることを教え、それから彼のためにその運命を全《まっと》うする道を拓いたのが、このオリュンピアスだった。

古代の記録によると、マケドニアのフィリッポス二世は、隣接する国家モロッシアの若い王女と共にある密儀宗教に入信するときに、たちまち彼女の虜となったという。これはロマンティックな話に

聞こえるかもしれないが、フィリッポスの愛情の対象は広範に及んだ。オリュンピアスと結婚したとき、王にはすでに三人の妃がおり、彼はその後さらに三人の妃を迎えている。その結果、若き王妃は、王室内での自分の地位を維持するために、絶えず闘わざるをえなかった。そして、何よりも重要なのが、男子を儲けることだった。

彼女にとっては幸運にも、結婚の翌年の紀元前三五六年、アレクサンダーを産んだ。だが、フィリッポスの他の大勢の妃たちも負けじと世継ぎを産もうとしていたので、自分の遺産を安泰にするための競争は、そこで終わりにはならなかった。アレクサンダーが生まれたのとちょうど同じ頃、別の王妃も、アリダイオスという名の男子を産んだ。

アリダイオスはアレクサンダーにとって王位継承の競争相手だったから、オリュンピアスが彼の不幸を願ったのももっともだった。だが、歴史家のプルタルコスによれば、彼女は単に願っただけではなく、それをはるかに上回ることもしたという。ファルマカの技法――薬、毒、呪《まじな》い――の知識を使い、必ずアリダイオスが心身共に発達が遅れるようにしたとのことだ。

一方、アレクサンダーは文武両道の修練でめきめきと腕を上げた。そして、彼が頭角を現すにつれ、オリュンピアスは彼の野心も育んだ。先祖のアキレウスのような武勇を熱望するよう促し、彼の父はただの王ではなく、彼女の床を頻繁に訪れると噂されている神の一人だという考えを、彼の頭に植えつけさえした。

アレクサンダーには明らかに才能があったので、フィリッポスはすんなりと彼を跡継ぎと目するようになり、自分が出陣している間、一六歳だったアレクサンダーに王国の運営を任せた。一年後には、親子二人してマケドニア軍を指揮していた。オリュンピアスの願いは、かなったも同然に見えた。

だが、フィリッポスはアレクサンダーの台頭が急過ぎ、野心が大き過ぎると思ったのかもしれないし、新たな若き美女に心を奪われただけかもしれないが、いずれにしても、四〇代半ばにして、高位の将軍の姪クレオパトラを七番目の妃に迎え、さらに子を儲けにかかった。

王位の継承をめぐって新たな競争が起こる可能性が出てきたため、オリュンピアスと早熟の息子は狼狽した。酒がふんだんに振る舞われた結婚式で、この緊迫状態に火がついた。花嫁の叔父は、嫡出の世継ぎが誕生してしかるべき時が来たという趣旨のことを言った。アレクサンダーは彼に杯を投げつけ、説明を求めた。花婿である王は息子を叱責しようと立ち上がったものの、酔いのせいで床に倒れた。それを見たアレクサンダーは、嘲るように言った。

「なんたるざまだ。ヨーロッパからアジアへ攻め込もうという人が、隣の席までたどり着くことさえできぬとは」

オリュンピアスとアレクサンダーはマケドニアを出奔した。だがフィリッポスは、明らかにこの才気縦横の息子との不和を悔やんだようで、和解が成立し、その一環として王室の結婚式が執り行なわれた。オリュンピアスとフィリッポスの娘が、今やモロッシア王となっていたオリュンピアスの弟と結婚したのだ。これがフィリッポスにとって最後の行事となった。当日、行進の先頭に立った彼は、護衛の一人に刺殺された。暗殺者は逃亡したが、アレクサンダーの友人の一団に捕らえられ、殺された。アレクサンダーは軍によって王に宣せられた。

驚くまでもないが、多くの古代の歴史家が、王の暗殺にはオリュンピアスが絡んでいると見ていた。

アレクサンダーに王位継承の競争相手がいないうちに、王を亡き者にしようと企《たくら》んだというわけだ。彼女とフィリッポスは不仲だった——少なくとも、大蛇の一件の後は。そして彼女は、自分の目的を遂げるために平気で殺人を行ないかねない人間だった。

フィリッポスが亡くなり、邪魔立てされる懸念が消えると、彼女は自分とアレクサンダーの競争相手たちの排除に乗り出した。まず目をつけたのが、最新の諍いのもととなった、フィリッポスのいちばん新しい王妃で、彼女には今や赤ん坊が生まれていた。一部の著述によると、オリュンピアスはその親子を火あぶりにしたという。一方、オリュンピアスが自ら赤ん坊を殺し、その後、若い王妃を絞首刑にしたという話もある。

アレクサンダーの長い遠征の間もずっと、オリュンピアスとアレクサンダーは緊密に連絡を取り合った。オリュンピアスは、故郷でのアレクサンダーの関心事を処理すると共に、彼に誰が信用できて誰がそうでないか、助言を与えた。

アレクサンダーは、ある戦いで重傷を負ったとき、母親が女神になるところを目にしたいという願いを語った。ひょっとしたら、いつの日か神々の住み処であるオリュンポス山で再会したかったのかもしれない。

紀元前三二三年に遠いバビロンでついにアレクサンダーが亡くなったとき、それはオリュンピアスにとって、悲惨で思いもよらぬことだったに違いない。一〇年にわたって、息子は本当に無敵の英雄のように見えたから。だが、どれほど打ちのめされたにせよ、彼女は自分の野心の新たな対象をすぐに見つけた。アレクサンダーのペルシア人の妻ロクサネが産んだ、彼女の孫だ。

アレクサンダーの死に続く混乱のなか、この赤ん坊（アレクサンドロス四世）と、アレクサンダー大王の異母兄で心身の発達に遅れを来していたアリダイオス――以前オリュンピアスが、彼に呪《まじな》いをかけたとして非難されることとなった、その人物――が二人揃って王位に就く一方、さまざまな将軍たちも競合する王朝の創設に取り掛かった。マケドニア軍は分裂し、決戦は避けられなかった。

紀元前三一七年、オリュンピアスが率いる軍勢が、アリダイオスを支持する軍勢――こちらはアリダイオスの王妃で、戦士の女王を自称する、これまた侮り難い女性が率いていた――と対峙した。だが、ディオニュソスの高位の巫女の正装をした、偉大なアレクサンダーの母親を目にしたアリダイオス軍は総崩れになった。彼女はまたしても勝利を収めたのだ。哀れなアリダイオスは刺殺され、王妃は絞首刑に処せられた。

アレクサンドロス四世は（結局、短期間ではあったが）マケドニアの唯一の王となり、オリュンピアスが摂政の座に就いた。彼女はアレクサンドロス四世に、彼の血管にもアキレウスの血が流れていると、熱心に語ったことは疑いようもない――そして、こちらのほうがなおさら重要なのだが、彼女の血も流れている、と。

親から譲り受けた「古いカタマリ」

「私たちの死は終わりではありません。もし、子供たちの中で生き続けられるのなら」とアルベルト・アインシュタインは書いた。「なぜなら、彼らは私たちだからです。私たちの身体は生命の樹のしおれた葉にすぎません」。

友人が亡くなり、その未亡人を慰めるためにそう書いたとき、アインシュタインは「遺産のシナリオ」の後半、すなわち生物学的な不滅性の本質を捉えていた。それは、私たちは子孫の中で生き続ける、私たちと彼らとは深遠な形で結びついており、そのため何かきわめて重要な意味で同一の存在となっている、という信念だ。だから、個々の身体がしおれて死んでも、私たちは依然として、次世代の新緑の中で栄えることができるかもしれない。

生物学的な遺産を追求すれば、ある意味で、私たちは旅の出発点に戻ることになる。生存のための露骨な闘いと並んで、それは私たちが果てしない未来へと自らを持続させる試みの、最も本能的な手段だからだ。

世界中で無数の生き物が、今この瞬間もそれを試みている。求愛し、誘惑し、産卵し、射精し、出産し、離乳させ、巣を作り、ハーレムを形成している。アリストテレスが二五〇〇年近く前に書いたとおり、「どの生き物にとっても……最も自然な行為は、その性質が許す範囲で、永遠性を帯びるために、動物が動物を生み出し、植物が植物を生み出すというように、自らに似たものを生み出すことだ」。

だが、永遠性を帯びることを可能にするためには、この生物学的な不滅性の主張は、単なるメタファー以上のものであることを証明しなければならない。あなたの一部が子供の中で生き続けると信じたからといって、その部分があなたの存続を確実にするに足ることにはならない。あなたが子供を通して存続して初めて、生物学的遺産は永遠に生きる道となる。だが、まさにそうなる、と強く主張することができる。ただし、自分自身の子孫との結びつきを大きく超える所まで進むことになるが。

人は生命の樹の自分自身の小枝から直接出てくる蕾《つぼみ》をとても誇りに思っているかもしれないが、それよりもはるかに重要なのが、根や枝を含めた全体との結びつきなのだ。

第8章で見たように、「遺産のシナリオ」に少しでも妥当性を持たせるためには、私たちは自己というものを、これまでとはまったく違う形で見てみなければならない。「生き残りのシナリオ」「蘇りのシナリオ」「霊魂のシナリオ」という、他の三つのシナリオは、身体という形であれ、心という形であれ、何か本人であると認識できる形態で生き続けることを約束する。だが、アレクサンダーの文化的遺産を通して、通常の意味で彼の身体あるいは心らしきものは何一つ存続しなかったことは明らかだ。だから私たちは、バンドル理論を見てみた。それは、人は単一の首尾一貫した自己ではなく、散り散りになっても存続できる記憶や考えなどの集まりであるとする理論だ。

同様に、通常の意味では、オリュンピアスの身体も心も、息子や孫という形で存続しなかったことも明白だ。だが、生物学的な「遺産のシナリオ」の支持者は、この「通常の意味で」というのが間違っていると言うだろう。人は、自分で思っているようなものではないのだから、と。

「子供は、私たちが信頼できる唯一の不死の形態である」と、著述家で俳優のピーター・ユスティノフは言っている。これは一般的な考え方で、それは、私たちの何かが子供たちに受け継がれることには議論の余地がないからかもしれない。したがって、生物学的な不滅性を望むのは、蘇りを待つほどやみくもなことではない。とはいえ問題は、その何かが、永遠の生を主張するに足るものかどうか、だ。今日私たちは、親の生物学的な遺産とは何かを、厳密に述べることができる。それは、親の遺伝子の五〇パーセントであり、それがやがて子供の遺伝子の半分を占め、もう一方の親由来の同量の遺伝子と組み合わさる。

当然、オリュンピアスも他のたいていの親と同じで、遺伝子以外のものものもアレクサンダーに伝えた。

それには、たとえば、自分と息子の英雄の血筋や、神聖な運命に対する信念が含まれる。だが、そのような価値観や考え方は、すでに考察した文化的遺産の領域に属する。

本章で注目しているのは、生身の人間にかかわる生物学だ。そして、生物学的に言うと、一つの世代から次の世代へと飛び移り、運び手の個々の身体よりも後まで残るのは、遺伝子だ。だから、進化生物学者のリチャード・ドーキンスによれば、

「遺伝子は不滅だ……この世界における個々の生存マシンである私たちは、あと数十年生きることが見込める。だが、この世界の遺伝子は、一〇年単位ではなく一〇〇〇年あるいは一〇〇万年単位で計測せざるをえないほどの生を期待できる」

という。

だがもちろん、「私たちの遺伝子は不滅である」と言うのと、したがって「あ、な、た、と私も不滅である」と言うのとは、まったく話が違う。実際、遺伝子の視点に立った生命観の標準版は、私たちが生き続ける見通しに、ほとんど希望を与えてくれない。

むしろ、それは人間を、遺伝子の無慈悲な奮闘のための、短命な乗り物として描いている。この説によれば、実際の活動は私たちの誕生のはるか以前に、遺伝子を構成しているDNAの進化で始まり、私たちの死のずっと後まで続くことになる。そして、遺伝子がその長い歴史の中で学んだのは、それぞれの個体が長持ちするような生き物を作ろうとするよりも、自己複製する生き物をコードするほうが、格段に効率的であるということだ。生に伴う衰えや損傷はあまりに大きいので、超高性能の乗り物にすべてを投資するのは危険過ぎる。人間のような使い捨てにできる乗り物のほうが、はるかに優る。そうした乗り物は、絶えず真新しい乗り物を生み出すから。

だから一見すると、不滅の遺伝子の話はあなたの存続にとって、あまり期待が持てそうにない。少なくとも、あなたがそれらの使い捨て可能な乗り物の一つであれば。だがそれは、生の連続と、その中でのあなたの役割の見方としては、間違っているのかもしれない。

遺伝子がこれほど注意を引くのは、一つには、遺伝子が自然選択の基本的な単位と見なされているからだ。だが、だからといって遺伝子が生の基本的な単位となるわけではない。その特権は、細胞に与えられている。細胞は微小でありながら非常に高度で独立した、生物学的活動の塊だ。それぞれの細胞の核には、遺伝子が丸まって収まっており、細胞の建設マニュアルと路線図を合わせたような働きをしている。細胞は、言ってみれば、遺伝子の世渡りの手段なのだ。

人は一〇〇兆ほどの細胞の集まりで、そのそれぞれに、その人の遺伝子の、別個の完全なコピーが収まっている（ただし、卵子と精子は除く。それらには半分しか入っていない）。私たちが生き物を目にするときにはたいてい、同じ人間や、犬、草、ニンジンといった、他の大きな多細胞のものに焦点を当てがちだ。だが、地球上の生き物の圧倒的多数は単純な単細胞で、最近まで（進化の尺度で、だが）、地球上のあらゆる生命現象は、そのような、自由に動き回る、単独行動の単細胞から成り立っていた。進化史のさまざまな時点で、こうした個々の細胞は、各自の資源を組み合わせ、集団行動をするように決めた。植物や動物やその他の多細胞生物は、この集団生活の産物だ。ある次元では、人はそれ自体が独自の生き物のように見えるが、別の次元では、それぞれが小さな遺伝子の玉によって支配された細胞のコロニーにすぎない。

あといくつか事実を示せば、これがはっきりするだろう。人の細胞の一部、たとえば特定の白血球は、招かれざる微生物のような餌食に襲いかかれという合図を待ちながら、血流の中を動き回る、おおおむね自律的な暮らしをしている。そうした細胞は、人の免疫系の不可欠の部分だ。とはいえ、それらに酷似した細胞が、どんな水たまりにも見つかりうる。その場合にはアメーバと呼ばれ、独立した生き物と見なされる。進化生物学者のリン・マーギュリスの言うとおり、「人間はアメーバ状のものが統合されたコロニーだ」。

私たちの細胞は、今やあまりに特化しているので、私たちが人間と呼ぶ集合体の外では生きていけないが、同じことがあらゆる動物に当てはまるわけではない。一部の海綿動物（かなり単純な生き物ではあるが、それでも動物だ）は、目の細かい網でこしてやっても、ばらばらになった細胞が独立して生き続け、やがて互いを見つけ出して再び一つにまとまる。そのような海綿動物の場合には、この間を通して、いったい何が本当の行動主体なのか――遺伝子か、それとも遺伝子が支配する細胞か、はたまた多細胞の集合体か――という疑問は、視点の問題のように思える。そして、それが人間にも当てはまる。

人間は、個々の細胞の塊以上のものであることは、明白に思えるかもしれない。だがこれは、完全に成熟した人間を眺めているときには明白に思えるにしても、受精直後の卵子を眺めているときには、およそ明白とは言えない。

実際のところ、あなたもかつてはまったく文字どおり単細胞だった。母親が生み出した卵細胞と（それよりずっと小さい）父親由来の精細胞が結合して、あなたは始まった。この細胞がやがて二つに分裂し、それがさらに分裂し、同様の分裂が繰り返されて、あなたの身体を構成する何兆もの細胞ができ上がった。

この細胞の塊は、成長するにつれ、個々の細胞が単独でできることに加えて、集合体として徐々に新しい能力を獲得した。たとえば、数学の問題を解いたり作曲をしたりといった能力を。

　この塊は、別の細胞と結合して、最初の塊の遺伝子の半分を持つ、まったく新しい塊を作ることができる、さらなる細胞——卵子あるいは精子——も生み出せる。


　したがって、小さな細胞に収まって世界を旅する、あなたの遺伝子の視点に立てば、生命の鎖は世代から世代へと途切れなくつながっているように見える。多細胞の人間の次元で目にするような、唐突な始まりも終わりもない。細胞が自己複製するときには、まず自分の遺伝暗号を複製し、続いて自らを完全に二つに分割し、そのそれぞれに遺伝子をそっくり一揃い持たせるようにする。でき上った細胞は「娘《じょう》細胞」と呼ばれるものの、じつはそれぞれが元の細胞の直接の続きだ。この過程では何一つ死にもしなければ消えもせず、失われることもない。遺骸はまったく出ない。一つの生き物が二つになり、二つの後継者の中で、本当に文字どおり、物理的な形で生き続ける。

　したがって、あなたの身体が始まった元の単一の細胞は、依然として、最初の分裂から生じた何兆もの細胞のすべての中に健在だ。それらの細胞は同一の遺伝子のセットを持っているだけでなく、すべて、途切れることのない一連の分裂から生じた。だが、最初の細胞はもちろん、あなたの父親と母親という、大きな細胞の塊の派生物が結合したものだ。そして、父親と母親のそれぞれも、一つの細胞から始まった。さらに、その細胞自体も、あなたの祖父母の派生物が結合したものだ。

　アレクサンダー大王でさえ、その経歴は一つの細胞から始まった。そしてその細胞は、かつては文字どおりオリュンピアスの一部だった卵細胞と、かつてはフィリッポスの一部だった精細胞との結合に由来する。アレクサンダーは、私たち全員と同じで、彼の両親の、文字どおりの物理的な続きだったのだ。

有名なチャールズ・ダーウィンの、そこまで有名ではない祖父で、やはり重要な科学者のエラズマス・ダーウィンは、一七九六年に次のように書いている。「子孫は新しい動物と称されるが、じつは、親から枝分かれしたもの、あるいは親の延長なのだ」。

この視点からは、生命の歴史は、生きては死ぬ一連の別個の生き物ではなく、むしろ、せっせと自己複製する遺伝子に促されて、分裂したり結合したりする細胞の、途切れることのない鎖のように見える。その鎖は、受精卵が分裂して人間のような形をしたものを生み出すにつれて幅が拡がり、やがて、その細胞の大きな塊自体が単一の卵子あるいは精子を作り出すと幅が狭まり、その卵子や精子が鎖の次の環を生み出す。

あなたが自分の子供の中で生き続けるのは、あなたが本当は、自分で思っているような別個の個体ではないからだ。あなたは、生命の鎖の幅が拡がった部分にすぎない。その鎖は、何十億年もの年月を経ており、いつ果てるとも知れない。したがって、誕生日があり、いずれ死亡日も持つ特定の人間としてあなたについて語るのは、便宜上の省略表現にすぎない。

ここで再度、リン・マーギュリスを引用しよう。

「日常の、異論のない視点に立てば、『あなた』は今の年齢に加えて九か月ほど遡った時点で、母親の子宮で始まった。ところが、もっと深い、進化の視点に立つと、『あなた』は生命の画期的な起源に始まったことになる。四〇億年以上前の、ぐつぐつ煮え立つ初期の地球のスープからの連続なのだ」

「家族」はなぜ特別か？

私たち現代人は、古今を通じて他の誰よりも遺伝の仕組みについてよく知っているものの、生物学的な「遺産のシナリオ」にこれほど共感できぬ人はかつていなかったかもしれない。それは、第6章で見たように、私たちが自分は個人であるという感覚を高度に発達させているからだ。

世界を見渡すと、歴史上、他のほとんどの文化圏の人は、個人であるという自己感覚がはるかに弱く、その代わり、家族や氏族や部族と自分を同一視していた。影響力の大きいフランスの民族学者リュシアン・レヴィ＝ブリュルは、一〇〇年前に次のように書いている。伝統的な社会では、「個人は自分が所属する集団の一要素としてのみ理解されており、その集団のみが真の単位である」。

古代ローマの名門である誇り高きスキピオ家の一員の墓碑銘を例に取ろう。この墓碑銘はどこから見ても、亡くなった個人をより広範な生物学的単位に関連づけている。「私は自らの振る舞いによって我が一族の徳を高めた。子を儲け、父の偉業に並ぶよう努めた。祖先の栄光を維持したので、彼らは私が子孫であったことを喜んでいる。我が名声は、我が血統を高貴なものとした」。ギリシア人の哲学とヘブライ人の宗教が伝わる以前、古代ローマの文化は祖先崇拝の一形態に基づいており、それぞれの一族が独自のカルトを持っていた。一族の成員のそれぞれが、先祖や子孫との、生物学的・社会的・倫理的関係によって定義されていたのだ。

オーストリアの社会学者フランツ・ボルケナウは、これを（第8章で考察した、不滅の栄光を追求する「古代ギリシア人の戦略」と対比して）「ユダヤ人の戦略」と呼んだ。第4章で見たように、蘇りという形態での個人の不死が発達したのは、ユダヤ教の歴史の比較的後期になってからで、それ以前は、イスラエルという部族の、集合体としての存続に重点が置かれていたことがわかっている。

神学者ジョン・ヒックは次のように言っている。当初、ヘブライ人の宗教は、「次から次へと世代が生きては死んでいくなかで何世紀も持続する、民族という組織との神の契約に、完全に」的を絞っていた。

これは、中国や日本や韓国、そしてアフリカの多くの地域の人々にも、ただちに見分けのつく世界観だ。生物学的な「遺産のシナリオ」は、私たちには子孫がいるという明らかな意味でだけではなく、多くの人の人生の輪郭を定めてきた強力なイデオロギーとしても、歴史を通して影響力を振るってきた。そのような祖先崇拝はあらゆる場合に、死者と生者の両方の境遇に貢献すると共に、家族の全成員のアイデンティティを、それぞれの個人よりもはるかに大きなもの、遠い過去まで遡ると共に各自の死のずっと後まで存続するものとして、大いに増強する。そして、集合的不死の強い感覚を提供する。その感覚の中では、各自は自分が古代から継続する全体の一部であることを認識する。

そのような社会に暮らす人々にとって、私たちは生命の連鎖の単なる環の一つにすぎないという結論は、少しも意外なものではなく、自らが生きている、深遠な現実を反映していたことだろう。

したがって、生が生死の繰り返しではなく、途切れることなく連続したものに見えるような生命観があり、多くの人がこの見方に心底から共感してきた。だが、生物学的な不滅性の主張を文字どおりに受け止めるのには、一つ障害がある。意識だ。

明日までであろうと、来年までであろうと、次の一〇〇〇年紀までであろうと、私たちが生き続けたいと思うときに望んでいることは、何なのか？「蘇りのシナリオ」と「霊魂のシナリオ」の考察に倣って、私たちがいちばん求めているのは意識の持続だと言いたい。

あるいは、別の言い方をすれば、あなたは来年の夏にまだ生きているだろうと誰かに言われたなら、私は夏の日差しが顔に当たるのを感じたり、子供たちが庭で遊んでいるのを目にしたりすることを楽しみにできてよいはずだ。特定の性格特性や記憶の維持のように、他にも望むことはいくらでもあるだろうが、すべての根本にあるのが、同じ意識の連続だ。私がこの意識を死ぬ前に失うことは、無論ありうる。たとえば、恒久的な植物状態に陥った場合だ。だが、だからこそ私は、そのような事態を、実際に死ぬのと同じぐらい悪いと考えるのだ。

これは生物学的な「遺産のシナリオ」にとって問題となる。個々の人間は、生命の不滅の網における小さな部分の一段階にすぎないというのは、正しいかもしれない。したがって、「私」はじつははるかに大規模な連続体の一部だから、「私」が本当に生まれ、本当に死ぬと考えるのは間違っているというのは、正しいのかもしれない。だが、私というこの「段階」は、明確な個人の意識を持っているという印象を余すところなく与えてくれ、この段階が終わると、その意識は消える。その段階の終わりをもはや「死」とは呼ばぬことにしたとしても、永続的な植物状態にあるのと似て、自分の明確な個人の意識の消失のせいで、それは死とちょうど同じぐらい悪いものになると、依然として考えることができる。

私は広大な生命の網の中で生き続けるかもしれないが、もし意識がないのなら、それが不死であるという主張は少しばかり空しく響く。

今これを書いている私の耳には、私の幼い娘の一人が隣室で遊んでいるのが聞こえてくる。私はその娘を心から愛しており、彼女の苦労や成功には共感できるものの、文字どおり彼女の目を通して世の中を見てはいない。私はこの部屋にいて、彼女は隣室におり、間のドアは閉まっている。私が死んでも、この状態は変わらない。私の意識は、彼女の中へと飛び込んだりしない。あるいは少なくとも、意識の働きについてわかっているかぎりでは、そういうことは起こりそうにない。

世界の見方に関して、仮に私たちの間に深遠な連続性があったとしても、私たちは別個の、意識のある存在であり続ける。そして、永遠に生きることへの私の希求にとって、それは吉兆とは言えない。だが、再び視点を変えさえすれば済むのかもしれない。私たちは、親と子の間の連続性の性質を考察するために、微視的な次元までズームインした。今度は、ズームアウトする時が来た——超巨視的な次元まで。そこでは、まったく新たな度合いの連結性が明らかになるからだ。そして、まったく新たな意識の存在さえ明らかになるかもしれない。

都市形成、そしてこの地球を覆う「不死性」について考える

あなたが一つの環である鎖のイメージは、十分ではない。あなたははるかに幅広い物語の一部であるのに、その真の範囲をそのイメージは捉えそこなっているからだ。あなたに兄弟姉妹がいれば、彼ら彼女らもあなたとまったく同じように、あなたの親たちの細胞の派生物だ。平均すると、あなたは自分の子供やそれぞれの親と共有するのと同じだけの遺伝物質を彼らと共有している。

細胞を通したあなたの結びつきは、前の世代や先の世代とだけではなく、横方向にも続いている。

糸が一本通っているだけではなく、網があって、それが絶えず枝分かれしたり、再びつながったりしているのだ。

この網には抽象的なところは一つもない。それは生物学的な現実であり、また、多くの人々の人生における現実でもある。氏族や部族や民族という概念の中に、それが表れている。

ほとんどの民族は、何十万、あるいは何百万もの人から成るにもかかわらず、共通の祖先についての何らかの神話を持っており、その成員は自分たちが、いっさいの「外国人」とは大違いで、互いに似ていると思っている。

ドイツのナショナリズムの予言者の一人であるヨハン・ゴットリープ・フィヒテは、善良なるドイツ人にとって不死は、「いかなる外国異分子との混合やそのような異分子による堕落もなしに、民族が永遠に持続することへの期待」の中にあると書いている。フィヒテによれば、民族は「善良なるドイツ人が自分自身の永遠性を託す永遠のもの」であることになる。

部族や民族の内部では、共通性を持っているという感覚は非常に望ましい力となって、公式・非公式の両方の形で強力な相互支援の仕組みにつながりうる。事実、ドイツでフィヒテの死後程なくして、史上初の福祉国家が誕生したのだった。人は誰かと緊密に結びついていると感じれば、相手が苦難に直面しているときには、直接であれ、相手の社会的利益の費用を賄うために税金を払うことを通してであれ、救いの手を差し伸べる可能性が高まる。集合的不死のシナリオは、この衝動をなおさら強め、より大きな全体のために、人々に命さえ犠牲にするよう促す。

精神科医で歴史家のロバート・ジェイ・リフトンは、二〇世紀に共産主義革命を経験した国々におけるこの効果を詳細に記録している。たとえば中国では、共産主義のイデオロギーは、祖先崇拝の長い伝統を足場にして、アイデンティティの焦点を、自分の家族からもっと広い愛国的なプロレタリア階級の共同体へと合わせ直した。

だが当然、このシナリオにはもっと暗い面もある。家族と共同体というのは、無害な価値観のように聞こえるかもしれないが、他者を犠牲にして自分たちの遺産を維持する努力と密接に関連している。実際、自分の集団を「選ばれた」地位や、何らかの形で他者に優る地位に高めるのは、その集団の不滅性の神話を強化する確実な手段だ――その集団が、貴族の一家であろうと、一〇億人から成る民族だろうと。

太古からの衝動であるこの破壊的なイデオロギーは、二〇世紀に最高潮に達し、一億七〇〇〇万人が戦争で亡くなった。その戦争を特徴づけるモチーフは、熱狂的愛国主義のナショナリズムで、社会学者のジグムント・バウマンは、こう書いている。そのモチーフが、「あらゆる民族のうちで最も健全かつ強靭なものの不滅性のためにふさわしく形作られた世界を目指すという、ナチスの事業ほど、率直に表現されることは……稀だ」。

今や私たちは、異なる国家のさまざまな民族の間の遺伝的な差異を計測し、その差異がじつに些細であること――あるいは、実際には存在しないこと――を見て取れる。あらゆる人間に共通の祖先がいたのは、進化の観点に立てば、つい最近の、わずか二〇万年前のことにすぎない。生物学的な「遺産のシナリオ」に基づく、もっと望ましいイデオロギーであれば、全人類を私たちの不滅性のための達成手段として取り込むことだろう。そして、現にアインシュタインやライナス・ポーリングのような理想主義者は、まさにそうすることを提唱した。

だが、どうしてその考えを人類止まりにすることがあるだろう？ それほど遠くない昔（約六〇〇万年前）には、私たちとチンパンジーの共通の祖先がいた。私たちはチンパンジーと遺伝子の約九五パーセントを共有している（この推定値は、計算手法次第で変わってくる）。

それ以前（約六億年前）には、私たちと他のあらゆる動物の共通の祖先がいた。今でさえ、私たちはショウジョウバエと遺伝子のおよそ四四パーセントを共有している。そして、さらにその前には真菌（私たちは真菌と遺伝子の約四分の一を共有している）や、植物（遺伝子の約五分の一を共有）、細菌のような多くの単細胞生物と共通の祖先がいた。非常に遠い昔に自己複製を始めたいくつかの単純な生き物は、地球を生命の薄い膜、すなわち生物圏で覆った。この膜全体が、徹底的に相互接続している。問うべきなのは、国家や種や生物圏といった超巨視的な視点のどれであれ、不滅性の妥当な達成手段を提供できるかどうか、だ――意識の問題を解決することさえできるような達成手段を。

手掛かりはアリに見つかる。この社会的な昆虫を研究する人ならとうの昔から知っているように、極度に緊密な協力体制で働く個々の生き物は、まったく新しい存在に思えるもの、すなわち超個体を生み出すことができる。

アリのコロニー（集団）は、単独のアリの能力――そして、ほぼ確実にその理解――をはるかに超えることができ、たとえば内部の温度と湿度が入念に調節された複雑な巣を作ったり、真菌を栽培したり、家畜の番をするようにアブラムシを守ったりする。個々のアリが集まってコロニーという大きなまとまりを形成する様子は、人間の細胞が人間を形成しているところと、多くの点でよく似ている。

そして、生き永らえて繁殖するという、他の場合には普遍的な責務と思えるものに反して、ほとんどのアリは「大義」のために自らを犠牲にすることをまったく厭わない。コロニーが生き続けるかぎり、個体としての不死など少しも気に掛けぬようだ。

一部の思想家は、人間の共同体もそれに似ていると主張してきた。これは一九世紀に人気のあった考え方で、「適者生存」という言葉を創り出した哲学者で科学者のハーバート・スペンサーのような書き手によって提唱され、今、再び真剣に受け止められている。

近代以降の都市生活者は、独立して生き永らえる能力を失って久しい。私たちは、清浄な水、食べ物、衣服、住まい、医薬、安全、エネルギーなどを、個人の力を超えた複雑で高度なシステムに完全に依存している。大きな生物の一部としての生が提供するより大きな力や安全のために自立性を捨てた、私たちの体内の特殊化した細胞と同じで、私たちも強力で安全な超個体の一部となるために、自らの自立性を捨てたのだ。

人間には個々の細胞にはない能力があることや、アリのコロニーには個々のアリにはない能力があることとちょうど同じで、社会には、私たち一人ひとりにはない能力がある。現代の都市がどのように機能しているのか、あらゆる面に及ぶまで理解している人はいない。理解するためには、病院、交通・物流、核エネルギー生成などについて、すべてを知る必要があるからだ。それにもかかわらず、こうしたものは現に機能しており、しかも、うまく調整されているので、巨大な共同体を維持・管理することができている。

したがってこのシステムは、個々のいかなる成員をも上回る知性と能力を示す。生物学者アリソン・ジョリーの言葉を借りれば、次のようになる。

「ホモ・サピエンスは徐々に進化して超個体に類するものになった。それは高度に組織化されたグローバルな社会であり、その中では地球上のあらゆる人の暮らしが著しく相互依存するようになるので、その暮らしは共通目的を持って発達・発展するかもしれない」

だから、都市とグローバル社会全体の両方が、正真正銘の生きた存在であると言ってもよい。人々はその一部分であり、全体が（おそらく）個々の成員よりも後まで残る。だが、現在最も注目を集めているのは、それよりもなお巨視的な視点、すなわち、あらゆるもののうちで最も大きい超個体である、地球という惑星、別名ガイアだ。

ガイア仮説とは、全地球が、生命の助けとなる形で自らを管理する、統合されたシステムであるというものだ。このシステムは、あらゆる生き物から成るばかりではなく、大気や海洋、岩石、氷冠など、地球上の他のものも含む。一九七〇年代にイギリスの科学者ジェイムズ・ラヴロックによって初めて提唱され、ギリシア神話の大地の女神にちなんで名づけられたこの仮説の支持者は、このシステム全体が、あなたや私のような、通常単一の生き物と考えられているものに相当すると主張する。

そのように提唱している人の一人がリン・マーギュリスだ。彼女は次のように書いている。

「生命が惑星の規模で現れることを、大気と天文と海洋から得られる証拠が示している。過去三〇億年にわたってこの惑星の平均気温が安定し、七億年にわたって地球の大気が可燃性の高酸素濃度と生物が窒息する低酸素濃度の間を行き来しながら維持され、危険な塩分がどうやら海洋から継続的に除去されている――そのすべてが、生命の組織全体における、哺乳動物のものに似た明確な目的性を指し示している。……地球上の生命――動物相、植物相、微生物叢――は、気体に包まれ、海洋と結びついた単一の惑星システムで、太陽系で最大の有機体である」

この超巨視的視点に立つと、人間による個人的不死の探求は、しだいに一種の誤りに見えてくる。個々の人間は、地球上で移ろう生命の網が取る一時的な形態にすぎない。人は永遠に生きるべきだと言うのは、砂漠を動き回る砂の中で特定の砂丘の形を維持しようとするようなものだ。もし人間たちが本当に別個のものではないのなら、その生死も現実のものではなく、生命の律動の眺め方の一つにすぎない。マーギュリスはそうだと考えている。

「死はまったくもって真の意味で錯覚だ」と彼女は書いている。「私たちは純然たる生化学的作用の持続なのだから、三〇億年が過ぎる間、『私たち』は一度も死ななかった。山や海、さらには超大陸さえもが、現れては消えていったが、私たちは存続してきた」。

グローバルな意識と解脱——「私の死」は、しょせん錯覚か？

これを心強い見方と感じる人は多い。ある意味でそれは、文化的な「遺産のシナリオ」と対照的だ。文化的な「遺産のシナリオ」は、自分が唯一無二であることを主張したり、一般大衆から抜きんでて自分の特別さを証明したりすることを求めるからだ。それに対して生物学的な「遺産のシナリオ」は、人を大きな全体に溶け込ませ、特別な人間になろうとする苦闘から救い出し、むしろ存在の自然な連結性や連続性を強調する。

アーネスト・ベッカーは、これら二つの対照的な衝動を、「個人の英雄的人格として自己を拡張する必要」と「自分以外の自然に自己をそっくり委ね、自らの全存在を何かのより高次の意味に明け渡すことで自然の一部となる必要」というふうに説明している。

宗教は、これらの両方の衝動を掻き立てる。

すでに見たように、不滅の霊魂と人格神を信じていると、個人が自分には英雄的な価値があるという感覚を持つよう促される。だがその一方で、他の伝統は、同じ宗教を内に含んでいても、自己を自分よりも大きな全体の中に埋没させる機会を提供する。たとえば「イスラム」は「服従」を意味し、アッラーという想像を絶する偉大なものに服従することを信者に求める。自己を自分よりも大きな全体の中に溶け込ませるという発想は、仏教の涅槃の概念にとっても不可欠であり、ヒンドゥー教の一部の宗派や道教の基盤ともなっている。

実際、多くの人にとって、自分がより深遠な現実の一部であると認識することが、霊的な道を進む上での第一歩となる。不死の人々とそうでない人々との唯一の違いは、前者が根底にある永遠の実体との単一性を認識したのに対して、死を免れぬ哀れな私たちは、依然として個人の死を信じている点にある、と道教の信者は言う。

だが、生物学的な不死のシナリオの、この超巨視的形態は、これほど魅力的であるとはいえ、二つの大きな難問に直面する。その第一が、先に遺伝的遺産を取り上げたときに私たちが出くわした意識の問題だ。第二は世界の終焉という問題、すなわち、やがて世界の終焉が訪れ、永遠の生に対するガイアの熱望にさえ終止符を打つことが確実であるという見通しだ。

すでに見たように、もし生物学的遺産によって有意義な存続を実現させようとするのなら、何らかの種類の意識の連続性を達成しなければならない。だが私は、自分の意識が我が子の中で継続しないことを知っている。生物圏が介入して、救いの手を差し伸べることができるだろうか?

意識については、まだわかっていないことがたっぷりある。だが、第7章で見たように、あなたの意識が何十億もの個々の細胞の、途方もなく複雑なやりとりから生じることはわかっている――ただし、いったいどのようにしてかは、わからないが。

さて、つい先程、アリのコロニーや人間の社会、さらには全地球さえもが、生き物のように機能することを見た。これらの存在はみな、どの構成要素の振る舞いをも超越する形で環境を感知したりそれに反応したりするように見える。人間では、そのような目的ある行動と意識は密接に関連しており、無数の微小な脳細胞の活動から生じる。したがって、都市やガイアのような存在における、一見すると目的ある行動にも、無数の人間やその他の生き物のやりとりによって生じる意識が伴っている可能性がある。言い換えれば、複雑さの点で脳に匹敵する、相互接続したシステムである地球は、文字どおり、独自の心を持っているかもしれない。

だが、私たちにはわからない。どうすればわかるかさえ、わかっていないから、なお悪い。都市やアリのコロニーや細菌の集団に独自の心があるかどうかを計測する「意識メーター」はまだ発明されていないからだ。

脳内で意識を生み出す種類の複雑な相互接続性は、生物圏から微生物群に至るまで、さまざまな他のシステムでも見つかりうるという認識が、科学者の間で拡がりつつある。これは、哲学者や神秘主義者に昔から人気があったグローバルな意識や宇宙の意識という概念に、それなりの妥当性を与える。だとすれば、生物学的な不滅性を信じる人にとっての疑問は、次のようになる。私たちには、死んだら自分の意識が、社会であれガイアであれ宇宙であれ、より高次の存在の意識の中で存続すると考えるだけの理由があるか、だ。

これにはあまり期待が持てそうにない。わかっていないことが多いとはいえ、人の意識が本人の身体の死を生き延びられるという考え方は、すでにわかっていること——すなわち、第7章で見たように、人の個人としての心は本人の脳の機能に依存しているらしいこと——と、どうしても相容れぬからだ。

霊魂の存在を否定する神経科学の論拠となる疑問は、次のようなものだった。

死んで脳と身体全体が破壊された後も、霊魂のおかげで記憶や視覚、信念、情動などが存続できるのなら、生きているうちに、脳のほんの一部分が働かなくなった後でも、なぜこれらの機能は持続できないのか？

この疑問は、他の何らかの存在の次元で個人の意識が存続するという主張にも、同じように当てはまる。もし人の意識のさまざまな側面が、その人の死後もガイアの中に宿ることができるのなら、なぜ私たちは死ぬ前に脳のほんの一部が停止しただけのときに、意識のさまざまな側面を失うのか——あるいは、完全に意識を失うのか？　たとえば全身麻酔によって脳が機能停止に陥ったときに、なぜ宇宙の意識が働きだして、埋め合わせをしないのか？

無論、このシナリオの信奉者はこうした疑問の答えを見つけることができるだろうが、そのためには、その場凌ぎの仮説や証明不可能な仮説をさらに加える以外にない。意識の機能の仕方を探ってみても、ある存在から別の存在へと意識を移し替えることができるという考え方を支持しそうな点は、まったく見つからない。それどころか、意識は複雑な物理的システムから生じる創発特性のようであり、したがって、そのシステムに依存しているようだから、そのかぎりにおいて、意識が移し替え可能なものであるという考え方は、理解することさえ難しそうに思える。

もし意識は私の脳がすることなら、それを別のものに移し替えるなどというのは筋が通らない。私の胃腸が行なっている消化作用や、私特有の歩き方を、誰かに移し替えるなどということが意味を成さないのと同じことだ。

信じる人と疑う人との勝負をボクシングにたとえれば、この論拠は強力な一撃となるので、疑う側が判定で勝利を収めることになる。他の次元の意識が存在することを裏づけるような、科学の明確な証拠はないし、意識に関して現時点でわかっていることも、意識が移し替えられるという考え方を支持していない。

だが、この論拠はノックアウト勝ちにはつながらない。信奉者は、私たちが一部を成すガイアのような存在の意識を利用できる証拠があると応じられるからだ。これは、神秘主義者たちの逸話的報告であり、彼らは何千年にもわたって、新たな意識の次元を獲得して自分が他のあらゆる生き物と、あるいは宇宙そのものとさえ一つになれると主張してきた。

そのような主張は古来のもので、広く見られる。そして神秘主義者たちは、自分の個人としての意識はこの自分より大きな存在の一部として存続することはできないという批判にさえ、それこそが肝心な点なのだ、と応じられる。

個人の人生の些細な心配や苛立たしい記憶や浅薄な欲望からの解放は、多くの仏教徒やヒンドゥー教徒や道教の信者にとって至高の目標だ。これは自己を消滅させることであり、「涅槃」の文字どおりの意味だ。もし自分よりも高い意識と一体化する過程で個人の意識を置き去りにできれば、超越という目標が達成されたことになる。

そして、もしあなたが、なぜ自分はより高い次元の自覚を経験したことがないのか不思議に思っているとしたら、神秘主義者の答えは率直であり、まだやり方を学んでいないから、というのがその答えだ。自分自身の意識を支配できるようになるためには、長年の修練が必要とされ、それこそまさに、仏教におけるような修業が何千年もかけて行なってきたことだ。

こうした報告に関する問題は、神秘主義者が本当に別次元の意識を経験したのか、それとも何か尋常でない個人の意識の状態をそのように解釈しただけのことなのか、区別できぬ点にある。

また、そのような神秘主義者の経験をすべて額面どおりに受け容れても、答えを見つけることはできない。なぜなら、多くの経験がどうしても互いに矛盾しているからだ（たとえば、人格神の存在を経験する人もいれば、人格を持たぬ宇宙を経験する人もいるし、個人の持続を経験する人がいる一方で、自己の消滅を経験する人もいる）。

したがって、これらの経験を有用な証拠として眺め始めることができるのは、そうした経験（あるいはその一部）が道理に適うような、意識の理論的枠組みが手に入った場合に限られる。あいにく今は、そのような枠組みはない。そればかりか、現時点で最善の枠組みは、そうした状態は広大無辺のものに感じられたとしても、独自の個人的経験であることを強く示唆している。

そのような意識の状態は、努力して求める価値があることを示す理由はあれこれたくさんあるかもしれないが、それらが不滅性を暗示している可能性は低い。

終わりは本当に近い――儚い存在としての人類、ガイア、そして宇宙

それにもかかわらず、あなたと私がいなくなった後にも、何らかの意識が存続する、あるいは、私たちは自分よりも大きな全体の一部であり、その全体は個々の人間の誰よりも後まで残るというのは、

少しは心強いのかもしれない。

私たちはみな、自分より大きなドラマの一部でありたいと切望するし、地球上の生は、たしかにそのようなドラマだ。だが、不滅性というのは永遠のもののはずだ。ところが、人類も、ガイアも、宇宙でさえも、儚いもののように見える。

寿命の点から言えば、約四五億歳の地球という惑星は頑張っており、その期間の大半に、生命が存在している。恐竜が一掃されたことも含め、既存の種の半分が消し去られた大絶滅が、これまで少なくとも五回あったが、小惑星の衝突や、火山噴火、気候の大変動などに耐え、生命はいつも生き延びた。今後も、ひょっとすると人間が招くものも含め、多くの大変動がこの惑星を襲うことは疑いようもないが、生命はそれを切り抜けるはずだ――人類が存続するか絶滅するかは別としても。

とはいえ、宇宙がもたらす衝撃には、何一つ生き延びられぬようなものもある。たとえば、ブラックホールが間近に迫ってきたり、近くで爆発した恒星が放出したガンマ線バーストを浴びたりしたら、ひとたまりもない。そして、たとえ地球が運良くこれらを避けられたとしても、約五〇億年後には太陽が巨大化してあらゆる生命――少なくとも、今知られているような生命――を焼き尽くすだろう。それ以上に心配なのは、太陽が地球を吸い込んで丸呑みにしてしまうことだ。たとえそうならなくとも、それからさらに数十億年後には、太陽はしぼんで冷え、太陽系は永遠の消灯となる。ガイアですら、永遠に存在し続けるわけにはいかないのだ。

ところが、ガイア説の支持者の中には、地球もあらゆる生き物と同様、自己複製すると考えている人もいる。宇宙へと乗り出し、新しい惑星に植民することを熱望する私たち人間が、その自己複製の手段であり、ガイアの生殖細胞というわけだ。

　これは、破滅を運命づけられた地球という難問に対する想像力に富んだ回答であり、もしそれまでに人間がすでに自らを破壊していなければ、ことによると私たちはいつの日か、別の惑星系あるいは彼方の銀河で再出発するためのテクノロジーを開発するかもしれない。


　だが、私たちは永遠に走り続けることはできそうにない。宇宙学者の大多数は、宇宙全体がいずれ終焉を迎えると考えている。

　どのように、という点では意見が食い違っている。現在打ち出されている説には、ビッグフリーズ（エネルギーが拡散し、宇宙が事実上空《から》になり、温度がほとんど絶対零度まで下がって、もはや何も起こりえぬ状態）や、ビッグリップ（あらゆる物質が最終的に引き裂かれ、基本粒子となった状態）、ビッグクランチ（宇宙が収縮し、特異点に収束した状態）などがある。これらの説のうちのどれが真実に最も近いと判明しても、私たちが宇宙に永遠に安住する見込みにとって、明るい材料となるとは思えない。

　幸い、これらの筋書きはみな、はるか先の展開だ。そして、どれも間違っているかもしれない。さしあたって言えるのは、宇宙と生命、そして間違いなく人間の科学は、誕生してから依然として日が浅いということぐらいのものだろう。

　ひょっとしたら、いつの日か私たち——あるいは、私たちとは比べ物にならぬほど進化した後継者——が、生命に適した新たな宇宙の種を蒔くことができるかもしれない。それどころか、ことによると私たちは、すでにそうした種の中にいるのかもしれない——先行するどこかの文明によって蒔かれた種の中に。

不死——人類に進歩と勇気をもたらした壮大な「幻想」の物語

「遺産のシナリオ」はそのどちらの形態においても、著しく生産的な力を持っている。私たちは、個人の身体が消滅した後も生き続けるものを、自分の中から生み出したいという衝動によって、英雄的な行為や高尚な芸術へと駆り立てられたり、家族や部族、民族、あらゆる生命に配慮したりする。

そして当然ながら、私たちの一人ひとりが、自分の身体が駄目になった後も生き続けるものを何か生み出そうとする、二人の人間による試みの所産なのだ。

だが、これまたすでに見たように、このシナリオはたちまち邪悪な力にも変わりうる。たとえば、孫のアレクサンドロス四世の地位を安泰にすることを願ったオリュンピアスは、この幼い男の子の偉大な父親によって、あのような規模で行なわれた殺戮を、喜んで継続した。マケドニアで摂政の地位を確立したときには、この国のエリート層に真っ向から切り込み、自分に逆らうと見た者は、拷問し、投獄し、殺害した。だが、そうすることで人々の反感を招いたため、アレクサンダー大王に仕えた将軍たちの一人の息子が軍を組織したときには、彼はマケドニアの貴族階級から簡単に支持を集めることができた。オリュンピアスはたちまち打ち負かされ、裁判にかけられ、死刑を宣告された。

オリュンピアスは、あれほど多くの短所を持ち、罪深い行為を重ねたとはいえ、勇敢かつ冷静に死に向き合ったと、古代の記録が揃って記している。ある記録によると、彼女があまりに大胆に出迎えたので、死刑の執行者たちは任務を果たす気になれず、新たな執行者たちを送り込まざるをえなかったという。また、結局彼女は自らが殺害した人々の遺族に石を投げられて死んだという記録もある。

ひょっとすると彼女は、孫がいつの日か自力で王座に就くための道を拓くために、すでに十分手を尽くしたと信じていたのかもしれない。だが、その日は来なかった。新しい政権がいったん確立すると、少年王アレクサンドロス四世は静かに消し去られた。こうして、三大陸にまたがる大量の流血の後、オリュンピアスの王朝に終止符が打たれた。

今日、オリュンピアスの直系の子孫と、他のいかなるマケドニア人――いや、他のいかなる人間――との間の遺伝的な差異も、取るに足りぬものであることがわかっている。もし生物学的な不死のシナリオが少しでも妥当性を持つとすれば、それは他者を犠牲にして自分自身の子孫を優位に立たせることによってではなく、人類のものであれ、さらにはあらゆる生き物のものであれ、より広範な共同体と、できるかぎり幅広く一体化することによってだろう。

だが、「遺産のシナリオ」のうち、文化的なものについては、この妥当性は限られている。生きとし生けるものと広く同一化する恩恵は多いものの、永遠の生はそれには含まれていないから。

というわけで、四つの根本的な不死のシナリオはみな、幻想ということになる。その一つとして、私たちが永遠に生きることを可能にしてはくれない。とはいえ、これまでに見たように、これらのシナリオは、人間の進歩を勢いづけ、身のすくむような死の恐怖から私たちを守ってくれるという、二重の働きをする。

したがって、問うべきなのは、私たちはそれらなしで生きられるかどうか、ということになる。

私はそれが可能だと考えており、その証人として、まさに文明の始まりに壮大な冒険が記録されている、ある王を召喚する。ギルガメシュだ。

不死探求

Conclusion

――四つの道が導く結論

第10章

生命の「深淵」を覗いた男

——死の必然性と知恵

一人の男が酒場に入ってきた。ずっと野宿していたかのようで、見るからに憔悴し、疲れ果てており、顔の皮膚は風と日光にさらされて赤剥けになっていた。

狩人かしら、と酒場の女主人は思った。人里離れたこの酒場にたどり着くような数少ない猛者《もさ》の類の一人か、と。

だが、それから男の物腰を見ると、ただの狩人ではない、もしくは、もともとはただの狩人ではなかった、という気がした。ともかく、ひどく酒を欲しがっているようだ。

「このあたりの人ではありませんね、どうしました？」

と彼女は声をかけて、麦酒を差し出した。男は一口飲むと、顔を上げて身の上を語り始めた。

「私は王だった」

と男は言った。女主人は訝《いぶか》しげに眉を吊り上げた。

「それに、領内随一の強者《つわもの》だった。だが愚かで、うぬぼれていて、領民を虐げては威張っていた。そこで神々は、私と張り合えるほどの荒くれ者を創り出した。エンキドゥという名前だった。エンキドゥは私の都にやって来て、私に戦いを挑んだ——私たちは大地が揺らぐまで戦った挙句、勝負は互角でどちらも相手に勝てぬと悟った。そして私たちは抱き合い、無二の友となった。二人でいっしょに杉の森の番人である怪物フンババを倒し、峠のライオンどもを殺した」

陶器の杯を磨く手を休めることなく、酒場の女主人が尋ねた。

「では、あなたが王なら、どうして野山をさまよっているのですか？　フンババを殺したほどの人ならば、なぜ頬がこけ、狩人の形《なり》をしているのですか？」

「なぜ？　では、教えてやろう。エンキドゥと私は、大地を荒らすために女神イシュタルが遣わした天の牛を殺したが、神々にとってみれば、それは度が過ぎた。神々は、私たちのどちらかが死ぬ定めにした。そしてエンキドゥが熱で倒れた。一二日間、病で床に伏していた。そしてその一二日目に、戻ってきた者のない所に行ってしまった。

我が友！　ヒョウのような男だった。私にとって、かけがえのない存在だった。あらゆる危険を共に乗り越えてきたのだから。一週間というもの、私は彼の遺骸を前に泣き続け、遺骸をどこにも持っていかせなかった。生き返るかもしれぬと、一縷《いちる》の望みを抱いていたのだ。だが、とうとう彼の鼻の穴から蛆が落ちてきたので、死神が彼を連れ去ったことを悟った。

ところが、もっとひどいことが待ち受けていた。そのとき私にはわかったのだ。私もいずれ彼のようになる、と。強者のなかの強者であるエンキドゥを死神が連れ去っていけるならば、王とて例外ではなかろう。いつの日か私も倒れ、二度と立ち上がれぬ時が来る。そう思うと耐えられぬ！　どんな相手であろうと向き合えるが、死神だけはご免だ！　だから友を埋葬してからというもの、荒野をさまよい、獣の肉を喰《く》らって生きてきた。私は、大洪水を生き延びたウトナピシュティムという者を捜している。彼は不死身だという話だから、秘訣を教えてもらえるかもしれない。どこを捜せば見つかるか、教えてはくれまいか」

「では、あなたはきっと、ギルガメシュなんですね」
と女主人が言った。
「けれど、おわかりになりませんか？　不死は私たちのような者に望めるものではないのですよ。

あなたが探す永遠《とわ》の命は、けっして見つからないでしょう。
神が人間を創りたもうたとき、
死は人間に分け与え、
永遠の生は自らのためにとっておかれました。

けれどギルガメシュよ、あなたは腹を膨るるに任せ、
日ごと夜ごと、絶えず楽しみなさい！
日々浮かれ騒ぎ、
昼も夜も踊って遊ぶとよい！

衣は清らに保ち、
髪を洗い、沐浴なさい！
あなたの手を握る子に目を注ぎ、
妻を幾度も抱き締めて喜ばせるのです！」

ギルガメシュは酒場の女主人をまじまじと見詰めた。

「よいから教えてくれ、どこに行けばウトナピシュティムが見つかるか」
「船頭にいくらか払って、死の海を渡らせてもらわねばなりません」
と女主人は答えた。それを聞いて、ギルガメシュは代金を払って店を出た。

時は紀元前二七〇〇年、文明は黎明期《れいめいき》にあった。ギルガメシュは地の果てにある酒場を出て、謎めいた船頭を説得し、ウトナピシュティムのもとに連れていってもらうことになった。

ギルガメシュはそれまで、ティグリス川とユーフラテス川に囲まれた肥沃な土地にある、バビロンと現在のバグダードに近い自らの王国ウルクから遠く離れて、さまよっていた。このあたりに住んでいたシュメール人の記録によれば、ギルガメシュは歴史上実在したことになっている——ただし当時、彼の数々の偉業は伝説になっていたが。

さまよえる王は死の海を渡り、不死のウトナピシュティムを見つけた。この老人によると、彼と妻だけが永遠に生きることを許されたという。箱舟を建造して、大洪水から地上の生き物を救った褒美だった。この大洪水は、地にあふれ返る人間を一掃するためにもたらされた。人間の数が再びそれほど増えることのないように、神々は「以後人間はすべて必ず死ぬべし」と定めた。

この年老いた賢者はギルガメシュを挑発した。それほどまでに死神を打ち負かしたいのならば、その弟である「眠り」を打ち負かせることをまずは示せ、と。七晩眠らずにいるだけでよいという。長旅で疲労困憊していたギルガメシュは、当然ながら起きていられなかった。

「あれほど生を渇望していた者を見よ！」
とウトナピシュティムは嘲った。
「眠りが霧のように、もうあの男を覆っている！」

酒場の女主人の助言を繰り返すかのように、ウトナピシュティムはギルガメシュに、体を清め、祖国に戻り、立派な王らしく振る舞うようにと諭した。そして最後にそっと、若返りを可能にする海草の存在をギルガメシュに明かした。何が何でもウルクに持ち帰ろうと、ギルガメシュはすぐさま海に飛び込んで、その魔法の草を摘み取った。

ところが後にこの海草が、とどめを刺すかのように彼の野望を愚弄することとなった。帰途、彼が水浴びをしていると、ヘビがその草を盗んで、脱皮しながら逃げ去った。ギルガメシュは涙を流し、永遠の生はけっして我が物にできぬことをようやく受け容れた。

四つの道の先の闇と「五つ目の道」

それこそ、私たちも至った状況だ。今や不死の四つのシナリオをすべて考察し終えたが、確実に約束を果たす見込みがあるものは一つとしてなかった。これら四つの道は、太古以来の歴史と、無数の信奉者と、人類の文明を形作る計り知れぬ影響力を持っているとはいえ、そのどれもが頂には遠く及ばない。私たちは、永遠の生にはけっして手が届かないのだ。

おかげで、私たちは少しばかり困ったことになった。本書の冒頭で見たように、私たちはみな、未来永劫生き続けたいという本能、つまり不死への意志を持っている。そして、それは生まれながらにして備わっている死の恐怖と表裏一体であることも見た。

四つの道は、不死への意志を満足させることを請け合う働きをし、そのおかげで恐怖が和らぐ。四つの道は何千年にもわたって世界各地で、私たちの実存的不安を鎮める子守歌になってきた。それがすべて幻想なら、いったいどういうことになるのだろう？　私たちもギルガメシュのように、泣きながら荒野をさまよわねばならないのか？

そう考えた人は大勢いる。来世に期待をかけることを奨励するためにあれほど尽力した聖パウロもその一人だった。彼は、「この世にあって、キリストに単なる望みをかけているだけなら、私たちは、すべての人の中で最も哀れな者となります」（「コリントの信徒への手紙　一」第一五章一九節、傍点の箇所は筆者による強調）と書いている。

それ以来、多くの学者や聖職者や詩人が、限りある生は良い生にはなりえぬことに同意している。イマヌエル・カントのように傑出した哲学者でさえも、終わりなき来世がなければ幸福も倫理もないと主張した。死は最終的なものとなるという見通しのせいで、人間の計画はどれも無益に思え、私たちは恐怖に満たされる。

人間のような素晴らしい生き物を創り出しておきながら、その人間が塵に帰るのをあっさり許すのは、たしかにとんでもない無駄であり、私たちをだしにした残酷で壮大なジョークのように思える。初代テニスン男爵アルフレッド・テニスンが言うとおり、「もし不死が真実ではないならば、我々を創造したのは神ではなく、人を嘲笑する悪魔だ」（そして彼は、拗《す》ねたようにこうつけ加える。「もし不死など存在しないならば、海に身を投げてやる！」）。

最近では、存在脅威管理理論を支持する心理学者が、私たちは、慰めとなる幻想がなければ「すっかり不安に包まれ、痙攣する原形質の塊」と化すだろうと主張した。

「死のパラドックス」は状況を悪化させるだけであり、それは第1章で見たとおりだ。あらゆる生き物の例に漏れず、私たちは必ず死ぬという、このパラドックスの前半が正しいことは揺るがないが、私たちは自分自身が存在していないところを想像できないという後半部分は、とんだ誤解のもととなる。すでに見たように、このパラドックスの後半を成す直感が、不死のシナリオを構築するための足場の役割を担いうる。そうしたシナリオは、友人や天使に囲まれた幸せな死後の生を約束する。

だが、もし不死のシナリオを退けたら、私たちはそのような幸せな状況を奪われてしまう。それにもかかわらず、自分が存在しないという見通しが、少しでも理解しやすくなるわけではない。したがって、私たちは想像上の空白を悪夢で埋める。永遠の生の望ましいイメージがないと、死が果てしない暗黒、底知れぬ深みへの永久追放としか思えなくなる。古代の人々が恐れていた「闇の家」だ。

この永遠の虚無に対する恐怖は、絶対に独りきりにならないために多くの人が傾けた努力に反映されているのが見て取れる。中国の始皇帝は、兵士、官僚、楽士の陶俑《とうよう》を自分といっしょに埋めさせただけでなく、側室やその他大勢の人間も生き埋めにさせた。始皇帝は、連れもなしに例の空白へと踏み込むつもりは毛頭なかった。

とはいえ私たちの大半は、そのようなお供なしで死と向かい合わねばならない。存在しなくなる、無に帰する、というこの展望は、人生で知っているもののいっさいが完全に欠如した状態としてのみ、私たちの心の中で定義される。

したがってギルガメシュと同様、私たちは依然として慰めが得られない。いつ死の瞬間がやって来てもおかしくないと気掛かりで、私たちの本質そのものである、生き続けたいという衝動は阻まれるだろう――阻まれるに違いない――ことがわかっており、人生がいつ機能停止に陥っても不思議はないと確信しているからだ。そしていざ機能停止に陥れば、万事休すだ。私たちは永遠に忘れられた孤独な状態に追い込まれ、ギルガメシュの親友エンキドゥが言うとおり、「光を目にすることはなく、暗闇の中に暮らす」のだろう。不死を望めぬまま生き、やがて死ぬというのは、過酷な運命に思える。しかもこれは個人の観点から考えただけにすぎない。文明の視点から考察すれば状況はなおさら悪化する。

すでに繰り返し見たように、文明そのものは、死の克服を目指す私たちの探求によって推進されてきた。それどころか、多くの文明にとって創始時の存在意義が不死の約束だった。また、科学と進歩のイデオロギーが現れたのは寿命を無期限に延ばそうとしたからであり、宗教が繁栄するのは死後の生を保証するからであり、文化の所産のほとんどは象徴の領域で自己複製するための私たちの試みであり、子供を儲けるのは自らを未来に存続させたいという生物学的な衝動の表れであることも見た。

そして、これらはみな、個人が不滅性を確保する試みとしては見当違いであるのもわかった。だが、そうした試みを抜きにして、いったいどのような種類の社会が成立しうるだろうか？

格段に貧弱な社会だろうと考える学者もいる。心理学者のウィリアム・マクドゥーガルが、霊魂に対する信念の衰退について記した次の言葉を思い出してみよう。「この信念がなくなれば、我々の文明にとって悲惨な結果になる可能性が非常に高い」。マクドゥーガルはさらに続けた。「なぜなら、これまで活力ある国家というのは必ずこの信念を持っていたと思われ、その信念を失うと国家の活力が衰退した事例は多いからである」。

ケンブリッジ大学の哲学者C・D・ブロードは、来世に対する信念には自らは懐疑的でありながら、そのような国家の活力の喪失を防ぐために手段を講じるべきだとの提言さえした。ブロードはこう書いている。「人間は不死であるという教義は（実際に正しかろうが誤っていようが）、国家が公の議論の場から排除すべき、社会的に価値ある『神話』の一つであることは十分ありうる」。

だが、「国家」はその務めを果たさなかった。そして私たちは気が済むまで、疑念や疑問を抱え、心を痛める。思い悩んだ挙句、不死のシナリオはどれ一つとして満足のいくものに見えなくても、私たちは働き、崇拝し、創造し続けるだろうか——そんなことをしても結局、死を免れぬと知りながら？

どれだけ努力しても無に帰するとわかっていても、進歩や正義や文化はありうるだろうか？　あるいは、正気と文明の両方を維持するために、苦心してようやく得た知見はすべて忘れ、永遠の生という幻想を再び身にまとうよう試みるべきなのだろうか？

この最終章では、もっぱらこれらの問いに答えることにする。私たちは絶望する必要はなく、生の有限性に向き合いつつも、真っ当で満足のいく人生を送れるはずだと、私は信じている。

じつのところ、それは意外なほど容易でさえあるかもしれない。不死には、これまではかろうじてほのめかした程度でしかないものの、望ましくない点もあるだろうから。この先、そうした望ましからぬ点のいくつかと、より幅の広い思想の伝統を見てみる。

その伝統は、不死の四つのシナリオの代替となるもの、すなわち、五つ目のシナリオを提供してくれる。そのシナリオも遠い昔から影響力を振るってきたことがわかるだろう。

この代替のシナリオも、不死への意志と「死のパラドックス」に取り組もうとするが、永遠の生をもたらすことは約束しない。そして、古来のものでありながら、現代科学の知見ともうまく噛み合う。

これは、「知恵のシナリオ」と呼んでもよいだろう。その理由は間もなく明らかになる。

諸悪の根源としての「不死の探求」

前章までの内容から結論を引き出すにあたり、これまで主に注目してきたのは不死のシナリオの恩恵だったが、それらの信念体系が退けられれば、そうした恩恵は失われることになる。

だが、これらのシナリオの影響は純粋に望ましいものとはとても言えない。これまで、不老不死の人が住むという山を登るための奮闘は、成長と革新に満ちたものだったと同時に、流血や残虐行為や不正だらけのものでもあった。

ジグムント・バウマンが書いているとおり、「死に打ち勝つという厚かましい夢は、人々を打ち殺すという悪習に変わることが……あまりに多い」。

私たちは、アレクサンダー大王と、その母でヘビを崇拝し短剣を振り回すオリュンピアスの事例で、それを目の当たりにした。二人が、一方は文化的な遺産を、もう一方が生物学的な遺産を追い求めた結果、厖大な数の人の人生が破綻した。私たちにしてみれば、後世に名を残そうと努める芸術家がいなければ文明など想像もできないと思えるかもしれないが、名声や栄光を狙う数々の試みが慈悲深さをはなはだしく欠いていることは記憶にとどめる価値がある。同様に、私たちは子に対する母の愛情なしでやっていきたいとは思わないだろうが、生物学的な不死のシナリオもまた、人種差別やナショナリズムや外国人嫌いに変質することが頻繁にあり、「他者」の排除あるいは殺害は、自らの純潔性を維持し、自分たちの人種こそが死を超越するのだということをはっきりと示す一つの方法になる。そういうわけでアーネスト・ベッカーは、「死の必然性を否定し、英雄的な自己像を築きたいという衝動が、人間の悪事の根本原因である」と主張したのだ。

だから、不死の達成という目的への手段として多くの文明が興る一方で、不死のシナリオの結果としてやはり多くの文明が滅亡の憂き目に遭ってきた。たとえばアレクサンダー大王の行く手を阻もうとした人々がそうだ。

異なる不死のシナリオを持つ文化間の戦争は単なる生死の問題ではなくて、永遠の生と死の問題と見なされる。したがって、そうした戦いはみな、アメリカの哲学者サム・キーンの言葉を借りれば、永遠の生にかかわる「聖戦」となる。あなたが自分の命を、プロレタリア革命を進めるために犠牲にしたのなら、資本主義が勝利すれば、後世でのあなたの役割は消滅する。人生をアッラーに捧げたいと願うなら、世俗主義が発展すると、楽園に居場所を見出せなくなる恐れがある。

こうして、私たちは自らに固有の神話の真実性を守るために闘い、たいてい勝者に劣らぬほどの数の敗者も出るのだ。

だが、不死のシナリオの望ましからぬ影響は文明間の争いだけに限られるわけではない。それぞれの社会の中にもやはりはっきり現れている。第7章で見たように、これらのシナリオは多くの倫理体系で重要な役割を果たし、この世で人が見せる善行や悪行への褒美や懲罰として永続的なアメとムチを提供する。

だが、こうした倫理体系は、非道極まりない不正をも容認しうる厳格な保守主義と表裏一体なのだ。

何より明確な例として、南アジアのカースト制度が挙げられる。この制度は、低い身分に生まれたならそれはひとえに前世での悪い行ないの当然の報いなのだと教え込む、輪廻転生信仰に支えられている。

永遠の死後の生を重視することと、この世における不正や窮乏を進んで受け容れようとすることの関連性は多くの評論家が認めてきた。

中世ヨーロッパの支配者がキリスト教に大きな利用価値を見出した理由も、そこにあることは間違いない。キリスト教は搾取される臣民に、日々の生活の忌まわしさから目を逸らし、代わりに未来の楽園を夢見るように教えたからだ。これこそニーチェが「奴隷の道徳」と呼んだものだ。なぜならそれは、踏みにじられた人々に悲惨な運命を受け容れさせ、来るべき世界での復讐と満足に空想を巡らせるように仕向けるからだ。

頻繁に指摘されるように、奴隷解放、両性間や人種間の平等、社会福祉などを目指す、ここ数世紀の素晴らしい社会改革運動が起こったのは、西洋社会において来世への執着がようやく薄れ始めたときだった。永遠に続く道義的に正しい喜びが待っているのであれば、現世で正義や幸福を追い求める必要はないのだから。

したがって、このように来世を重視すれば、現世の人は恐ろしい犠牲を強いられうる。剣を手にしたかつての兵士でも、腰に爆発物を巻いた昨今の兵士でもかまわないから、楽園での褒美を期待して命を差し出しに行く聖戦士のことを考えるだけでわかる。この世でのこの人生を、別の人生で居場所を得るための一連の試練にすぎないと見なせば、必然的にその価値は下がる。

不死を信じる人は、頑なに将来の至福を見据え、今存在することの価値を理解しそこなっている。

最後になるが、不死のシナリオの大多数が根深い利己心を育てることは注目に値する。そうしたシナリオはあなたに、自分の個人としての人格が無限に存続することに執着するよう教える。すると、あらゆる行動が、あなた個人が生き残る可能性を高めるか低めるか、あるいは期待される永遠の生をより楽しいものにするか否かで評価されるというわけだ。

貧しい人に施しをするといった一見感心な行動は、自分の霊魂のために行なわれている。それが社会のいっそうの安定に貢献する場合でさえ、他者への共感や思い遣りのような真の美徳を育むことにはいっさいならず、その行動があなたにとってどのような意味を持つのかだけにもっぱら注意が向けられている。

そのような体系は私たちに、親からの褒美あるいは罰だけで動機づけられて自分のことしか頭にない幼児の状態を継続することを教える。その場合、崇高な行為と称されるものは、その言葉に望ましくて高尚な含蓄がどれほどあっても、結局は自らの霊魂のことで頭がいっぱいの人が、社会から身を引いて霊魂が永続する可能性を高める行為を、主に意味していることが多い。

だから、不死の四つのシナリオが現在のような諸文明の形成に寄与したことを認めるときには、好戦性や外国人嫌い、不正、自己中心性といった、諸文明の深刻な欠点の形成にも、それらのシナリオが寄与したことを同様に認めねばならない。これらは不死のシナリオが現時点で持つ欠点だが、問題点の一覧にはさらにつけ加えるべき事柄がある。

すなわち、万一それらが約束するものが実現し、私たちが本当に個人の不死を達成したら起こりかねぬことだ。なぜならば、それが正気と文明の両方に与える影響は悲劇的なものになるだろうと考えるもっともな理由があるからだ。

「たった一度きりの、限られた人生」だけが持てる意味

第2章では、「無数の人が不死を希《こいねが》う。雨降りの日曜の午後に自分を持て余すというのに」という小説家スーザン・アーツの見解を思い起こした。日曜の午後が永遠に繰り返されるという見通しには、たしかに、はっとさせられるものがある。よほど熱烈に不死を願っている者ならともかく、たいていの人間はこの見通しに幻想を打ち砕かれかねない。

ダグラス・アダムスは、全五巻の〝三部作〟『銀河ヒッチハイク・ガイド』シリーズの中で、たまたま不死になってしまった男を描いている。

「最初は楽しかった……だが結局、日曜の午後が耐えられなくなった。二時五五分頃に忍び寄り始める、あの恐ろしい気だるさといったら。その時刻にはわかる――その日にもうこれ以上入浴しても意味がないほど入浴し終えたこと、どの新聞のどの記事も、いくら一心に見詰めても全然頭に入らないこと……時計を見詰めるうちに針が容赦なく四時に近づき、霊魂の長く陰鬱なティータイムに入ることが」

第3章では、この世で不死を達成しても、それは人口過剰や、人間を永久に生きさせるべく企図された、まさにそのテクノロジーによる私たちの破滅のような問題につながりかねぬことを指摘し、続いて、いずれにせよ、不死の達成は金輪際起こりそうにないことを見た。だが、実現への疑念はしば

らく置いておいて、ここで永遠の生の心理的影響、すなわち「霊魂の長く陰鬱なティータイム」に焦点を当てたい。

私の見るところ、問題は二つある。一つは、やるべきことをやり尽くし見るべきものを見尽くしたこと、つまりすでに長々と生きたことから来る退屈と無関心、もう一つは、さらに何かをすべき未来が永遠に続くことによって生じる無気力。過去に目を向けるものと未来に目を向けるものという、これら二つの問題のどちらも、人生から意味を奪い取って、人に最終期限を望ませる恐れがある。

この世で私たちが知っているような生が、多くの人にとってはあまりに早く終わるということは、否定すべきではない。たいていの人は、もう少し（あるいはもっとたっぷり）時間があればするであろう事柄を書き連ねることができるだろう。

だが、すでに指摘したように、無限とは単なる割り増しの時間ではなく、際限なく続く時間なのだ。旅行が好きなら、長生きして、地球上の数多くのとびきり美しい場所や興味深い場所を訪ねたいと願うかもしれないが、その後、数多くのそれほど美しくも興味深くもない場所を訪ねるのはあまり気が進まぬのではなかろうか？　それに続く数多くの場所に至っては、なおさらだ。

無限の時間という巨大な枠組みの中では、たちまち私たちに残されたのは地球上の退屈極まりない数多くの場所だけということになり、その時点で、自分の意欲が著しく減退する憂き目に遭いかねない。

もちろん、何度も味わえる楽しみもある。美味しい食事をしたり、友人と会話したり、好きなスポーツをしたり、お気に入りの音楽を聴いたりといった楽しみだ。こうしたことは、少なくとも二回目、三回目、あるいは一〇〇回目でも素晴らしさは薄れぬように思える。だが、毎日キャビアを食べている人は、いずれげんなりするだろうし、いつの日か、たとえ一〇〇万年先だとしても、友人たちのジョークにも全部飽きるだろう。あらゆる贅沢も、長々と楽しんだ後は、ありきたりのつまらぬものになる。どんな活動を追求しても、終わることなく繰り返すなら、最後にはシーシュポスのような気持ちになるだろう。シーシュポスは、何度やっても必ず転がり落ちる重い岩を山頂に向かって永久に押し上げ続けるという罰を神々に与えられたギリシア神話の王だ。

多くの不死のシナリオが、私たちや周囲の状況、あるいはその両方に何らかの根本的な変化を約束する理由は、たやすく理解できる。

私たちは現在、生を楽しんでいるかもしれない。だが、単に同じことが続くのではなく、無限に同じことが続くという見通しは、懲罰に等しい。哲学的傾向の強いアルゼンチンの作家ホルヘ・ルイス・ボルヘスが一九四九年に発表した短篇『不死の人』で描いているように。これは「人間から死を洗い流す」川を探し求める古代ローマの兵士の話だ。彼は長く恐ろしい旅の後、「穴居人」の住む地を見つける。彼らは裸で貧弱で、浅い竪穴に住み、ヘビを食べて暮らしており、無関心で無感動だ。ある者などほとんど立ち上がることがないため、鳥がその胸に巣をかけたほどだった。

この穴居人こそ、不死の人々であることが判明する。彼らの一人で、じつは伝説的詩人ホメロスが、なぜ自分たちがそのような暮らしをしているのかを兵士に話して聞かせる。彼らは、無限の時の下ではすべての人が偉大にも惨めにもなることに気づいてしまった、誰もがそれぞれ、ありとあらゆる善行をなし、ありとあらゆる愚行をなすのだ、と。

「ホメロスは『オデュッセイア』を書いた。だが、無限に時間が続き、状況と変化も無限にあれば、誰もが少なくとも一度は『オデュッセイア』を書かずにはいられない」

ボルヘスの仮説は次のようなものだ。もし無限の時間があれば、どのようなものであれ起こる可能性のある出来事は必ず起こる。誰もが必ずある日、テレビに登場するシェフになり、別の折にはベルギーの首相になり、いつかナイトクラブのストリッパーになる。そして、ことによるとそのすべてを何度も繰り返す。また、あらゆることがあらゆる人に起こるので、お互いの区別もなくなる。「誰一人、何者でもなく、たった一人の不死の人がすべての人だ」とボルヘスは書いている。

何度も被害者と加害者、君主と臣民になった挙句、私たちはどのようなものも、他のいかなるものより良いとも悪いとも思わなくなる。意味は崩壊する。無限に直面すると、生はジョークになる――そして私たちはすでに、そのおちを知っている。

はなはだ熱狂的な不死の人なら、こうした問題を回避する方法を見つけられるかもしれない。人間の記憶は完全ではない、と主張できるかもしれない。

ひょっとしたら、見るべき興味深い場所をすべて見尽くし、美味しい料理をすべて試し、この世のあらゆるテーマをすべて研究し尽くす頃には、最初のとても興味深い場所はどのようだったか、キャビアはどのような味がするか、量子物理学の詳細がどのようだったかなどを忘れてしまっているかもしれない。それなら、またすべての旅をもう一度、一からやり始めることができるだろう。言い換えれば、数か月かけるにせよ、数千年かけるにせよ、正しいペースで楽しめば、どれも常に新鮮に思えるようにできるのだ。

ひょっとしたらそうかもしれない。発見、忘却、再発見が途切れることなく繰り返され、幸福を運ぶ時間の環が回り続けるという考えには、論理的な矛盾はない。

だが、もし明日、不老不死の霊薬が発見されても、過密状態の惑星に住む何十億もの不死の人間には、そうした楽しい経験の精緻な循環は実現しそうにない。それは、ほとんどの宗教が約束する死後の生の展望とも違う（「ヨハネの黙示録」で天国のことを、住民たちが「神の玉座の前にいて／昼も夜も神殿で神に仕える」（第七章一五節）場所だと記述しているのを思い出してほしい）。つまるところ、退屈という問題は性格の問題なのかもしれない。

生得の「生きる歓び」で永遠にやっていかれる人もいるかもしれないが、それ以外の人は、世界と、そして何より自分自身に飽き飽きしてくる。

だが不死の人にとって、これまで非常に長い時間を過ごしてきたという問題よりさらに厄介なのは、この先まだどれだけ時間があるかということだ。

限りある時間という制約に、私たちのあらゆる決定が左右される。朝、ベッドから起き出すのも、学業を終えて社会に出るのも、安定した老後のためにお金を稼ぐのも、その制約に駆り立てられてのことだ。死の床で振り返れば自分の人生は無駄だったなどという羽目になりたくないばかりに、私たちは夢を実現しようとする。一刻みごとに一秒ずつ私たちの生を奪っていく時計を見ていると、今こそ行動する時であることを思い知らされる。つまり、死はすべての期限の源なのだ。

もし不老不死の霊薬が発見されてこの期限が消滅したら、どうなるのか？　まず、何事も最後の最後まで先延ばしにする人は困ったことになるだろう。最後などけっして来ないだろうから。先延ばしはまったく新しい次元に持ち込まれる可能性がある。もし次の一〇〇〇年間が雨続きになりそうなら、その一〇〇〇年間をベッドの中で過ごすこともできる。

もし時間が無限にあれば、もう時間の無駄などと言っても意味を成さない。今の生は昼間にテレビを見るには短過ぎるかもしれないが、永遠の生であれば、その時間は十分ある。

深刻な問題は次のようなものだ。物事の価値は、その稀少性と関連している。自分が死を免れぬことを自覚している人は、人生に限りがあることを知っているので、時間を大切にし、それを賢く使おうとする。

だが、もし人生に限りがなければ、この動機は消滅する。無限を前にしては、時間はその価値を失う。そして、時間が無価値になれば、時間の使い方を合理的に決めることは不可能になる。そこからもたらされる結末は個々の人間にとっても良くないが、そのように合理性を失った人々の文明にとっては壊滅的なものになる。

もし、無限の時間に関するこの推測が少々抽象的に聞こえるのなら、突然、自分が余命いくばくもないと知った人の経験に目を向けるとよい。辛うじて死から逃れている人は、人生の短さを思い知り、同時にその尊さの中に新たな喜びを見つけることが多い。

末期患者を対象としている精神科医のアーヴィン・D・ヤーロムは、癌のような重病と診断された人さえ「生きているという実感の高まり……人生における本当に大切な事柄の鮮明な認識……そして、愛する人たちとのより深い意思疎通」を経験することを指摘している。

つまり、生は今の長さであっても、私たちはすでにその真価を理解できておらず、これ以上時間が増えれば、あるいは無限に時間が増えれば、この状態を悪化させるだけであることが、証拠から窺える。

多くの哲学者が、私たちの行ないを価値あるものにするのは死だけだと主張してきた。死は私たちの選択に切迫感を与え、その結果を重要なものにする。私たちは、自分の大切な限られた時間、あるいは自分の命さえ、他者のために犠牲にするという選択を行なうことにより、身をもって徳を示す。永遠の生の価値に懐疑的な人たちは、ギリシアの神々の物語を例として挙げる。死すべき運命から解き放たれた彼らは気まぐれで軽薄だ。死を免れぬ者たちだけが英雄的行為を行ない、良識を発揮できる世界において、彼らは傍観者だ。

私たちは、侵略者に協力するか、抵抗運動のために命をかけて闘うかといった、自らの選択によって定義される、と実存主義者は言う。だがこのような選択は、人生が短いからこそ意味を持つ。もし、この先私にわずか七〇年しか残されていなければ、その時間を退廃的なお祭り騒ぎに費やすか、貧しい人々のための病院建設に使うかはきわめて重要な問題だが、もし無限に時間があれば、これらすべてを何度でもやれるし、もしボルヘスが正しければ、実際、何度でもやるだろう。

選択というものが無意味になり、私たちを道徳的存在として定義できるものは何も残されない。無限の未来というこの問題に関して特に興味深いのは、それがすべての不死のシナリオに等しく影響を与えるわけではない点だ。

たとえば、ライナス・ポーリングの後継者の一人が、老化を無期限に食い止めることのできる、医学的な霊薬を創り出したとしても、それによってあらゆる形態の死が免れられるようになるわけではない。いわゆる医学的不死者は、常に翌年まで、一〇年後まで、あるいは一〇〇年後まで生きる希望を持つことはできるが、死神の大鎌には依然としてつきまとわれるだろう。

ピアノが頭上に落下する恐れから宇宙の熱的死まで、不都合なことはいくらでも起こりうるので、医学的不死者は真に無限の未来と向き合っているわけではない。彼らは大いに苦労しかねない。五〇年続くか五万年続くか知らぬまま自分の人生を計画しなければならないのだから。だがそれは、実現不可能ではなかろう。

本書で「真に不死の人」と呼ぶ、死ぬことのできぬ人の置かれた状況はまったく違うだろう。第6章で見たように、そのような人は本当に、何十億年という年月に向き合い、しかもそれはほんの手始めで、それから何十億年も時を重ね、その後さらに終わりのない未来へと続いていく。

プラトンやそれ以後の多くの人々が論じてきたように、もし私たちが不滅で破壊できぬ霊魂を持っていたら（より正しくは、そのような霊魂だったら）、これが私たち全員の運命となる。

そのような霊魂を持った人には存在しないという選択肢はなく、彼らは切れ目なく続く無限の歳月を、何の目的もなく過ごす羽目になる。

もしある文明圏の人々が本当に個人の不死を達成したとしたら、その文明に破滅をもたらすであろうことを、この二つの問題が相次いで示唆している。

ボルヘスの短篇の中で、不死の人々は夢の都市の建設から始めたが、退屈とあてどなさに包まれるにつれて、自らの都市をしだいに不条理なものにしていき、とうとうそれは、行き止まりやどこにも通じていない階段だらけの馬鹿げた迷宮と化してしまった。最後には彼らはその都市を完全に捨てて、砂漠の中で太古の穴居人のように暮らすようになった。これは打ってつけの寓話だ。

時間が価値を持たず、行なう価値のあることは一つ残らず行なわれてしまった社会には、いっそう無意味で破壊的な遊びしか残っていない。もし文明が、私たちが未来永劫生き続けるのを助けるために存在するのなら、その永遠の生が保証された場合には、文明はもはや無用となる。意味のある生と生産的な社会には、それらの意味を明確にする限界が必要だ。私たちには生の有限性が不可欠なのだ。

「知恵」シナリオ

一九二〇年、アメリカの哲学者J・B・プラットは、「不死に対する信念は、不死について少しも考えていないときに最も強いことに、多くの人が気づいている」と書いた。これらの信念についてたっぷり考えると、その理由は明らかになる。

私たちは今、苦境に立たされている。というのは、私たちは永遠に生き続けることを切望しているのに、もしその望みがかなったら恐ろしいことになるからだ。生に価値を持たせるには有限性が必要だが、その有限性は、死の恐怖と抱き合わせになっている。

文明は私たちに不死を与えるために存在するが、もしそれに成功するようなことがあれば、崩壊するだろう。こうした矛盾を踏まえると、さまざまな不死のシナリオは、正しい解決法を見つけたように思える。永遠を約束しておきながら、その約束を果たさないのだから。

だが、いったん不死のシナリオが抱える数々の欠点に気づけば、再度その約束に慰めを見出すのは難しい。このような立場に立たされたのは、もちろん私たちが最初ではない。文明の誕生以来常に、懐疑的な人、つまり、その時代において支配的なシナリオの本質を見抜き、なおかつ代わりとなるシナリオにも心を動かされぬままでいる人はいた。そしてそれらの懐疑的な人々の中には、不死の幻想なしに生きるのは、絶えず死の恐怖を覚えながら生きることを意味するという考え方を受け容れようとしない人もいた。

そこで、彼らは人間の境遇をさらに深く観察し、死の恐怖や不死への意志の根源そのものに取り組んだ。「知恵のシナリオ」の起源は、そのような、反抗的で深遠な思想を持っている人々、たとえば、地の果てにある酒場の女主人シドゥリのような人々にたどれる。


ギルガメシュは、女主人に出会ったとき、実存的不安に囚われていた。彼は、

「死が怖い。だから荒野をさまようのだ」

と嘆いた。友のエンキドゥの死が、彼自身の死の必然性に現実味を持たせた——それこそが、「死のパラドックス」の前半を形成する認識であることは言うまでもない。この認識は、死は現実のものであるという知識をもたらすが、まだ知恵にはつながらない。まさに本書で見てきた多数の例に漏れず、ギルガメシュもこの知識には、不死のシナリオを追求するという反応を示した。実際、程度の差こそあれ四つのシナリオのすべてを追求した。

ただし、地の果ての酒場にたどり着いた頃には、関心の的は最も根本的なもの、すなわち「生き残りのシナリオ」だったが。すでに見たように、彼はその探求に失敗した。だが、物語はそこですっかり終わったわけではない。

ギルガメシュは、四つの道を試し尽くし、自分が死すべき運命にあることを受け容れ、故郷に戻って王として自分のあるべき地位に返り咲いた。この叙事詩の簡潔なクライマックスで、彼は自分の都の美しさや強さ、その城壁や神殿やナツメヤシの林に驚嘆している。シュメール神話によると、彼はその後、何十年にもわたる平和と繁栄を領民にもたらしたという。

彼は、「深淵」を覗き込んで「秘密を見た」者として称えられた。この「秘密」は酒場の女主人によって明らかにされた。それは、不死のシナリオは馬鹿げている、永遠の生は神々が自らのためにとっておいた、したがって私たちは自らの短い生を重んじることを学ばねばならない、というものだ。「日ごと夜ごと、絶えず楽しみなさい」というわけだ。これこそ「知恵の全容を余すところなく捉えたもの」だった。

したがって、知恵とは、死すべき運命を受け容れて、死の必然性と共に生きる道を見つけることを意味した。シュメール＝バビロニア文化で見られるシナリオは、これだけではなかった。他の文書には、たとえば、死後の世界の生き生きとした描写があり、なかにはギルガメシュをその支配者としたものさえある。だが、この「知恵のシナリオ」は持続性のあるもので、二五〇〇年もの間（アレクサンダー大王が登場してこの地域をギリシア＝ローマ世界に吸収するまで）、幾世代にもわたる筆記者によって熱心に書き写された。

そして、それは大きな影響力を持つシナリオだった。「知恵文学」として知られるようになったこの伝統は、近東や地中海全域に広まった。この文学の一例は、今でも世界中の厖大な数の人に読まれている。ヘブライ語聖書／キリスト教の旧約聖書の中心だからだ。

無論、すでに見たように、聖書は強力な不死のシナリオを含んでいる。旧約聖書の終盤に現れて新約聖書を特色づける「蘇りのシナリオ」や、その後キリスト教の伝統の中で大きな影響力を持つようになった「霊魂のシナリオ」の暗示などだ。

だが聖書には、多くの著者がいて多くの話の筋があり、なかには、酒場の女主人の煽動的な代案に共感するものもある。これらの著者は聖書の各書のうち、知恵の意味をあからさまに扱うものを書いた。それらはまったく異なる時代に書かれている可能性があるにもかかわらず、通常、旧約聖書の半ばにまとめられ、少なくとも「ヨブ記」「詩編」「箴言《しんげん》」「コヘレトの言葉」「雅歌《がか》」を含む。ところどころ、これらの書とギルガメシュの叙事詩のメッセージに、さらには言い回しにさえ、驚くべき類似点が見られる。

たとえば「コヘレトの言葉」は、死は避けられぬという認識の素晴らしい表現から始まる。「人の子らの運命と動物の運命は同じであり、これが死ねば、あれも死ぬ」（第三章一九節）。輝かしい死後の生も遺産も待ち受けていないことを、著者は続けて明らかにする。「死者は何一つ知らず／もはや報いを受けることもない。／彼らにまつわる記憶も失われる。」（第九章五節）。そして著者は、死を免れぬ私たちはどうすべきかについて、どのような結論を出しているのだろうか？「さあ、あなたのパンを喜んで食べよ。／あなたのぶどう酒を心楽しく飲むがよい。／……／いつでも衣を純白に／頭には香油を絶やさないように。／愛する妻と共に人生を見つめよ／空である人生のすべての日々を。」（第九章七〜九節）。これはほぼ一字一句、酒場の女主人の言葉そのままだ。

「詩編」第九〇編は、さらに簡潔に、中心となるメッセージを示している。「塵に帰」るのが私たちの運命であることを認めた後、「詩編」の著者は呼びかける。「残りの日々を数えるすべを教え／知恵ある心を私たちに与えてください」（一二節）。それは、日が限られていることを悟り、その価値を噛み締めよ、ということだ。

そのような文章は、さまざまな点を強調しながら、さまざまな形で現れたが、すべてにわたって、宗教史学者のアラン・シーガルが簡潔に表現したとおり、「知恵と死の必然性は無条件に結びつけられている」。

人類の歴史上、どこを見ても、「知恵のシナリオ」が、すべての不死のシナリオを凌ぐようになった場所はない。だがその存在は、文明の発祥地であるこの地域の至る所で確認できる。四つのシナリオをすべて織り交ぜている、素晴らしく精緻な不死の体系を持った古代エジプトにおいてさえ、そうだ。紀元前二〇〇〇年頃に遡る、テーベのアンテフ王の墳墓に彫られた文書が問いかける。巨大なピラミッドを建造した王たちはどうなったのだろうか、と。

彼らの墳墓の壁は、今は崩れかけており、「誰もそこから戻って自らの状況について語ることはなく、自らの様子を語ることもなく、私たちを安心させることもない……［だから］自分の心に従い、喜びを追え！　この世でしたいことをせよ！」。

このような初期の文明においては、この代替のシナリオは、「楽しめるうちに楽しめ」という路線に沿った勧告にとどまっていた。とはいえ、その勧告がこのシナリオの核心ではあるものの、断じて全貌ではない。

例によって、見識や直感を厳密な哲学に変えるには、ギリシア人の到来を必要とした。「フィロソフィー（哲学）」は、もちろん「知への愛」を意味し、ギリシア哲学は主として、いかに生きるか、とりわけ、死は避けられぬという事実を前提としていかに生きるかという問いに関心を持つことによって、地中海沿岸の隣人たちによる知恵文学の伝統を受け継いだ。

プラトンのように、不死のシナリオを発展させた哲学者もいる。だが、紀元前三世紀に台頭した二つの学派、エピクロス派やストア派のように、酒場の女主人に従った哲学者たちもいた。両学派には違いはあるものの、どちらも、死の恐怖は、永続的な生という幻想に頼ることなく克服しうると説いた。

ギリシアの哲学者がこれらの考えをローマに持ち込んだときに彼らを支持したのは、家族に基づく伝統的な宗教を、生物学的遺産や空虚な死後の世界といった漠然とした観念もろとも、しだいに退けつつあった都市のエリートだった。その後、ローマの込み合った思想市場で、強力な「知恵のシナリオ」が繁栄し、ストア哲学が帝国の非公式の哲学のようなものになっていった。そして二世紀に、思慮深い哲学者で熱心なストア派でもあった皇帝マルクス・アウレリウスの作品の中で頂点に達した。

だがその二〇〇年後、「知恵のシナリオ」は、一時的にほぼ姿を消した。初期のキリスト教徒が売り込んだ強力な「蘇りのシナリオ」の前に輝きを失ったからだ。それでも無論、キリスト教徒が旧約聖書と呼ぶものの中で守っていた、ヘブライ人の知恵文学で伝えられ続けた。だが、四世紀にローマ帝国全土を席巻して注目を集めたときの、キリスト教の主なセールスポイントは、楽園が具体的な形で今にも到来するという約束だった。

ルネサンス期における古典的学問の復興やキリスト教の文化的支配の緩和に伴って、ヨーロッパでは「知恵のシナリオ」の伝統が再浮上した。その動きを代表する人物の一人が、フランスの随筆家ミシェル・ド・モンテーニュだ。彼は一五八〇年に、次のように書いている。「この世の知恵と主張のいっさいは、結局のところ一つの結論に落ち着く。それは死ぬのを恐れてはならぬと、私たちに教えることだ」。

同じ頃、類似した流れが他の文化においても見られる。ヒンドゥー教やとりわけ仏教などだ。今やこれらの考え方は、はるかに非宗教的で開かれた時代にあって、不死のシナリオの幻想に代わるものとして、再び探究されている。

したがって、不死への意志による支配に異を唱え、死の恐怖に立ち向かう上で、私たちが空しく荒野をさまよわなくて済むような道を探ってきた人々の長い伝統があるわけだ。本書の残りの部分では、近東の知恵文学の考え方や、ギリシアとローマの哲学者の考え方を利用し、この代替のシナリオが、私たちが終わりを迎えざるをえない存在であるという事実を突きつけられてもなお、白らの正気と文明の両方を維持する一助となることを示すつもりだ。

ヴィトゲンシュタインが「生に終わりはない」と結論づけた理由

不死のシナリオは、死の必然性という問題を文字どおりに受け取り、死は生き続けたいという私たちの意志の成就を妨げるものと捉える。したがって、死そのものが問題であり、そうである以上、解決策は死を否定すること、となる。

だが、「知恵のシナリオ」の信奉者にはそれはできない。不死が幻想であり、死が現実であることを彼らは悟ってしまったからだ。それゆえ問題を解決するには、さらに掘り下げ、そもそもこのような心地良い幻想を私たちに抱かせる原因を取り除く必要がある。

不死への意志を取り除くための第一歩は、真に終わりなき生は恐ろしい災いである可能性が非常に高い点を認識することで、その理由はこれまでのページで見てきたとおりだ。だが、それを認識すれば永遠に生きたいという望みは薄れるかもしれないが、だからといって、死んでもかまわないと私たちが納得する可能性は低い。したがって第二段階では、まさにその点に取り組む。そこでこの項では、実際に死んでいる状態を恐れるのは無意味だという主張を詳しく調べる。最後となる第三段階では、私たちの性質の中にある、永遠に生きたいという意志とそれに呼応する実存的不安の両方につながる側面を取り除くための戦略を実行する。

ギルガメシュは酒場の女主人に、死神の顔を見るのが怖いと言った。だが後にウトナピシュティムのもとにたどり着くと、その賢者はギルガメシュに「誰一人、死神を目にすることはない」と語る。この老いた不死の人が、自分と神々以外のすべての人は必ず死ぬと少し前に話して聞かせた事実を考えると、これは不可解な言葉だ。私たちはみな死神を目にすると思うだろう。だが、ウトナピシュティムは正しかった。

すでに見たように、「死のパラドックス」の後半のせいで、すなわち、私たちは自分が存在していないところを想像できぬため、死を永遠の闇のようなものとして捉える。ギルガメシュはこの「住人が光を奪われた……塵の家」に追いやられるのを恐れた。だが、ギルガメシュが死をこのように捉えていたのは間違いだった。そして、これこそウトナピシュティムがギルガメシュに語っていたことのように思われる。

私たちは死を「目にする」こと、つまり経験することはない。死はあらゆる経験の終わりだからだ。いったん不死のシナリオを退けてしまえば、誰でもこれが本当であることがわかる。だが、それを想像するのが不可能であるため、受け容れるのがじつに難しい。果たして、これを私たちに明確に言い表すために登場したのは、またしてもギリシアの哲学者だった。エピクロスだ。

紀元前三〇〇年頃に彼はこう書き記した。「死は我々にとって何の意味も持たない。なぜなら、あらゆる善悪は感覚の中に存在し、死はあらゆる感覚の終わりだからだ」。

私たちはそのような状態を思い描けないが、それを理解して自分のものにしようと努めねばならない。そうして初めて恐れから解放されて生きていける、とエピクロスは考えた。そのような恐れは自然なものではあるが、不合理だ。

「我々が存在しているときには死は存在しないし、死がやって来たときには我々は存在しない。したがって、生きている者にも死んでいる者にも死は関係ない。というのも、死は生者と共には存在しないし、死者は存在しないからだ」

この考え方は頻繁に引用されるが、誤解されることも多い。現代の哲学者の多くがこれを、死ぬことにまったく無関心であるべきだという意味に捉えている。だがそれは、エピクロスの見解の要ではない。私たちは死にゆく過程に不安を抱き、それが苦痛を伴うものではないかと恐れるかもしれないし（臨死体験をした多くの人が非常に心地良かったと語っているのだが）、生の喜びを長続きさせたいと願い、そういう意味で、死を歓迎できぬものと見なすかもしれない。

とはいえ、エピクロスの見解の主眼は、死んでいる状態を恐れるべきではないということだ。エピクロスの述べていた不安を、シェイクスピアは次のような言葉で表現している。

「老齢、痛み、極貧、投獄を／その身に負わされる／どんなに疲弊し厭わしいこの世の生活も／死の恐ろしさに比べれば楽園である」

その不安が無用であることを悟ったエピクロスは、「死のパラドックス」の後半の罠、すなわち、自らの外を見ることができぬ自己意識の落とし穴を克服した、歴史上初の人物だったかもしれない。彼以前の人々は、半ば意識の薄れた存在として永遠に存続する状態、黄泉の国や冥府や「闇の家」などを考えると思い起こされるものとして死を捉えずにはいられなかった。エピクロスは、あの世に通じる門をついに閉じる方法を私たちに示したのだ。

エピクロスの主張は、まさに自然科学が説くことでもある。私たちは本質的に、生き物、つまり、生きている物なのだ。そこから議論が紛糾しそうな結論が導き出される。あなたも私も、文字どおり死んでいる状態になることはできない。生きている物は死んでいる物になりえない。誰かについて「死んでいる」と言うのは、その人が存在しなくなったということの、簡便な言い換えにすぎない。

二〇世紀哲学界の巨人ルートヴィヒ・ヴィトゲンシュタインは、意識があり、物事を経験している生き物としての私たちにとってこれが意味するところを、次のように要約している。「死は人生における出来事ではない。私たちは生きて死を経験することはない」。ヴィトゲンシュタインはここから、その意味で「生に終わりはない」と結論した。つまり、私たちは生に終わりがあることを、けっして自覚できない。知りうるのは、生だけなのだ。

私たちは自分を海の波にたとえることができるかもしれない。岸に打ち寄せるとき、その短い一生は終わるが、その後「死んでいる波」あるいは「元波」といった何らかの新たな状態に入るわけではない。波を構成していた各部分が消散して、再び海に吸収される。

私たちも同様だ。人間という生き物の、自己制御を行なう有機化された複雑な仕組みが機能停止すると、その人は終焉を迎える。死という新たな状態に入ったわけではない。その人は終わり、その構成要素はやがて人間の形を失って、再び全体に組み込まれる。

死とは古い衣服を脱ぎ捨てて新しい衣服に着替えるようなものだ、とヒンドゥー教の聖典『バガヴアッド・ギーター』で述べられているように、死とは単なる移行であると言って私たちを安心させようとする教えは、死を底知れぬ深みへの一歩として直感的に恐れる私たちの心を利用している。だが、これ以上の間違いはない。深みにであろうとどこにであろうと、移行は死とはまったくの別物だ。死とは終わりであり、だからこそ、それを正確に理解したときには、死を恐れるべきではないのだ。

これを古代ローマのストア派は理解しており、だから彼らは「Non fui, fui, non sum, non curo（私は存在しなかった、私は存在した、私は存在しない、私は気にしない）」と墓碑に刻んだ。

「死ぬのは怖くない。ただ事が起こる瞬間にその場に居合わせたくないだけだ」

と、ウディ・アレンは言った。彼は安心してよい。そのとき、もうその場にはいないのだから。ウトナピシュティムが言うように、「誰一人、死神を目にすることはない」。死神が私たちのほうに手を伸ばすとき、私たちはすでに死んでいる。

したがって、私たちは生の境界外の物事を見逃したり、後悔したり、それに苦しんだりできない。招かれざる客のように自分の葬儀にとどまりはしないし、孤独な虚空に陥ることもない。私たちは終わる。これまでに積み上げた意識経験が、私たちの生のすべてだ。誕生と同様に、死はこうした経験の境界を定義する用語でしかない。絵画の額縁が境界線を示して中の絵を際立たせる働きをするように。

したがって、知恵の道の第二段階として、私たちはけっして死んでいる状態になることはできず、それゆえにその状態になることを恐れるのは馬鹿げていることを認識しなければならない。これを第一段階である不死の問題の理解と組み合わせると、直感で信じているほど、永遠に生きるというのは良いものでもなく、死は悪いものでもないと結論できる。

それでも強力な本能が働いて、死の必然性に関する私たちの認識や、私たちに与えられた束の間の時間の使い方を歪めている。「知恵のシナリオ」の第三段階では、こういった直感を抑制する戦略を実行することを目指す。

「死への囚われ」に立ち向かう三つの戦略

第1章で指摘したように、あらゆる生き物のうちで私たちだけに高度に発達した特定の認知能力があり、そのうちの三つが特に私たちの死生観に影響を与えている。洗練された自己意識、無期限の未来を思い描く能力、悪い事態が起こりそうな筋書きを想像する能力だ。

私たちはこの三つの能力のおかげで、大切な自己が重大な害を被るかもしれない、ありとあらゆる可能性を心に描ける。前述のように、これには重要な進化上の利点がある。そのような害を避ける計画を立てられるからだ。

だが、これら三つの能力のせいで払わされる代償も大きい。それらは「死のパラドックス」、すなわち、自らの死の必然性を自覚しているのに、存在していない自分を思い描けないという状況に直結し、結果的に死の恐怖につながる。

「知恵のシナリオ」の次の段階では、死そのものに注目するのではなく、これら三つの能力があるせいで、あらゆる生き物のうちで私たち人間だけがこれほど死の必然性に囚われる点に向き合うことを試みる。その目的は、言うまでもなくきわめて有益なこれらの能力を、排除するのではなく正しい視点に立って維持することにある。

結局、自己認識は重要かもしれないが、自己に関心を持ち過ぎると、死の恐怖、つまり自己の喪失の恐怖を増幅させるばかりで、人は自分にだけ気を取られて人生を送るようになる。これに抗うためには、無私の心や他者への共感を育むべきだ。

同様に、将来を思い描ければ、人生で成功するために計画を立てる上で役に立つが、将来を気にし過ぎると、この先待ち受ける試練に焦点を合わせるようになり、今を生きるのを忘れてしまう。したがって、私たちはもっと今この瞬間を生きる術を身につけるべきだ。

そして第三に、私たちの存在を脅かす可能性のあるあらゆる事柄を想像することは、そのような脅威を避けるのに役立つかもしれないが、それが度を超すと、今あるものに感謝せずに、失うかもしれぬものを気に病むようにしかならない。したがって、私たちは感謝の念を育まねばならない。

形や程度はさまざまであるものの、私の見るところでは、これがギルガメシュに始まり、聖書やギリシア人を経て今日に至る知恵文学の三つの主題だ。そのそれぞれをもう少し詳しく眺め、それらがそれぞれ首尾一貫した「知恵のシナリオ」を形作っていることを見て取る価値は十分ある。その後、これらが文明に及ぼしているかもしれぬ影響を考察することにしよう。

■「自分」に対する執着レベルを下げる

自分自身を過度に重視すると、死の恐怖を招く強力な原因となる。当然ながら、自己に対する関心はその自己を存続させるために進化した。もし私たちの祖先が自らの身を案じることがなければ、おそらく生き延びて子孫を残せなかっただろうし、その結果私たちはここに存在していないだろう。
だがこの自己への執着は、度を超すと、病的で自らを消耗させるものとなりうる。残念ながら、現代社会はまさにそうした行き過ぎを助長している。

自己の概念に関して第一級の研究者である社会心理学者ロイ・バウマイスターは、次のような所見を述べている。「人間の努力を正当化して擁護するにあたり、価値の主要な拠り所として自我を利用することが増えているが、この傾向は死の脅威を募らせる」。第6章で見たように、この自己への執着は、霊魂は不滅という教義に端を発する。

先進世界に住み、この肥大した自己感覚を受け継いできたものの、それが由来する不死のシナリオを信じていない私たちは、結果として、考えうる最悪の状況にいる。

私たちは事実上、自分が大切にしている唯一のものの終わり、すなわち自分自身の終わりと向き合っているからだ。自分自身を乗り越える助けとなるよう、自分が共感できる大義や相手を積極的に求めることは、私たち現代人にとってなおさら困難になっているが、それだけにいっそうの急務だと言える。

幸い人間の場合、自己への関心は、他の社会的動物と同様の、我が子や家族や部族への関心によって均衡が保たれている。特に人間の場合にはそこに、正義や科学や地元のサッカーチームといったその他のものへの関心が加わる。こうした他の関心事をさらに重視することで、一人ひとりの自己の終焉がそれほど重要ではないと思えるようになりうる。

これが、ギルガメシュへの助言を通して表明される酒場の女主人の教訓の要だ。「あなたの手を握る子に目を注ぎ、／妻を幾度も抱き締めて喜ばせるのです！」。そしてこの叙事詩は、ギルガメシュがウルクへ戻り、自分の都で誇りと喜びを見出して終わる。

ギリシアの伝統の中ではこの戦略はストア主義においてひときわ顕著で、この学派は、共同体との深いかかわりと全人類への愛を最も重要な義務と考えていた。これは、ストア主義が奨励した世界主義的で共感的な物の見方の産物でもあった。

道教の信者なら誰もが馴染み深いであろう表現を使って、マルクス・アウレリウスはこの見方を次のように要約した。

「宇宙のあらゆるものを一つに結びつける絆について、また、あらゆるものの相互の依存について、たびたび考えよ。言うなれば、万物は織り合わされており、その結果、相互の愛情で結ばれている」

他者に共感し、より幅広く関心を持って関与せよという考え方は、どこか「遺産のシナリオ」のように聞こえるし、ある意味、それはたしかに「遺産のシナリオ」の取り組み方の洞察力に富んだ部分を取り入れているが、その一方で、このシナリオに含まれる不死追求の言辞は置き去りにしている。酒場の女主人もストア派の人々も、こうした関与が人を永遠に生かすということを示唆していたわけではない。彼らが言おうとしていたのはむしろ、このような見方をすれば、自身の死の必然性がそれほど重要ではないように思えるということだった。

バートランド・ラッセルは、それを老いについての随筆の中で見事に表現している（彼自身は九七歳まで生きた）。

「死の恐怖は、いささかさもしく、浅ましい。それに打ち勝つ最良の――少なくとも私には最良と思える――方法は、自分の興味の対象を徐々に拡げ、非個人的なものに変え、ついには自我の壁が少しずつ後退して、自分の生がしだいに普遍的な生に溶け込んでいくようにすることだ」

この取り組み方が成功することは、経験によって証明される。精神科医のアーヴィン・D・ヤーロムは、末期患者を対象とするキャリアを送った後、他者と結びつくことこそが死の不安を和らげるための最も重要な方法であると結論した。また、心理学者ロイ・バウマイスターは、前述の引用部分で指摘した問題について同様の対処法を勧めている。

「この［死の］脅威に対する最も効果的な解決策は、自分の生を何か自己より長続きするものの中で捉えることだ。もし、はるか未来まで何世代にも及ぶような目標や価値観のために努力を傾けるなら、死は何の手出しもできない」

■「明日死んでも後悔しない」かつ「明日死ななくても後悔しない」道を選ぶ

他者とつながるという徳は、自分自身を正しく見定める助けとなる。これが密接に結びついているのが次の問題、すなわち、私たちはこの先自分がどうなるのかということばかり考えて時間を過ごしがちで、現在というものの真価を認められないという問題だ。

私たちの心は、好きにさせておくと、計画や目論見、気苦労や無駄な憶測（そのほとんどは、うまくいかぬかもしれない事柄についてのもの）にかまけてしまう。未来について考える能力はもちろん非常に役に立つが、同時に不安を助長し、幸福になる見通しをひどく損なう可能性もある。

私たちは、現れるかもしれぬありとあらゆる脅威について、くどくどと思い悩むせいで、死を勢いづかせ、挙句の果てに、真に生きることのないまま死を迎える。

これが、酒場の女主人に会ったときのギルガメシュの状況だった。自分の未来に待っているのは死だけだと憂い、人生を浪費していた。「日々浮かれ騒ぎ／昼も夜も踊って遊ぶとよい！」という彼女の返答は、彼を現在に引き戻そうとする言葉だった。

多くの賢者が理解してきたように、幸福は今この瞬間にだけ存在する。今この瞬間だけが実在しているからだ。過去はすでになく、未来は単なる憶測でしかない。もし今あなたが幸福なら、あなたは常に幸福だ。なぜなら、今しか存在しないからだ。

だが同様に、もしあなたが未来の幸福を心配しながら人生の一瞬一瞬を過ごすならば、幸福はいつも逃げていき、人生は不安に満ちたものとなるだろう。そして、すでに見たように、死というけっして経験することのできぬものについての心配ほど馬鹿げた心配はないのだ。

フランスの歴史家ピエール・アドは、エピクロス主義（快楽主義）とストア主義の目標を、「人々が過去と未来から自由になり、現在の中で生きられるようにすること」だと説明した。これは、他の多くの宗教伝統や哲学伝統の信奉者にも即座に理解できるだろう。

たとえば仏教では「正念」として知られているものであり、悟りの境地に到達するための重要な段階の一つだ。仏教徒は、古くからの修行法である瞑想を通してこの美徳を育む。瞑想は誰にでも取り組めるし、現在では西洋科学によっても推奨されている。

臨床心理学者は、ストレスや不安や鬱病に対処するために仏教の正念、あるいはマインドフルネスの手法を取り入れてきた。感謝の習慣と同じように、今この瞬間をもっと充実させることを学ぶと、多くの恩恵がもたらされることが証明されている。

これを初めてはっきり示したのは、ハンガリー系アメリカ人の心理学者ミハイ・チクセントミハイかもしれない。彼は「フロー状態」という現象を初めて詳細に記録した研究者で、今この瞬間に取り組んでいる課題に全神経を集中させることと、「喜び、幸福、満足感、楽しさ」などの経験との関連性を証明した。彼の見解を補強したのが、二〇一〇年のハーヴァード大学の研究であり、世界中の人々が、起こりうる未来の筋書き（その多くが不安を誘発する）を絶えず想像して自分を不幸にしており、また、最高に幸せを感じている人はほとんどの時間、一瞬一瞬を目一杯生きていることを、大量の証拠を集めて示した。

この考え方は、「毎日を今日が人生最後の日となるかのように生きる」というふうに表現されることもある。実際、今日が人生最後の日かもしれない（そうでないと誰が言えるだろうか？　その日はいつか必ず来るのだから）という認識は、現在に心を集中させる助けとなる。

だが当然ながら、長期的な計画にかかわる事柄は、有用なものまですべて放棄することにつながる可能性もある。そして、あなたは放棄したことを悔やむかもしれない。結局、今日が人生最後の日ではない可能性もあるからだ。

だから私たちは、今という時間の真価を認める一方で、絶え間なく連なる瞬間が今しばらく続くかもしれぬことも認識する方法を見つけなくてはならない。これは釣り合いの問題だ。

こんなふうに考えてはどうだろう？

「もし明日死ぬとしても後悔しないように、だが、もし死なないとしてもやはり後悔しないように生きる」と。あなたは前半部分に促されて大嫌いな仕事を辞めるかもしれないが、後半部分が、去り際に上司に一発お見舞いするのを思いとどまらせてくれるはずだ。

■「不可避の死」からの副産物に感謝の念を持つ

第三に、知恵文学は生の暗い面に焦点を合わせてしまう私たちの生来の傾向に注意を向けている。たしかに、私たちには生き続けたいという強力な衝動があるが、それが阻まれるのもまた真実だ。これが私たちにとって災いする。

だが、こうした事実のもう一つの面に目を向けてみよう。この衝動は進化がもたらした遺伝的性質で、これがなければ、私たちの祖先は生き延びたり出産の試練に耐えたりはできなかっただろう。言い換えれば、これなしでは私たちはここに存在していないだろう。

何十億年にわたって途切れることのない鎖を成す無数の祖先がみな、なんとか自分の役割を果たしたその結果として私たちが存在しているということ、これはありがたい恩恵だ。そしてそれは、数え切れぬほど多くの思いがけぬ幸運や宇宙の偶然を含めた途方もない恩恵なのだ。

まず生命、続いて動物、哺乳類、人間、あなたの家族、そしてついにはあなた自身の誕生へとつながった幸運がどれほどのものかは、とうてい人知の及ぶところではない。複雑な生、それも各個人の生は特に見事だ。驚異的で、摩訶不思議だ。そしてこれは、誕生と死の循環なくしてはありえなかった。

もし、およそ数億年前に私たちの祖先の魚類が次の世代に道を譲る代わりに不死を手に入れていたなら、私たちが出現することはけっしてなかっただろう。連綿と続いた死の歴史が、現在あなたが生きてここにいるという驚くべき事実を可能にしたのだ。

それに加え、死に気づかせてくれるまさにその能力が、愛する、崇高なものを経験する、芸術を鑑賞する、他者や自然と親しむ、建設する、創造する、理解するといったことをも可能にしてくれる。そして、どちらかと言うと現代科学はこれまで、生と心にかかわるこれらの事実が、私たちの祖先が考えていたよりもなおいっそう驚くべきものであることを教えてくれた。

そして、死が影を落とす短い人生しかないなどと苦境を嘆く前に、ともかく生きる機会があることに、それもこれほど多くの驚異的なものを味わい、創造できる脳を持って生きる機会を得たことに、感謝すべきである、いくら感謝しても足りぬほどであることを、これらの事実は示している。

酒場の女主人がギルガメシュに言おうとしたことの一部がこれ、すなわち、持てるものの真価を認める、ということだ。聖書も他のほとんどの宗教伝統と同様、感謝せよという命令を含んでいる。

エピクロス主義とストア主義でも、感謝は体系的な哲学の一部となった。たとえばギリシアのエピクロス主義者フィロデモスは次のように書いている。「時の新たな一瞬一瞬をその価値にふさわしいやり方で受け取りなさい。まったく思いもよらぬ幸運を手にしたかのように」——人生の一瞬一瞬が本当にまったく思いもよらぬ幸運であるとわかった今では、これはなおさらたやすいはずだ。それが終わってしまうことを恨む代わりに、その毎分毎分に感謝すべきなのだ。

そして、いざその時が来たら、マルクス・アウレリウスの言葉を借りると、「潔く永眠しなさい。季節が来てオリーブの実が、その実を結んだ大地への祝福の言葉と、その実に命を与えたオリーブの木への感謝の祈りを捧げながら落ちるように」。

私たちは失うことになるもの——最終的には死の脅威——に注意を集中させるように進化してきた。

そのせいで、存在するという計り知れぬ幸運に心から満足する代わりに、恐れを抱いて生きている。そのような本能に打ち勝つのは容易ではない。進化してきた行動規範にずるずると戻ってしまわぬようにするには、たゆまぬ努力が必要とされる。

キリスト教から仏教に至るまで、宗教は、日々の感謝の祈りのように、人々が感謝の姿勢を身につけるのを助ける手法を開発してきた。現代のポジティブ心理学者は、感謝したほうがよいことを日記につけるといった、非宗教的ではあるが同じ効果のある手法を提唱している。

人によっては、これは時代遅れに聞こえるかもしれないが、抜群の効果が現れうる。感謝の効能の優れた研究者ロバート・エモンズは、証拠を調査した後、「感謝の念は、人生の満足度、生気、幸福感、自尊心、楽観主義、希望、他者への共感、他者への有形・無形の援助を提供する積極性のような重大な結果と明白な関連がある。それに対して、感謝の念の欠如は、不安、憂鬱、嫉妬、実利主義、孤独と関連している」と結論した。

感謝が、世界中の知恵文学を貫く共通のテーマの一つであり、死の恐怖に対する強力な解毒剤であるのは偶然ではない。ギリシアのストア哲学者エピクテトスの言うとおり、「自分が持たざるものについて嘆かずに、持てるものを享受する者こそ賢者である」。

生の意味と、人類の発展・未来

毎日二五〇錠のサプリメントを摂取する人としない人の違いは、摂取する人が永遠に生き、摂取しない人が永遠には生きないということではない。いや、私たちはみな死ぬ。トランスヒューマニストでさえも。

どこが違うかと言えば、サプリメントを摂取する人は「寿命脱出速度」に達することに関する物語を自分自身に語っている点であり、その物語は実存的不安を和らげるのに役立つ。したがって彼らは、不老不死の霊薬を探し求める人、蘇りを信じる人、生まれ変わりを信じる人、人は必ず死ぬという事実を否定しようとしてきたその他の人たちの、長い伝統に従っているわけだ。

本書はその大半を通じて、これらの不死のシナリオが、良くも悪くも、文明をいかに形作ってきたか、そしてそのシナリオには少しでも妥当性があるのかを探究してきた。

そして結論は、多少なりとも妥当性があったにせよ、それは不十分である、というものだ。どのシナリオも、（「不死」という謳い文句に当てこするわけではないが）致命的な欠陥を抱えている。だがそれ以上に、不死の四つのシナリオすべてが、死の恐怖を額面どおりに受け取ることで、その恐怖の根底にある性向自体を募らせてしまうことがわかった。四つのシナリオは人々に、自分の健康や、霊魂の状態や、独自の遺産に固執するように仕向けることによって、そもそも死の恐怖を引き起こした自己中心的で未来志向で否定的な見方を助長している。

じつのところ、私たちは気苦労なしに陽気に生きるようには進化してこなかった。幸福も含め、他のいっさいを犠牲にしてさえも、自らを存続させるべく奮闘するよう進化してきたのだ。

不死のシナリオはこの努力を煽り、その根底にある理由を強固にするだけだ。これらのシナリオが私たちの実存的不安を和らげることに成功する場合もあるかもしれないが、たいていは心の安らぎを得るための処方箋にはならない。

だが、「知恵のシナリオ」は違う。このシナリオは、死を否定して実存的不安を念頭から追い出す代わりに、そもそも死は恐れるものだと私たちに思わせる根本的な姿勢を改めることに取り組む。それによって、今この瞬間の、あるがままのこの生とこの世界を堪能する姿勢を育もうとする。

これは簡単ではない。すでに見たように、私たちに必要な姿勢や戦略は、強力な衝動と真っ向から対立する。したがって、そうした姿勢や戦略は積極的に身につけねばならない。

古代の哲学者たちは、それを知っていた。たとえばストア哲学を教えたエピクテトスは、理論だけの教義はいかなるものも偽りの哲学であり、本物の教義は日々実行されねばならないと信じていた。したがって、ストア派の人々は知恵を磨くために日々鍛錬していた。多くの宗教実践者にはお馴染みのはずの、生への取り組み方だ。あのダライ・ラマでさえ、生きとし生けるものへの思い遣りが常に簡単に湧いてくるわけではないと言うだろう。

私は、誰もが自分の不死のシナリオを手放せばもっと幸せになると言っているのではない。たとえば、不滅の霊魂を信じることで安心し、何の問題もなく生きている人も間違いなくいるだろう。だが私は、これらのシナリオを手放すことで、必ずしも虚無主義や絶望に陥ることはないと主張しているのだ。つまり、テニスンとは違って、私たちは海に身を投げる必要はない。「知恵のシナリオ」は、こうした信念に代わる強力なシナリオだ。生を積極的に愛することと、その生の終わりに対する恐れにうまく対処することの均衡を図る手段だ。そして、「今、ここ」と自己の外の世界に注意を集中させれば、私たちのただ一度の人生を、より良く、より豊かで、より意味のあるものにする手助けにもなるかもしれない。

だが、もし一般大衆が絶えず永遠の生を追求することをやめたら、文明は急停止してしまうのだろうか？　本書で何度も見てきたように、不死の追求が動機付けとなって、私たちの文化のほとんどすべての面が発達してきた。とはいえ、死の必然性を受け容れたからといって、私たち全員が必ずしも洞穴生活に戻ることにはならない。第一に、「知恵のシナリオ」には、長く安全な生の価値を損なうところなど一つもない。頑丈な家を建てたり、処方された薬を飲んだり、癌の治療法を探し求めたりする理由さえ依然としてある。また、音楽を演奏したり、サッカーをしたり、バラを育てたりするなど、自らに喜びをもたらす文化的な活動に参加する理由も相変わらずある。これらの営みの中には、自分をはるか未来まで存続させる方法として発達してきたものもあるかもしれないが、実際には存続させられないことを知っても、それらを楽しめなくなるわけではない。

私たちは、子を持つことに喜びを覚えるように進化してきたのなら、そうし続けるべきだし、子供が不死の達成手段だという幻想から解放されたなら、私たち（そして子供たち）はいっそう生を楽しみさえするかもしれない。

また、他者の世話をする、知識を深めるといった、生に意味を与える活動を実践するだけの理由もあるだろう。霊性さえも、そこに含まれる。ほとんどの宗教は強力な不死のシナリオを持っているが、たいていは知恵の伝統に合致する他の要素も持っている。すでに見たように、旧約聖書／ヘブライ語聖書を聖典と考える宗教にもこれは当てはまるし、道教や仏教やヒンドゥー教にも、ニューエイジやオルタナティブのほとんどの形態の霊性にも当てはまる。だが、感謝の念を抱き、マインドフルネスを心掛け、他者への思い遣りを育むという戦略は、自然主義（すなわち、超自然的なものを拒絶する世界観）

とも矛盾しないし、霊的な次元とでも考えられそうなものを、この哲学に持ち込むこともできる。

不死のシナリオを退ける文明は、さまざまな形で、私たちが知っている文明よりもなおさら優れたものになれるかもしれない。すでに見たように、来世よりも現世に焦点を合わせることによって、非常に望ましい社会改革がもたらされてきた。自分にはこの生しかないと知っている人は、不正や弾圧を許容する可能性が低い。自分が死んだ後にも残る名声や財産やその他の遺産を生み出すためにあまり精を出さなくなる人もいるだろう。

だが、そうした遺産は、建設的な手段ばかりか破壊的な手段を使って行なわれることも多いので、熱心にそれに取り組む人が減るのも悪いことではないかもしれない。そして、他者への共感を培うと進歩につながりうることは、容易に見て取れる。

先進国の私たちが、一〇〇歳まで生きるかどうか心配することを今よりほんの少し減らし、最も貧しい国々に生まれた子供たちが一歳の誕生日を迎えられるかどうかを今よりほんの少し多く心配するようになれば、おそらく世界はもっと良い場所になるだろう。

したがって、自らの死の必然性に敢然と立ち向かう人々の文明は、その実現に向けて努力する価値がある。そればかりか、この文明を「知恵のシナリオ」の残りの部分と組み合わせたなら、死の必然性の自覚は、起こりうるあらゆる状況のうちで最良のものを提供してくれる、と私たちは大胆に主張することさえできるだろう。

人生には終わりがあると知れば、私たちの時間に制限が課されるので、その時間が価値あるものとなる。死は必然であるという事実は、私たちの存在に緊急性を帯びさせ、私たちがそれに形と意味を与えることを可能にしてくれる。できる間は毎朝起き出して世の中とかかわるべき理由を私たちに与えてくれる。この世界を最高の世界にすべき理由を与えてくれる。それ以外の世界などないことがわかっているからだ。

それでいて、制限を課すもの、すなわち死は、私たちが苦しんだり、他のいかなる形で経験したりできるものでは断じてない。私たちは本質的に生き物、すなわち生きている物なのだから、文字どおり死んでいる状態にはなることさえできない。私たちが知りうるのは生のみであり、その生には限りがあるという事実を受け容れれば、それを大切にしなければならないことも理解できる。

私たちの生は、始まりと終わりによって範囲を定められてはいるものの、自分自身を超えてはるか遠くに手を伸ばし、無数の形で他の人々や場所に触れることができる、数知れぬ瞬間から成り立っている。その意味では、私たちの生は本に似ている。表紙と裏表紙に挟まれた世界で自己完結していながら、遠くの風景や異国の人物やはるか昔に過ぎ去った時代を網羅できる。その本の登場人物たちは限界を知らない。彼らは私たちのように、自らの生を構成している一瞬一瞬を知ることができるだけだ。たとえ本が閉じられたときでさえも。したがって、彼らは最後のページに行き着くことには煩わされない。

だから私たちもそうあるべきなのだ。

謝辞

本書の着想は一九九〇年代にケンブリッジ大学の大学院で私が行なっていた研究に遡る。最初に、当時の私の博士課程の指導教官であるエリック・オルソン先生に感謝したい。先生は私に哲学者の務めの何たるかを誰よりも熱心に教えようと試み、以後、この作品も含めてさまざまな取り組みで助言と励ましを与え続けてくれている。

本書は、イギリスの外交サービス（Diplomatic Service）から長期出向中に、ベルリンで完成した。それを可能にしてくれた外交サービスの方々に感謝する。また私を支え、励ましてくれた現地の友人たちにも感謝する。

代理人のマティアス・ランドウェア、フランク・ジェイコブズ、ゾーイ・パナメンタ、ロバート・カービーの本書執筆プロジェクトに対する信頼と、読者獲得を確実にするために発揮したプロとしての見事な手際に謝意を表したい。クラウン・パブリッシング・グループの編集者リック・ホーガンにはとりわけ感謝している。彼の提案があったからこそ本書はこれほどのページ数に及んだのであり、また、どれほど改善したことか。

原稿を読んでくれたり、原稿について助言してくれたりした人々にもお礼を申し上げる。彼らの論評が、当初ははなはだ粗削りだった原稿に磨きをかけてくれた。以下に名前を記しておく。ステン・インゲ・ヨルゲンセン、ステファン・クラインをはじめとするベルリン・ルナー・ソサエティのメンバーたち、ポリーナ・アロンソン、アネット・バーンズ、エリー・トルイット、トービー・ラウズ。

次の二人がいなければ、本書はほとんど考えられない。彼らの影響は本書の最初の一語から最後の一語にまで及んでいる。まず、サミュエル・トレイシーに、ありがとうと言いたい。彼とは二〇年近く、本書で取り上げた疑問について議論してきた。それでも彼の新鮮なアイデアと素晴らしいユーモアはいまだに尽きることがない。

そして誰よりも妻のフリーデリケ・フォン・ティーゼンハウゼンに感謝したい。私と本書は、彼女の洞察力に満ちた提案と並外れた編集に、そしてそれにも増して彼女の限りのない愛情、忍耐力、援助に、計り知れぬほどの恩恵を受けている。本書は彼女に捧げる。

訳者の言葉

本書『ケンブリッジ大学・人気哲学者の「不死」の講義——「永遠の命」への本能的欲求が、人類をどう進化させたのか?』は、*Immortality: The Quest to Live Forever and How It Drives Civilization* の全訳だ。著者のスティーヴン・ケイヴは一九七三年、イギリスの生まれ。ケンブリッジ大学で哲学の博士号を取得し、その後、哲学者と外交官として活躍する一方、哲学と科学の分野で執筆や論評を行なっており、取り上げるテーマは幅広く、AI(人工知能)の将来なども含まれる。

私が本書翻訳の仕事の打診を受けたのが昨年、新型コロナウイルスが蔓延し始めた頃で、やがて世界保健機関がパンデミック(世界的な大流行)であることを認め、翻訳作業の間も流行は収まるどころか拡大を続け、その後ワクチン接種は進んだものの、感染力の強いデルタ株が登場したりして、この「訳者の言葉」を書いている今もなお、終息の見通しはまったく立っていない。これほど長期にわたって、これほど多くの人が、先行き不透明な境遇に置かれるのは、いったいいつ以来のことだろう?近いところでは二〇〇八年の金融危機も大きな爪痕を残したが、今回のパンデミックでは、生活はもとより、健康や生命さえもが直接脅かされているのだから、はるかに切実だ。

こんなときには、否が応でも死に対する恐れや不安が募る。健康で幸せに暮らしたい、自分にとって大切な人にも健康で幸せに暮らしてほしい——できるだけ長く、可能なら、いつまでも。そう願うのは、もちろん私たちが最初ではない。健康長寿、さらには不老不死が古来の願いであることは想像がつく。時代や場所にかかわらず、数え切れぬほど多くの人間が、そう願ってきたことだろう。そして、文明が発達しておらず、疫病や天災をはじめとする自然の働きに翻弄され、有効な対応法が今ほど発達していなかった太古の人々の願いは、いっそう強かったはずだ。もっとも、このパンデミックでは、これまでの「進歩」も、期待していたほどではなかったこと、そして弊害や弱点を伴っていたことを、私たちは今、思い知らされているが。

そんな折だから、生と死に嫌でも目が向いてしまう。重要だとはわかっていても、普段は日常生活にかまけていて、そしてまた、テーマがテーマだけに気が引けて、なかなか真正面から向き合いづらいのだが、今回のパンデミックに際して、生と死の意味、人生や社会の在り方について、何かしら指針が欲しいと、特別強く感じるのは自然なことだろう。かといって、どこから手をつけたらよいのか、何をどう整理したらよいのかは、簡単にはわからないから困る。そんなときに手掛かりを提供してくれるものの一つが書物であり、なかでも、そのようなテーマを真っ向から明快に取り上げた本書のような作品だ。

明快さは安心感を与えてくれる。とりわけ、今のような混迷の時には。そして本書は、テーマからして明快だ。著者によると、私たち人間は不死願望を持っており、どうやってその願望を達成するかという物語（それが本書で言う「不死のシナリオ」）を生み出してきたという。本書は、「不死のシナリオ」には四種類の基本形態しかないことと、それが文明の発生・存在・発展の要因であることを示し、それら四つのシナリオの妥当性を問うことを目的としている。

構成も明快そのものだ。目的を簡潔に記した序文の次に導入の第1章があり、その後、それぞれ二章から成るほぼ完全に同じ長さの四つの部が続き、各部で先述の「不死のシナリオ」の四形態が一つずつ取り上げられる。そして最後に、結論の第10章が来る。「不死のシナリオ」の分類は著者独自のもので、その四つとは、「生き残りのシナリオ」と「蘇りのシナリオ」と「霊魂のシナリオ」と「遺産（レガシー）のシナリオ」だ。

読んで字のごとしだが、「生き残りのシナリオ」とは死なずに生き続けること。「蘇りのシナリオ」は　いったん死んでも、前と同じ身体、あるいはそれに優る形態でいずれ蘇って生き続けること。「霊魂のシナリオ」では身体は死に、その身体は物理的に復活しないものの、人が非物質的な霊魂として生き続けること。「遺産のシナリオ」は身体や霊魂としてではなく、何らかのレガシーとして、すなわち、名声や業績、子孫あるいは、自分を超える存在などの一環として生き続けることだ。

著者はそれらのシナリオと文明の関係を丹念に解き明かし、それぞれのシナリオの成り立ちや問題点を理路整然と説明していく。著者は哲学者だが、抽象論に明け暮れることはけっしてなく、終始、具体例を交えながら話を進め、筋道を立てて随所で問題を提起し、読者が考えるのを助ける。そして、読者は思いがけぬほど広範で多様性に富んだ旅をすることになる。なにしろ、著者は博識で、多くの文学作品にも通じているらしく、しかも調査に手を尽くしているので、広く時空を網羅する――生命や人類の誕生から古代、中世、近世、現代、さらには遠い未来まで、そしてエジプトからギリシア・ローマ、中東、インド、中国、日本、ヨーロッパ、アメリカ、全世界、さらには宇宙まで、と。

だが、そもそもなぜ人はこのような「不死のシナリオ」を必要としてきたのか？　その背景には「死のパラドックス」があると著者は言う。「死のパラドックス」というのも著者の用語で、死は不可避かつ信じ難いものという印象のことだ。生物の世界は死に満ちあふれているから、人間は自分もいつか必ず死なねばならないという結論に至る。その一方で、人間は自分が存在しない状態は想像できないから、自分の消滅が不可能に思えると著者は主張する。いや、著者だけでなく、文豪のゲーテや精神分析学者のフロイトをはじめ、じつに多くの人がそう主張する。この矛盾を抱えて生きていくのが難しいので、その解決策として編み出されたのが、「不死のシナリオ」というわけだ。

さて、四つの「不死のシナリオ」の検討を重ねて第四部の終わりにたどり着く頃には、そのどれもが不十分であることが明らかになる。だが、「不死のシナリオ」が文明を創出し、牽引してきたというのが著者の見解だから、そのシナリオが不十分だとなれば、この先、期待は持てないのだろうか？　人々が永遠の生を追求することをやめたら、文明は急停止してしまうのだろうか？　著者はこれに対して、最後の第10章で心強い答えを用意している。

まずは「不死のシナリオ」と永遠の生の問題点を理解することだ。両者にはさまざまな弊害がある。人は自らのシナリオを守るために、そのシナリオを信じない者を排除する。自らの名声のために他者を犠牲にする。支配階級が来世の楽園を口実にして、臣民から搾取する。シナリオを支えるための倫理体系としてカースト制のような厳格な保守主義を守り、身分を固定する。挙げていけば切りがない。また、無限を前にしては、時間はその価値を失う。もし文明が、私たちが未来永劫生き続けるのを助けるために存在するのなら、その永遠の生が保証された場合には、文明はもはや無用となる。意味が崩壊し、動機が消滅する（詳細は第10章参照）。

したがって、「死のシナリオ」を捨てれば、以上の問題点が解消する。「奴隷解放、両性間や人種間の平等、社会福祉などを目指す、ここ数世紀の素晴らしい社会改革運動が起こったのは、西洋社会において来世への執着がようやく薄れ始めたときだった」と著者は言う。「自分にはこの生しかないと知っている人は、不正や弾圧を許容する可能性が低い」からだ。「そして、他者への共感を培うと進歩につながりうることは、容易に見て取れる」。

こうして著者は、四つの「死のシナリオ」の不十分さを示した後に、第五の道を示す。それが「知恵のシナリオ」だ。じつは、この「知恵のシナリオ」も「死のシナリオ」に劣らぬほど古い起源を持ち、聖書で「蘇りのシナリオ」や「霊魂のシナリオ」と並んで語られ、さらにそれ以前のギルガメシュの物語にまで遡ることができ、「知恵文学」として知られている。その知恵とは、「死すべき運命を受け容れて、死の必然性と共に生きる道を見つけることを意味した」。著者は「私たちは絶望する必要はなく、生の有限性に向き合いつつも、真っ当で満足のいく人生を送れるはずだと、私は信じている」と自信を示し、「自己への執着を減らす／共感を育む」「現在に焦点を合わせる」「感謝の念を持つ」という三つの戦略まで授けてくれる。

果たして、読者のみなさんはどう思われるか？ ある程度の単純化や類型化をしなければ、本書で扱っているような大きなテーマを網羅できるはずがない。かといって、度が過ぎると問題も生じる。それは著者も心得ていて、序文で「包括的な主張を重ねるのが不謹慎であることは承知している」とし、「端的に、そして簡潔に記すという本書の目論見《もくろみ》自体、受け容れられないという方もいるかもしれない」ことは認めている。著者はただ、読者が「本書に刺激を受けて、さまざまな知識の細道をさらにたどってくださる」ことを期待しているのだ。

それに当然、著者の主張には異論もあるだろうが、筋の通った反論なら著者も大歓迎すると思う。たとえば、著者の提唱する「知恵のシナリオ」は一見陳腐に見えるかもしれない。だが、もしそう見えるなら、その批判的な目を持って四つの「不死のシナリオ」を吟味し直すのも一考だろう。賛同しようと、反論しようと、さらに探究する気になろうと、それはどれも真剣に向き合った結果だろうから、著者は喜ぶはずだ。これまで古今東西の人がどう取り組んできたかを眺め、頭を整理し、自分なりの道を探るきっかけに、本書がなることを願っている。

私としては、不十分な「不死のシナリオ」にはしがみつきたくないし、失うかもしれぬものを気に病み、今を生きるのを忘れるなという著者の主張も、もっともに思える。著者の言葉や引用の数々には、感じ入るものが多かった。ごく一部を挙げておこう。「もし明日死ぬとしても後悔しないように、だが、もし死なないとしてもやはり後悔しないように生きる」という勧めがその一つ。これまで「毎日を今日が人生最後の日となるかのように生きろ」に類する忠言は何度も目や耳にしてきたが、いつも違和感があった。今を一生懸命に生きるのはよいとして、今日が人生最後の日だったら、やらないことがたっぷりあり、万一生き延びたら、困ったこと、つまらないことになりそうだからだ。明日が来ないつもりだったら、パンデミックの最中の今、誰が感染を恐れて予防策を取るだろう？　誰がワクチンを接種するだろう？　そもそも、誰がワクチンを開発するだろう？　だからよけい、著者の言葉に合点がいった。

「感謝の効能の優れた研究者ロバート・エモンズ」の引用もある。彼は証拠を調査した後、「感謝の念は、人生の満足度、生気、幸福感、自尊心、楽観主義、希望、他者への共感、他者への有形・無形の援助を提供する積極性のような重大な結果と明白な関連がある。それに対して、感謝の念の欠如は、不安、憂鬱、嫉妬、実利主義、孤独と関連している」と結論したという。ギリシアのストア哲学者エピクテトスは、「自分が持たざるものについて嘆かずに、持てるものを享受する者こそ賢者である」と述べたそうだ。至言だろう。

最後になったが、翻訳中にお送りした質問に、毎回快く丁寧に回答してくださった著者に感謝したい。また、本書に私を引き合わせ、編集の労を取ってくださった日経ＢＰの宮本沙織さん、デザイナーの三森健太さんと永井里実さん、そのほか刊行までにお世話になった多くの方々に心からお礼を申し上げる。

二〇二一年九月

柴田裕之

訳のものを使った。『自省録』は、ストア哲学の思想に関する見識で現存しているものとしては間違いなく最も優れている。Bertrand Russell の引用は、*Portraits from Memory and Other Essays* (George Allen, 1956)（『自伝的回想』中村秀吉訳、みすず書房、2002年他）所収の "How to Grow Old"（「いかに老いるべきか」）という彼の随筆より。Irvin D. Yalom の、死の不安にどう対処するかについての結論は、前述の彼の著書 *Staring at the Sun* の中で述べられている。

ミハイ・チクセントミハイの引用は、Mihaly Csikszentmihalyi and Isabella Selega Csikszentmihalyi (eds.), *Optimal Experience: Psychological Studies of Flow in Consciousness* (Cambridge University Press, 1988) 所収の "The Flow Experience and Its Significance for Human Psychology" より。ハーヴァード大学による幸福についての研究は、*Science* 誌（"A Wandering Mind Is an Unhappy Mind" by Matthew A. Killingsworth and Daniel T. Gilbert 330, no. 6006 (November 12, 2010), p. 932）で報告されている。今この瞬間を大切にするというのは、ベストセラー Eckhart Tolle, *The Power of Now* (Hodder, 1999)（『さとりを開くと人生はシンプルで楽になる』飯田史彦監修、あさりみちこ訳、徳間書店、2002年）においても中核となる教えで、同書はこうした知恵の伝統の多くを引き合いに出している。

フィロデモスの引用と、エピクロス主義とストア主義の教訓についての Pierre Hadot の考えは、Hadot の *Philosophy as a Way of Life: Spiritual Exercises from Socrates to Foucault* (translated by Michael Chase, Blackwell, 1995) より。この作品には、感謝や現在の瞬間への古代ギリシアの哲学者たちの取り組み方についての興味をそそる考察が含まれている。Robert Emmons 教授の感謝の力についての結論は、彼の著書 *Thanks! How the New Science of Gratitude Can Make You Happier* (Houghton Mifflin, 2007)（『G の法則——感謝できる人は幸せになれる』片山奈緒美訳、サンマーク出版、2008年）より。エピクテトスの引用もこの作品より。

どれにでも見られる。たとえば、*The Vanishing Face of Gaia: A Final Warning* (Basic Books, 2010) だ。Ernest Becker の引用は、やはり *The Denial of Death*（前掲『死の拒絶』）より。そして、地球上の生命に対する壊滅的な脅威についての興味をそそる考察は、前述の Martin Rees, *Our Final Century*（前掲『今世紀で人類は終わる?』）に見られる。

第10章　生命の「深淵」を覗いた男——死の必然性と知恵

本章では Penguin Classics (1999) 版の卓越した *The Epic of Gilgamesh*（『ギルガメシュ叙事詩』）を使用した。Andrew George の翻訳が素晴らしい。

テニスン、ウィリアム・マクドゥーガル（第6章でも引用）、C・D・ブロードの引用は、すでに何度も挙げてきた Corliss Lamont, *The Illusion of Immortality* より。Ernest Becker の引用は *Escape from Evil* より。Zygmunt Bauman の引用は、再び *Mortality, Immortality and Other Life Strategies* より。Sam Keen の引用は、Ernest Becker, *The Denial of Death* (Free Press)（前掲『死の拒絶』）の 1997 年版に寄せた序文より（編集部注　邦訳には未収録）。Friedrich Nietzsche がキリスト教を「奴隷の道徳」とした考察は、彼の *On the Genealogy of Morals* (first published 1887)（『道徳の系譜学』中山元訳、光文社古典新訳文庫、2009 年、他）に見られる。Camus の引用は *The Myth of Sisyphus, and Other Essays* (Hamish Hamilton, 1955)（『シーシュポスの神話』清水徹訳、新潮文庫、1969 年他）収録の "Summer in Algiers"（「アルジェの夏」）より。

Douglas Adams の引用は 5 部から成る Hitchhiker（『銀河ヒッチハイク・ガイド』）シリーズ第 3 作 *Life, the Universe and Everything* (Pan Books, 1982)（『宇宙クリケット大戦争』安原和見訳、河出文庫、2006 年、他）より。Jorge Luis Borges の短篇 "The Immortal"（「不死の人」）は、最初、1949 年に短篇集 *The Aleph*（『エル・アレフ』木村榮一訳、平凡社ライブラリー、2005 年）（Penguin Modern Classics 版の英訳あり）で発表されたが、Penguin Modern Classics の作品集 *Labyrinths: Selected Stories and Other Writings* にも収録されている。Irvin D. Yalom が経験した、生の有限性の自覚が持つ、物の見方を一変させる力についての記述は、彼の著書 *Existential Psychotherapy* (Basic Books, 1980) と *Staring at the Sun: Overcoming the Terror of Death* (Jossey Bass, 2009) に見られる。

Alan Segal の引用は、前述の彼の著書 *Life After Death* より。この作品には、近東の知恵文学についての興味をそそる考察が含まれている。アンテフ王の墳墓の引用は、前述の John H. Taylor, *Death and the Afterlife in Ancient Egypt* より。Michel de Montaigne の引用は、前述の彼の随筆 "To Philosophize Is to Learn How to Die" より。

Epicurus 自身の書いたものはほとんど残っていない。死の恐怖についての引用は、彼の "Letter to Menoeceus"（「メノイケウスへの手紙」）より。現存している彼の他の著述と同様、この手紙は簡潔で一読の価値があり、さまざまな版で見られる。本書では John Gaskin 訳の *The Epicurean Philosophers* (Everyman, 1995) を採用した。Shakespeare の引用は *Measure to Measure*（『尺には尺を』）より。Wittgenstein の引用は *Tractatus Logico Philosophicus* (Routledge, 1921)（『『論理哲学論考』対訳・注解書』木村洋平訳・注解、社会評論社、2010 年）より。

心理学者 Roy Baumeister の引用は、前述の彼の著書 *Meanings of Life* より。Marcus Aurelius の引用および彼についての言及はすべて、彼の *Meditations*（前掲『自省録』）より。この作品は多数の版が出回っている。本書では主に、Penguin Books から 1964 年に出版された Maxwell Staniforth

訳、岩波文庫、2007年、他）より。

第9章　遺伝という不滅――DNA、都市、生態系、ガイア、そして宇宙へ

アレクサンダー大王については入手可能な本が無数にあるものの、私が知っているかぎりでは、彼の母親については、書籍1冊分の分量のものは、次の作品しかない。Elizabeth Carney, *Olympias: Mother of Alexander the Great* (Routledge, 2006) だ。

Aristotleの引用は、J. A. Smith訳、*De Anima*（『魂について』中畑正志訳、京都大学学術出版会、2001年、他), book 2, chapter 4（オンラインで閲覧可能）より。Richard Dawkinsの引用は、彼の古典的著書 *The Selfish Gene*（前掲『利己的な遺伝子』）より。この作品は、遺伝子の視点からの生命観の素晴らしい入門書であり続けている。細胞と遺伝子と、人間の中でのそれらの役割についての優れた入門書が、Lewis Wolpert, *How We Live and Why We Die* (Faber, 2009) だ。

Lynn Margulisの引用はすべて、Dorion Saganとの卓越した共著 *What Is Life?* (University of California Press, 1995)（前掲『生命とはなにか――バクテリアから惑星まで』）より。エラズマス・ダーウィンの引用もこの作品から。

リュシアン・レヴィ＝ブリュルの引用は、Godfrey Lienhardtの随筆 "African Representations of Self" より。この随筆自体は、前述の論文集 Michael Carrithers, Steven Collins and Steven Lukes (eds.) *The Category of the Person*（前掲『人というカテゴリー』）より。この論文集には、伝統的な社会における集団化された自己感覚の、他の多くの例が収録されている。生物学的な不死のシナリオの優位性についてのさらなる人類学的研究としては、たとえば、Michael Kearlの著述を参照のこと。オンラインの *Encyclopedia of Death and Dying* への彼の寄稿を含め、その多くは、オンラインで閲覧可能。スキピオ家の墓碑銘は、M. L. Clarke, *The Roman Mind* (Norton, 1956) より。ユダヤ人の戦略と古代ギリシア人の戦略を対比するフランツ・ボルケナウの説明は、前述の Zygmunt Bauman, *Mortality, Immortality, and Other Life Strategies* より。それに類似した John Hickの考えは、彼の論文 "The Recreation of the Psycho-Physical Person"（前述の Paul Edwards, *Immortality* で再度発表されている）より。

ドイツのナショナリズムについての Fichteの引用は、前述の Zygmunt Bauman, *Mortality, Immortality and Other Life Strategies* より。この作品には、生物学的な不死のシナリオと集団の不死のシナリオについての洞察力のある考察が収録されている。革命における不死のシナリオについての Robert Jay Liftonの著述は、たとえば前述の Eric Olsonとの共著 *Living and Dying*（前掲『生きること死ぬこと』）に見られる。20世紀の戦争で1億7000万人が亡くなったという推定は、David Livingstone Smith, *The Most Dangerous Animal: Human Nature and the Origins of War* (St. Martin's Press, 2007) より。

Herbert Spencerは人間の超個体という概念を、彼の随筆 *The Social Organism*（1860, オンラインで閲覧可能）（『個人對國家』鈴木榮太郎訳、社會學研究會、1923年他）で提唱した。超個体についての Alison Jollyの引用は、彼女が1999年に *New Scientist* (vol. 2218) に発表した論文 "The Fifth Step" より。この引用は、彼女の著書 *Lucy's Legacy: Sex and Intelligence in Human Evolution* (Harvard University Press, 1999) に基づいている。

ガイア仮説についてのさらなる情報は、この仮説を最初に打ち出した James Lovelockの作品なら

Praeger, 1974（前掲『生きること死ぬこと』）を参照のこと）し、Corliss Lamont は不死の生物学的形態と歴史的形態を区別している（前述の *The Illusion of Immortality*）。

アキレウスとトロイア人たちの側で戦っていたある高貴な人物（サルペドン）の言葉は、もちろんすべてホメロスの『イリアス』より。本書では主に Emile Victor Rieu の訳 (Penguin Classics, 1950/2003) を拠り所としたが、たとえば Samuel Butler のもの（オンラインで閲覧可能）など、読むことができる他の多くの翻訳の一部も利用した。Rieu 訳の *The Odyssey* (Penguin Classics, 1946/1991)（『オデュッセイア』）も使った。

命よりも不滅性の維持を追い求めることについての Ernest Becker の引用は、前述の *Escape from Evil* より。Ernst Cassirer は 1944 年の自著 *An Essay on Man* で人間を象徴的な動物と評した。Gregory Nagy の引用は、Harold Bloom (ed.), *Homer's The Iliad* (Chelsea House, 1987) 所収の彼の随筆 "Poetic Visions of Immortality for the Hero" より。Leo Braudy の引用は、彼の名著 *The Frenzy of Renown: Fame and Its History* (Vintage Books, 1997) より。

Miguel de Unamuno の引用は、不死についての彼の並外れた詩的・哲学的熟考を記した *The Tragic Sense of Life*（英語版は Macmillan, 1921）より。Corliss Lamont の引用は、当然ながら *The Illusion of Immortality* より。もともとは自作の詩 "Lycidas" からのものである John Milton の引用は、David Giles, *Illusions of Immortality: A Psychology of Fame and Celebrity* (Macmillan, 2000) より。モリッシーとジェイムズ・ディーンの引用も、Giles, *Illusions of Immortality* より。その後のジャイルズの引用も、同じ作品より。ソクラテスの引用は、Benjamin Jowett 訳で、オンライン版も含めてさまざまな版で読むことができる Plato, *Symposium*（『饗宴——訳と詳解』山本巍訳、東京大学出版会、2016 年）より。

現代のテロリズムとのヘロストラトス症候群の関連性は、Albert Borowitz, *Terrorism for Self-Glorification: The Herostratos Syndrome* (Kent State University Press, 2005. Herostratos という綴りは誤植ではなく、より一般的なラテン語訳の綴りの代わりにギリシア語を音訳したもの）で詳しく探究されている。Lionel Shriver の壮大な小説 *We Need to Talk About Kevin* (Serpent's Tail, 2003)（『少年は残酷な弓を射る』光野多惠子・真喜志順子・堤理華訳、イースト・プレス、2012 年）は、いくつものテーマのうち特に、架空の高校での大虐殺の動機付けとして、有名人がもてはやされる文化が果たす役割を探究する。Zygmunt Bauman の引用は、前述の *Mortality, Immortality and Other Life Strategies* より。Jean Rostand の引用は、*Pensée d'un Biologist* (Stock, 1939) より。

アクエンアテンについての James Henry Breasted の引用は、Dominic Montserrat, *Akhenaten: History, Fantasy and Ancient Egypt* (Routledge, 2000) より。ブログについてのデータは、www.blogpulse.com より（編集部注　2012 年に運用停止）。アメリカにおけるオンラインプレゼンスの調査は、2010 年 11 月に AVG.com によって行なわれた。

自己のバンドル理論の妥当性をめぐる議論は昔からあり、少なくともデイヴィッド・ヒュームと、やはりスコットランド出身のトマス・リードまで遡る。ヒュームがこの理論を提唱し、リードがそれを批判した。この理論とその難点は、前述の Eric Olson, *What Are We?* に見事に要約されている。

子孫についての Baumeister の見解は彼の著書 *Meanings of Life* (Guilford Press, 1991) より。Marcus Aurelius の引用は、さまざまな版で読むことができる彼の著書 *Meditations*（『自省録』神谷美恵子前述の Jessie Bering, *The God Instinct* に見られる。科学の証拠についてのその後の引用も、同書より。聖職者ジョーゼフ・グランヴィルへの言及は、Shane McCorristine, *Spectres of the Self: Thinking About Ghosts and Ghost-Seeing in England, 1750–1920* (Cambridge University Press, 2010) より。亡霊についての Deepak Chopra の見解は、彼の *Life After Death* (Rider, 2008)（『ライフ・アフター・デス――死後の世界と魂の奇跡』住友進訳、サンガ、2008 年）と、前述の James L. Garlow, *Heaven and the Afterlife* より。

前述の Martin と Barresi の *The Rise and Fall of Soul and Self* は、西洋の伝統における霊魂信仰の起源と発達の優れた説明を提供してくれる。体外離脱体験と臨死体験についての 2 つの見方は、Susan Blackmore, *Dying to Live: Near-Death Experiences* (Prometheus, 1993) と Sam Parnia, *What Happens When We Die* (Hay House, 2005)（『科学は臨死体験をどこまで説明できるか』小沢元彦訳、三交社、2006 年）に見られる。前述の John Gray, *The Immortalization Commission* は、心霊現象研究協会の初期についての優れた説明を提供してくれる。

Voltaire の引用は、前述の選集 Paul Edwards (ed.), *Immortality* に収録された "The Soul, Identity and Immortality" より。フィニアス・ゲイジの話は、心を生み出す上で脳と身体全体が果たす役割についての Antonio Damasio の卓越した作品 *Descartes' Error*（前掲『デカルトの誤り』）でとりわけよく語られている。空腹についての引用も、この作品より。ダマシオは、前述の The Dalai Lama, *Consciousness at the Crossroads* でのダライ・ラマとの会話にも登場する。心に対する脳損傷の影響のわかりやすい説明は、他にも多く読むことができる。たとえば、Oliver Sacks の作品だ。

Catholic Encyclopedia（『カトリック百科事典』）はオンラインで読むことができる。トマス・ジェファーソンの引用は、Thomas W. Clark, *Encountering Naturalism: A Worldview and Its Uses* (Center for Naturalism, 2007) より。Jesse Bering の引用は、前述の彼の *The God Instinct* より。

心と身体の関係は、多くの作品が論じている。たとえば、前述の Corliss Lamont の本や Anthony Flew, *The Logic of Mortality* (Blackwell, 1987) 、Paul Edwards (ed.) の選集 *Immortality* (Prometheus, 1997) 所収の多くの随筆、Richard Swinburne, *The Evolution of the Soul* (Clarendon Press, 1997) だ。無意識の霊魂説の擁護者にとっての問題は古くからあり、たとえば Eric T. Olson, *What Are We? A Study in Personal Ontology* (Oxford University Press, 2007) で巧みに語られている。Qur'an（クルアーン）の引用は M. A. S. Abdel Haleem の訳 (Oxford University Press, 2004) より。

第 8 章　不朽の名声――「心の中で生き続ける」の不死性と欺瞞

アレクサンダー大王の生涯については、彼を褒め称える Robin Lane Fox, *Alexander the Great* (Penguin, 1974 — Oliver Stone 監督の伝記映画 Alexander のインスピレーションのもと)（『アレクサンドロス大王』森夏樹訳、青土社、2001 年）から、はなはだ批判的な John Prevas, *Envy of the Gods: Alexander the Great's Ill-Fated Journey Across Asia* (Da Capo Press, 2004) まで、多くの著述を読むことができる。そこに最近加わったのが、偏りのない Paul Cartledge, *Alexander the Great: The Hunt for a New Past* (Macmillan, 2004) だ。

「遺産のシナリオ」の生物学的形態と文化的形態の間のものに似た区別を、さまざまな書き手がしてきた。たとえば、Robert Jay Lifton は、生物学的（あるいは、ときによっては「生物社会的」）なモードについて、文化的なモードと比較して語っている (Jay Olson との共著 *Living and Dying,*

An Introduction to Medieval and Renaissance Literature (Cambridge University Press, 1964)（『廃棄された宇宙像——中世・ルネッサンスへのプロレゴーメナ』山形和美監訳、小野功生・永田康昭訳、八坂書房、2003 年）より。天国についての Joseph Ratzinger (Pope Benedict XVI) の見解は、彼の著書 *Eschatology: Death and Eternal Life* (The Catholic University of America Press, 2007) に見られる。
死後の生に関するイスラム教の見解のさらなる詳細は、前述の Nerina Rustomji, *The Garden and the Fire* に見られる。楽園の乙女たちについては、クルアーンの、たとえば第 55 章 46 〜 78 節で言及されているが、72 人いるという考え方は記されておらず、多くの注釈の伝承の 1 つによる。
イヌイット族の天国についての Élie Reclus の話は、彼の著書 *Primitive Folk*（1885, 再刊行は Kessinger Publishing, 2006）より。また、Corliss Lamont によって前述の *The Illusion of Immortality* にも引用されている。天国の概念に対するアメリカの南北戦争の影響の説明は、Rebecca Price Janney, *Who Goes There? A Cultural History of Heaven and Hell* (Moody Publishers, 2009) に見られる。天国についての James L. Garlow 牧師の見解は、彼と Keith Wall の共著 *Heaven and the Afterlife* (Bethany House Publishers, 2009) より。引用した、死後の生についての現代の手引きは、Bryan McAnally, *Life After Death & Heaven and Hell* (Guidepost Books, 2009) 。
神学者 Paul Tillich の引用は、*The Eternal Now* (Prentice Hall, 1963)（『永遠の今』茂洋訳、新教社出版、1986 年）より。

第7章　「生まれ変わり」と「科学」——霊魂の消失

The Dalai Lama は自らの話を、興味をそそる作品 *Freedom in Exile: The Autobiography of the Dalai Lama of Tibet* (Abacus, 1998)（『ダライ・ラマ自伝』山際素男訳、文春文庫、2001 年他）で語っている。彼がどのようにして見出されたかについての詳細はさまざまだが、他の多数の伝記も語り直している。仏教とヒンドゥー教の思想についての入門書は、多く出版されていて、Klaus Klostermaier のものが優れている。本書では主に、W. J. Johnson 訳の *Bhagavad Gita* (Oxford World's Classics, 1994)（『バガヴァッド・ギーター』）を拠り所とした。身体的死を生き延びる何か霊的なものの性質についての The Dalai Lama の見解は、1989 年の神経科学者たちとの会話をまとめた興味をそそる作品 *Consciousness at the Crossroads: Conversations with the Dalai Lama on Brain Science and Buddhism* (Snow Lion Publications, 1999) より。
古代エジプトの 42 種の罪は、いわゆる『死者の書』の 1 つである *Papyrus of Ani*（アニのパピルス）に見られ、さまざまな版で読むことができる。William McDougall の引用は、彼の *Modern Materialism and Emergent Evolution* (Methuen, 1934) より。また、前述の Corliss Lamont, *The Illusion of Immortality* でも引用されている。不死は、それがなければ正義がないだろうから、あるに違いないという主張の、現代の重要な例は、哲学者 Mark Johnston の著書 *Surviving Death* (Princeton University Press, 2010) に見られる。
現代の西洋の哲学は、生まれ変わりという信念にほとんど取り組んでこなかったが、重要な例外が、Paul Edwards, *Reincarnation: A Critical Examination* (Prometheus Books, 1996)（『輪廻体験——神話の検証』皆神龍太郎監修、福岡洋一訳、太田出版、2000 年）だ。
アメリカとイギリスで亡霊を信じる人の割合は、それぞれ 2009 年の Harris Poll と、2007 年の Ipsos Mori poll より。私たちが亡霊を目にする原因となる認知の仕組みについての最近の研究は、ングが実現するという Ian Pearson の予測は、2005 年 5 月 22 日の *Observer* 紙より。マインドアップローディングの主唱者の 1 人がロボット研究家で未来学者の Hans Morave で、たとえば *Mind Children: The Future of Robot and Human Intelligence* (Harvard University Press, 1988) を参照のこと。Frank Tipler は並外れた自説を *The Physics of Christianity* (Doubleday, 2007) と *The Physics of Immortality: Modern Cosmology, God and the Resurrection of the Dead* (Doubleday, 1994) で詳述している。
私たちは自分の心理の複製を通して生き永らえることができる（したがって、マインドアップローディングのようなものを生き延びることができるだろう）という見方への反対論には長い歴史がある。最近では、Bernard Williams によって、彼の著書 *Problems of the Self* (Cambridge University Press, 1973) で明確に述べられている。だが、その見方を擁護する非常に影響力の大きい主張が、最近 Derek Parfit によって、*Reasons and Persons* (Oxford University Press, 1984)（『理由と人格――非人格性の倫理へ』森村進訳、勁草書房、1998年）の中で示され、その後この見方は盛んになった。ところが、現在は再び地歩を失いつつある。それは主に、「人間動物説」として知られる哲学的立場からの主張に直面したからだ。この説の独創性に富んだ書物が、Eric Olson, *The Human Animal* (Oxford University Press, 1997) だ。蘇りに向けて安全に維持するために神が身体を奪うと主張した哲学者は Peter van Inwagen で、この主張は前述の彼の論文 "The Possibility of Resurrection" に見られる。

第6章　ベアトリーチェの微笑み――天国・楽園をめぐる問題点

最初の項の引用はすべて、主にベアトリーチェへの心酔に捧げた、初期の詩と散文の集成である Dante, *Vita Nuova* ("New Life"。初版は 1295 年。多くの版やオンラインで閲覧可能）（『新生』平川祐弘訳、河出文庫、2015 年、他）より。Dante, *Divine Comedy*（『神曲』原基晶訳、講談社学術文庫、2014 年、他）もさまざまな版で読むことができる。本書では主に、Charles H. Sisson 訳の、Oxford World's Classics の 1993 年版を使った。

霊魂についてのプラトンの見解をキリスト教がどのように採用したかの優れた説明は、前述の Alan Segal, *Life After Death* と、Raymond Martin and John Barresi, *The Rise and Fall of Soul and Self* (Columbia University Press, 2006) に見られる。霊魂の概念が西洋文明の思考様式を形作っていることについての引用は後者より。天国における女性の身体の役割についてのアウグスティヌスの見解は、Colleen McDannell と Bernhard Lang の卓越した著書 *Heaven: A History* (Yale Nota Bene, 1988)（『天国の歴史』大熊昭信訳、大修館書店、1993 年）より。

キリスト教についての Ernest Becker の引用は、やはり *The Denial of Death*（前掲『死の拒絶』）より。個人主義の発達におけるキリスト教の役割についての Louis Dumont の説明は、Michael Carrithers, Steven Collins and Steven Lukes (eds.), *The Category of the Person: Anthropology, Philosophy, History* (Cambridge University Press, 1985)（『人というカテゴリー』厚東洋輔・中島道男・中村牧子訳、紀伊國屋書店、1995 年）所収の彼の小論 "The Christian Beginnings of Modern Individualism" より。

ダンテの焦げた顎髭についてのボッカッチョの話は、Lisa Miller, *Heaven: Our Enduring Fascination with the Afterlife* (Harper, 2010) から借用した。ガリレオに対する判決の引用は、Maurice A. Finocchiaro による編訳の *The Galileo Affair: A Documentary History* (University of California Press, 1989) より。

私たち現代人が天上の虚空を見詰めているという C. S. Lewis の想像は、彼の *The Discarded Image:*

2011) だ。人格の同一性と死後の生に特に関連が深い随筆は、前述の Paul Edwards の選集 *Immortality* に見られる。この選集には、Peter van Inwagen による重要な論文 "The Possibility of Resurrection"（最初に発表されたのは、*International Journal for the Philosophy of Religion* 9 [1978] 114–21）が収録されており、本書ではその論文から、同一人物の子供のバージョンと大人のバージョンの両方を蘇らせるという問題を紹介した。

第5章　フランケンシュタイン——現代の蘇生者

Mary Shelley が *Frankenstein*（『フランケンシュタイン』芹澤恵訳、新潮文庫、2014 年、他）を初めて刊行したのは 1818 年で、その後、1831 年に改訂版を出している。現代の版のほとんどは 1831 年の版を採用している（本書でもそこから引用した）が、Penguin Classics のもののような優れた版は、改訂箇所も列挙しているので、文章がどのように変わったかを見ることができる。何にインスピレーションを得てこの物語を書いたかは、改訂版の序に記されている。言及されている彼女の他の短篇（"Roger Dodsworth: The Reanimated Englishman" と "The Mortal Immortal"）は共に、オンラインで無料で閲覧可能。第一子を失ったことについての日記の記述は、Anne K. Mellor, *Mary Shelley: Her Life, Her Fiction, Her Monsters* (Routledge, 1988) より。この作品は、*Frankenstein* に見られる、科学の論考に対する男女同権論の立場からの批判を巧みに要約する、独創的な分析だ。

ジョヴァンニ・アルディーニによるガルヴァーニ電気の実験の説明は、ロマン主義時代の科学と人物についての、興味をそそる入門書である、Richard Holmes, *The Age of Wonder* (Harper, 2008) に見られる。前述の David Boyd Haycock, *Mortal Coil* でも語り直されている。デカルトとベーコンの引用は共に、前述の Gerald Gruman, *A History of Ideas About the Prolongation of Life* より。ニューイングランドの民間伝承の話は、Stuart Alve Olson, *The Jade Emperor's Mind Seal Classic* (Inner Traditions, 2003) より。

Zygmunt Bauman の引用は、前述の *Mortality, Immortality and Other Life Strategies* より。この作品は、近代性の本質としての、自然の征服への衝動の、素晴らしい説明をしている。Braden R. Allenby と Daniel Sarewitz の引用は、彼らの著書 *The Techno-Human Condition* (MIT Press, 2011) より。啓蒙主義がキリスト教の終末論思想の非宗教版を提供したという主張を最初に行なったのが、Carl L. Becker, *The Heavenly City of the Eighteenth Century Philosophers* (Yale University Press, 1933)（『一八世紀哲学者の楽園』小林章夫訳、上智大学出版、2006 年）だ。その後この主張は、歴史家の David F. Noble によって彼の著書 *The Religion of Technology* (Penguin, 1997) で練り上げられ、John Gray の *Black Mass: Apocalyptic Religion and the Death of Utopia* (Penguin, 2007)（『ユートピア政治の終焉——グローバル・デモクラシーという神話』松野弘監訳、岩波書店、2011 年）と *The Immortalization Commission: Science and the Strange Quest to Cheat Death* (Allen Lane, 2011) で見事に探究されている。

人体冷凍保存やマインドアップローディングについてさらに知りたい方は、インターネットで検索するのが最善だ。本書の印刷時には、人体冷凍保存のための団体であるアルコー延命財団が、人間の冷凍保存の科学と哲学についての情報を集めた有用なオンライン・ライブラリーを開設している（www.alcor.org）。人体冷凍保存の動きの発端となったと考えられている本が、Robert C. W. Ettinger, *The Prospect of Immortality* (Doubleday, 1964) だ。2050 年までにマインドアップローディ

bridge University Press, 2003) が挙げられる。パウロのユダヤ教と、彼の神学にとってのユダヤ教の意味合いを詳しく調べたのが、W. D. Davies, *Paul and Rabbinic Judaism* (SPCK Publishing, 1948) と、より新しい Alan F. Segal, *Paul the Convert: The Apostolate and Apostasy of Saul the Pharisee* (Yale University Press, 1990) であり、キリスト教への彼の影響をわかりやすく熟考したのが、A. N. Wilson, *Paul: The Mind of the Apostle* (W. W. Norton, 1998) と Tom Wright, *What Saint Paul Really Said* (Lion Hudson, 2003)（『使徒パウロは何を語ったのか』岩上敬人訳、いのちのことば社、2017 年）だ。

Karen Armstrong の引用は、*A Short History of Myth* (Cannongate, 2005)（『神話がわたしたちに語ること』武舎るみ訳、角川書店、2005 年）より。本書で触れた諸側面も含めた、儀礼の性質についての優れた入門書が、Catherine Bell, *Ritual: Perspectives and Dimensions* (Oxford University Press, 1997)（『儀礼学概論』木村敏明・早川敦訳、仏教出版、2017 年）だ。「死後の生」という信念の古代世界における発達の壮大な説明は、Alan F. Segal, *Life After Death: A History of the Afterlife in Western Religion* (Doubleday Religion, 2004) に見られる。「死んで蘇る神」についての学術的思考の在り方の概観は、Tryggve N. D. Mettinger, *The Riddle of Resurrection: "Dying and Rising Gods" in the Ancient Near East* (Almqvist & Wiksell, 2001) に見られる。

Martin Luther の引用は、前述の Corliss Lamont, *The Illusion of Immortality* より。Sigmund Freud の引用は、*The Future of an Illusion* (Penguin, 1927) より。Sir James Frazer, *The Golden Bough: A Study in Magic and Religion*（『金枝篇――呪術と宗教の研究』石塚正英監修、神成利男訳、国書刊行会、2004 年、他）は、初版が 1890 年に刊行され、現在、さまざまな版で読むことができる。

Oscar Cullmann によるソクラテスとイエス・キリストの死の比較と、その後の見識ある考察は、彼の *Immortality of the Soul or Resurrection of the Dead?* (The Epworth Press, 1958)（『霊魂の不滅か死者の復活か――新約聖書の証言から』岸千年・間垣洋助訳、日本キリスト教団出版局、2017 年、他）に見られる。*Catholic Encyclopedia* (original version from 1914) は、さまざまな版やオンラインで読むことができる。イスラム教における死後の生の Nerina Rustomji による分析は、*The Garden and the Fire: Heaven and Hell in Islamic Culture* (Columbia University Press, 2009) として刊行されている。

Jon Levenson の引用は、*Resurrection and the Restoration of Israel: The Ultimate Victory of the God of Life* (Yale University Press, 2006) より。

蘇りについての Diarmaid MacCulloch の考察は、彼の超大作 *A History of Christianity* (Allen Lane, 2009) より。ガリアにおける古代ローマによるキリスト教徒の迫害についての報告は、オランダの宗教史家 Jan N. Bremmer が示唆に富む随筆集 *The Rise and Fall of the Afterlife* (Routledge, 2002) で記述した、リヨンの教会からヴィエンヌの教会への手紙より。初期の教会における蘇りの概念についての非常に興味深い著述が、Caroline W. Bynum, *The Resurrection of the Body in Western Christianity: 200–1336* (Columbia University Press, 1995) だ。私たちが自分の原子の 98 パーセントを毎年取り換えるという推定は、Lynn Margulis and Dorion Sagan, *What Is Life?* (University of California Press, 1995)（『生命とはなにか――バクテリアから惑星まで』池田信夫訳、せりか書房、1998 年）より。人間あるいは人格とはどのような種類のものか（たとえば、身体か、あるいは霊魂か）や、身体的死を生き延びられるかを問うのが、「人格の同一性」という哲学の領域だ。専門的な考察への優れた入門書が、Harold Noonan, *Personal Identity* (Routledge, 2003) で、一方、それほど専門的ではないが、卓越した探究の書が、Julian Baggini, *The Ego Trick: What Does It Mean to Be You?* (Granta,

寿命の劇的な延長を図ることに専心する組織であるImmortality Instituteも、不死を目指す人々（カーツワイルとデグレイを含む）の科学と哲学についての、*The Scientific Conquest of Death: Essays on Infinite Lifespans* (Libros en Red, 2004) という論文集を刊行している。本書が印刷に回された時点では、この論文集は、imminst.org/bookからも無料でダウンロードすることができた。

寿命の劇的な延長の哲学的な擁護は、John Harrisの著述、たとえば*Enhancing Evolution: The Ethical Case for Making People Better* (Princeton University Press, 2007) の中で提示されている。一方、そのような試みに真っ向から反対する人々の代表がFrancis Fukuyamaで、その主張は彼の著書*Our Posthuman Future: Consequences of the Biotechnology Revolution* (Profile Books, 2002)（『人間の終わり——バイオテクノロジーはなぜ危険か』鈴木淑美訳、ダイヤモンド社、2002年）に見られる。

前述のBryan Appleyard, *How to Live Forever or Die Trying* とJonathan Weiner, *Long for this World: The Strange Science of Immortality* (HarperCollins, 2010)（『寿命1000年——長命科学の最先端』鍛原多惠子訳、早川書房、2012年）は共に、現代における寿命延長の動きの目的と主要人物を取り上げた、（いくぶん懐疑的な）非専門家による優れた説明を提供してくれる。

先進国の人々の延びた寿命のうち、平均して4分の1の期間しか健康に過ごすことができないという主張の出典は、生物学者のGuy Brownの“The Bitter End”（*New Scientist*, 13 October 2007）で、彼はここで「ティトノス問題」についても論じている。彼の著書*The Living End* (Palgrave Macmillan, 2007) には、生、死、老化、不死の科学の卓越した概観が記されている。

人口統計学者のS. Jay OlshanskyとBruce A. Carnesは、彼らの著書*The Quest for Immortality: Science at the Frontiers of Aging* (W. W. Norton, 2001)（『長生きするヒトはどこが違うか？——不老と遺伝子のサイエンス』越智道雄訳、春秋社、2002年）で、すでに80歳の人にさらに80年の寿命を追加することは、赤ん坊の人生に寿命を追加するよりもはるかに難しい課題であることを指摘している。また彼らは、Christine Casselと共に、癌を治しても3年しか寿命は延びず、そして癌と心疾患と脳卒中を治してもわずか15年しか寿命が延びないという計算を行なった（“In search of Methuselah: Estimating the Upper Limits to Human Longevity” *Science*, Vol 250 (4981), 1990）。Steven N. Austad教授が計算し、医学的不死者の平均寿命として挙げた数字は、彼との私信より。彼の著書*Why We Age* (John Wiley & Sons, 1997)（『老化はなぜ起こるか——コウモリは老化が遅く、クジラはガンになりにくい』吉田利子訳、草思社、1999年）は、老化の過程についての非常に優れた入門書であり、老化を完全に克服する可能性が低い理由も述べている。

イギリスの元王室天文官で王立協会元会長のMartin Reesは、私たちの種が破綻を迎えるさまざまな道筋の恐ろしい説明を記している。*Our Final Century: Will the Human Race Survive the Twenty-first Century?* (Heinemann, 2003)（『今世紀で人類は終わる？』堀千恵子訳、草思社、2007年）。

第4章　イエス・キリストの復活と食人——蘇りの台頭

聖パウロの生涯と業績については、何千もの研究を参照できる。そのうちでも優れた2冊の短い入門書が、Edward Stourton, *In the Footsteps of St. Paul* (Hodder & Stoughton, 2004) とE. P. Sanders, *Paul: A Very Short Introduction* (Oxford University Press, 2001) だ。際立って有用な2冊の学術的入門書としては、Wayne A. Meeks and John T. Fitzgerald (eds.), *The Writings of St. Paul: A Norton Critical Edition* (W. W. Norton, 2007) とJames D. G. Dunn (ed.), *The Cambridge Companion to St. Paul* (Cam-

1922年の戯曲 *The Makropulos Affair*（「マクロプロス事件」）は、*Toward the Radical Center: A Karel Čapek Reader* (Catbird Press, 1990) という作品集で、英語で読める。不死の望ましさに関する示唆に富んだ考察は、死の哲学についての次の2冊の短い入門書に見られる。Geoffrey Scarre, *Death* (Acumen, 2007) と Todd May, *Death* (Acumen, 2009) だ。また、それより若干専門的な Steven Luper, *The Philosophy of Death* (Cambridge University Press, 2009) にも見られる。

第3章　科学vs死神——ノーベル賞学者を虜にした不老不死のビタミン療法

ライナス・ポーリングについては、さまざまな伝記が出ている。Ted Goertzel and Ben Goertzel, *Linus Pauling: A Life in Science and Politics* (Basic Books, 1995)（『ポーリングの生涯——化学結合・平和運動・ビタミンC』石館康平訳、朝日新聞社、1999年）は、著者の1人で認知科学者のベン・ゲーツェルがその後、不死を追求する私たちの未来の、主要な予言者となった点で興味深い。Thomas Hager, *Force of Nature: The Life of Linus Pauling* (Simon & Schuster, 1995) はより総合的で、依然として入手可能だ。だが、興味を持たれた読者は、ポーリング自身の著述に目を向けてもよいかもしれない。たとえば彼の、*How to Live Longer and Feel Better* (Avon Books, 1986)（『ポーリング博士のビタミンC健康法』村田晃訳、平凡社ライブラリー、1995年）は、ビタミンの重要性に関する彼の見方についての優れた入門書だ。一方、Barbara Marinacci (ed.), *Linus Pauling in His Own Words: Selections from His Writings, Speeches and Interviews* (Touchstone, 1995) には、科学と政治と医学についての論文の抜粋が収録されている。

医学に関する古代エジプトのパピルス文書は、ドイツのライプツィヒ大学の *Ebers Papyrus*（エーベルス・パピルス）から言及した。分子間の関係としての生命についての Linus Pauling の引用は、前述の Thomas Hager 著の伝記より。Nicolas de Condorcet の引用は、進歩の概念についての彼の古典的専門書 *Outlines of an Historical View of the Progress of the Human Mind*（1795, さまざまな版があり、オンラインでも閲覧可能）より。「医療化」の普及についての Ivan Illich の先駆的な説明は、彼の著書 *Limits to Medicine: Medical Nemesis: The Expropriation of Health* (Pelican Books, 1975)（『脱病院化社会——医療の限界』金子嗣郎訳、晶文社クラシックス、1998年）に見られる。Zygmunt Bauman の引用は、前述の彼の *Mortality, Immortality and Other Life Strategies* より。

医学的不死を求める人々の典型的な代表が老年学者の Aubrey de Grey で、彼の著書 *Ending Aging: The Rejuvenation Breakthroughs that Could Reverse Human Aging in Our Lifetime* (St. Martin's Griffin, 2008, written with his assistant Michael Rae)（『老化を止める7つの科学——エンド・エイジング宣言』高橋則明訳、日本放送出版協会、2008年）は、老化を克服するための彼の「工学アプローチ」を詳述している。やはり熱心に不死を目指し、読みやすい著述を発表しているのが Ray Kurzweil で、それはこのテーマについての、彼の多くの書籍や記事を見るとよくわかる。なかでも特筆に値するのが、*Fantastic Voyage: Living Long Enough to Live Forever* (with Terry Grossman, Rodale, 2004), *Transcend: Nine Steps to Living Well Forever* (also with Terry Grossman, Rodale, 2009) と *The Singularity Is Near: When Humans Transcend Biology* (Viking, 2005)（邦訳は、2007年刊の『ポスト・ヒューマン誕生——コンピュータが人類の知性を超えるとき』と、2016年刊のエッセンス版『シンギュラリティは近い——人類が生命を超越するとき』がある。どちらも井上健監訳、小野木明恵・野中香方子・福田実訳、NHK出版）だ。

第2章　「万里の長城」の究極目標——文明と不老不死の霊薬

始皇帝の入門的な伝記はいくつか手に入るが、最も優れているのが、Jonathan Clements, *The First Emperor of China* (Sutton Publishing, 2006) だ。だがそれらの伝記はおおむね、始皇帝の生涯についての唯一の信頼できる史料、すなわち、紀元前2世紀に書かれた、漢の宮廷の歴史家、司馬遷による『史記』に語られた話を、多少膨らませて語り直しているにすぎない。『史記』のうち、始皇帝に関連した部分は、Raymond Dawson の訳で、*The First Emperor: Selections from the Historical Records* (Oxford University Press, 2007) という題の、素晴らしい Oxford Classics 版に収録されて出版されている。Zhang Yimou 監督の 2002 年の美しい映画 *Hero*（『英雄（HERO）』）は、始皇帝の暗殺未遂を様式的に語り直した作品だ。

万里の長城と焚書についての Borges の引用は、1961 年に彼の作品集 *Antología Personal* (translated by Gaither Stewart。オンラインで閲覧可能）で最初に発表された短い随筆 "The Wall and the Books" より。

徐福と仙太郎についての日本のお伽話は、たいていは "The Story of the Man Who Did Not Wish to Die"（「死にたがらなかった男の物語」）として知られており、たとえば、Yei Theodora Ozaki, *Japanese Fairy Tales* (1908) など、多数の作品集で読むことができる。古風であるにせよ、やはり娯楽性に富んだ、中国と日本の民話の資料が、Donald MacKenzie, *China and Japan: Myths and Legends* (Senate, 1923) で、霊薬や不死の島の話が多数収録されている。

Arthur C. Clarke の引用は、*Profiles of the Future* (Phoenix, 1961)（『未来のプロフィル』福島正実・川村哲郎訳、ハヤカワ文庫 NF、1980 年）より。

言及されている古代エジプトの霊薬の製法は、ニューヨーク医学会所有の *Edwin Smith Papyrus*（エドウィン・スミス・パピルス）より。中国の薬草であるレンゲソウの使用についての現代の研究は、2008 年 11 月 13 日に *New Scientist* ("'Elixir of Youth' Drug Could Fight HIV and Ageing" by Linda Geddes) に報告された。

Gerald Gruman の引用は、彼の 1965 年の卓越した研究書 *A History of Ideas About the Prolongation of Life* (The International Longevity Center から再刊行) より。錬金術についての Roger Bacon の引用も、この本から取った（出典は Bacon の *Opus Majus*, translated by Robert Belle Burke, Russell & Russell, 1928、第 6 部)。Gruman の本は、1800 年まで取り上げている。David Boyd Haycock, *Mortal Coil: A Short History of Living Longer* (Yale University Press, 2008) は、18 世紀から今日までの範囲で寿命の延長の話を語っている。シュタイナッハ手術の詳細と、この手術に関連した引用は、この作品より。

言及されているヨーグルトのコマーシャルは、1973 年から 1978 年にかけて行なわれ、賞を取ったダノンヨーグルトの「ソ連、グルジアにて」のキャンペーン。

道教の入門書は数え切れぬほど出回っている。特に魅力的なのが、John Blofeld, *Taoism: The Quest for Immortality* (Unwin, 1979) だ。ただし、いくぶん古風だが。不死についての道教の文書も、多数の英訳が手に入る。たとえば、Stuart Alve Olson 編の *The Jade Emperor's Mind Seal Classic: The Taoist Guide to Health, Longevity, and Immortality* (Inner Traditions, 2003) だ。老子の *Tao Te Ching*（『道徳経』）も翻訳が広く手に入る。

Susan Ertz の引用は、彼女の小説 *Anger in the Sky* (Harper and Broso, 1943) より。Karel Čapek の

年 他)。James Chisholm の 引 用 は、*Death, Hope and Sex: Steps to an Evolutionary Ecology of Mind and Morality* (Cambridge University Press, 1999) より。生への意志についての Arthur Schopenhauer の説は、彼の超大作 *The World as Will and Representation*（さまざまな版が出回っている。初版は 1818 年)(『意志と表象としての世界』西尾幹二訳、中公クラシックス、2004 年、他）に見られる。オランダの哲学者 Baruch Spinoza も、生の本質は無期限に「自らのままで存続する」ことであるという考えを（彼の大作 *Ethics*（『エチカ——倫理学』畠中尚志訳、岩波文庫、1951 年、他）の中で）1676 年に表明している。

聖書から引用するときには、*The New Revised Standard Version* (Anglicised Edition) (1995) と *Authorised King James Version with Apocrypha* (Oxford University Press, 1997) の両方を使った。

「死に向かう存在」についての Martin Heidegger の考えは、*Being and Time* (English edition: Blackwell, 1962)(『存在と時間』細谷貞雄訳、ちくま学芸文庫、1994 年、他）に見られる。Jorge Luis Borges の引用は、1949 年に彼の作品集 *The Aleph*（英語版は Penguin Modern Classics edition がある）(『ボルヘスとわたし——自撰短篇集』牛島信明訳、ちくま文庫、2003 年）で最初に発表された短篇 "The Immortal" より。死についての Michel de Montaigne の考えは、彼の随筆 "To Philosophise is to Learn How to Die"（初版刊行は 1580 年，英語版は Penguin Books, translated by M. A. Screech がある）より。

存在していないところを想像することが不可能である点についての Freud の見解は、彼の随筆 "Thoughts for the Times on War and Death"（1915, たとえば *Civilization, Society and Religion*, Penguin, 1991 に収録されている）より。Edward Young の引用は、彼の詩 "Night Thoughts" (1742–1745) より。Jessie Bering は、不死の信念を支える認知の仕組みの研究を、自著 *The God Instinct: The Psychology of Souls, Destiny and the Meaning of Life* (Nicholas Brealey, 2010) で報告している。

スペイン出身のアメリカの哲学者 George Santayana の引用は、*Reason in Religion*（初版は 1905 年、2009 年に Bibliobazaar から再刊行され、オンラインで閲覧可能）より。自分自身の死に関する一人称の視点と三人称の視点との違いについての考察は、哲学者 Thomas Nagel の *The View from Nowhere* (Oxford University Press, 1986)（『どこでもないところからの眺め』中村昇・山田雅大・岡山敬二・齋藤宜之・新海太郎・鈴木保早訳、春秋社、2009 年）の "Death" の章も参照のこと。

フロイトの門下生 Otto Rank は、人間の文化を理解する上でこれが重要でありうるという考えを練り上げるのに最も貢献した。特に、*Psychology and the Soul*（初版はドイツで 1930 年。英語版は Johns Hopkins University Press, 1998）の中で。後に Rank の作品に刺激を受けて人類学者 Ernest Becker が書いたのが、ピュリッツァー賞受賞作の *The Denial of Death* (Free Press, 1973)(『死の拒絶』今防人訳、平凡社、1989 年）と、文明を一連の「不死の事業」として描く *Escape from Evil* (Free Press, 1975) だった。そして、その Becker に刺激されて、Sheldon Solomon と Jeff Greenberg と Tom Pyszczynski は、死の必然性の自覚が他の信念に与える影響の研究を行なった。たとえば 3 人の論文 "Tales from the Crypt: On the Role of Death in Life"（初出は *Zygon* 33, no. 1 [March 1998]。オンラインで閲覧可能）を参照のこと。引用もこの論文より。

Bryan Appleyard の引用は、医学的不死の現代における探究の、彼による娯楽性に富んだ著述である、*How to Live Forever or Die Trying* (Simon & Schuster, 2007) より。

■注と推薦図書

本項では、本文中で引用した文献に加えて、さらに詳しく知りたい読者の役に立ちそうな文献を紹介する。私は研究中、本書のために直接、そしてそれ以前にも、これよりはるかに多くの文献の影響を受けた。その著者や執筆者に感謝するとともに、ここに挙げなかったことをお詫びする。

第1章　美女、来る――「不死」に向かって伸びる四つの道

ネフェルティティについての、人気が高い最高の入門書は、Joyce Tyldesley, *Nefertiti: Egypt's Sun Queen* (Penguin, 2005) だ。アクエンアテン（アメンホテプ四世）の生涯と時代については、多数の優れた著述がある。Nicholas Reeves, *Akhenaten: Egypt's False Prophet* (Thames & Hudson, 2001) は、手厳しいところがあるにせよ、十分に図解がなされており、読みやすい。ネフェルティティとアクエンアテンのどちらの生涯についても娯楽性に富んだ虚構の著述が多数あり、その中にはノーベル文学賞受賞者の作品も含まれる（Naguib Mahfouz, *Akhenaten: Dweller in Truth*, Bantam Doubleday, 2000).

John H. Taylor, *Death and the Afterlife in Ancient Egypt* (British Museum Press, 2001) は、ミイラ関連のあらゆる事柄についての総合的な手引き書だ。アクエンアテンの専門家による作品、Barry Kemp, *How to Read the "Egyptian Book of the Dead"* (Granta, 2007) は、死後の生についての古代エジプトの信仰への、短くも見事な手引き書だ。一方、『死者の書』そのものは、多くの言語に翻訳されている。アクエンアテンが旧約聖書のモーセと関連があったという、興味をそそる考えは、Sigmund Freud, *Moses and Monotheism* (Vintage, 1939) で示され、偉大なエジプト学者 Jan Assmann が *Moses the Egyptian: The Memory of Egypt in Western Monotheism* (Harvard University Press, 1997)（『エジプト人モーセ――ある記憶痕跡の解読』安川晴基訳、藤原書店、2016年）で論じている。

4つの不死のシナリオという枠組みは、私独自のものだ。それに代わる分類は、Paul Edwards が編んだ非常に有用な選集 *Immortality* (Prometheus Books, 1997) の序や、Corliss Lamont のやはり卓越した専門書 *The Illusion of Immortality* (Continuum, 1935)（本書の中でこの作品は頻繁に引用した）や、Robert Jay Lifton の作品、たとえば、Eric Olson との共著 *Living and Dying* (Praeger, 1974)（『生きること死ぬこと』中山善之訳、金沢文庫、1975年）に見られる。

Zygmunt Bauman の引用は、彼の *Mortality, Immortality and Other Life Strategies* (Polity, 1992) という興味をそそる本からで、本書ではこの作品から頻繁に引用した。Robert Jay Lifton の2つの引用は、*The Future of Immortality and Other Essays for a Nuclear Age* (Basic Books, 1987) より。

Richard Dawkins の引用は、*The Selfish Gene* (Oxford University Press, 1976)（『利己的な遺伝子』日髙敏隆・岸由二・羽田節子・垂水雄二訳、紀伊國屋書店、2018年他）より。Raymond D. Gastil の引用は、彼の記事 "Immortality Revisited," *Futures Research Quarterly* 9, no. 3 (1993) より。Antonio Damasio が情動を生存目的と結びつけている作品の例は、彼の著書 *Descartes' Error* (Grosset Putnam, 1994)（『デカルトの誤り――情動、理性、人間の脳』田中三彦訳、ちくま学芸文庫、2010

わ

や

ら

ま

は

な

た

さ

か

索　引

あ

[著者]

スティーヴン・ケイヴ Stephen Cave

哲学博士。ケンブリッジ大学「知の未来」研究所(Leverhulme Centre for the Future of Intelligence)のエグゼクティブディレクター兼シニアリサーチフェロー。

ロイヤル・ソサエティ・オブ・アーツのフェロー。

ケンブリッジ大学で哲学の博士号を取得した後、英国外務省にて政策顧問および外交官を務めた。近年は、人工知能の未来などを含む哲学と科学の分野において、The Financial Times、The New York Times、The Guardian、Wired、The Atlanticなどに寄稿するほか、BBC、CBC、NPR、PBSなどにも出演する。TEDスピーカーとしても知られている。

本書Immortalityは、2012年の『ニューサイエンティスト』のベストブックの1冊に選ばれた。

[訳者]

柴田裕之(しばた・やすし)

1959年生まれ。翻訳家。訳書に、フリーマン・ダイソン『叛逆としての科学』、エイドリアン・オーウェン『生存する意識』、ジョージ・エストライク『あなたが消された未来』(以上、みすず書房)、ベッセル・ヴァン・デア・コーク『身体はトラウマを記録する』、フランス・ドゥ・ヴァール『動物の賢さがわかるほど人間は賢いのか』『ママ、最後の抱擁』(以上、紀伊國屋書店)、シェリー・ケーガン『「死」とは何か』(文響社)、ユヴァル・ノア・ハラリ『サピエンス全史』『ホモ・デウス』『21 Lessons』(以上、河出書房新社)ほか多数。

ケンブリッジ大学・人気哲学者の「不死」の講義

「永遠の命」への本能的欲求が、人類をどう進化させたのか?

2021年12月13日　第1版　第1刷発行

著　者　スティーヴン・ケイヴ
訳　者　柴田裕之
発行者　村上広樹
発　行　日経BP
発　売　日経BPマーケティング
〒105-8308　東京都港区虎ノ門4-3-12
https://www.nikkeibp.co.jp/books/
デザイン　三森健太＋永井里実(JUNGLE)
制　作　キャップス
校　閲　株式会社文字工房燦光
編　集　宮本沙織
印刷・製本　図書印刷株式会社

本書籍に関するお問い合わせ、ご連絡は下記にて承ります。
https://nkbp.jp/booksQA
ISBN978-4-296-00052-4　Printed in Japan